Pour te retrouver

HEATHER GUDENKAUF

Pour te retrouver

Roman

MIRa

Titre original :
THE WEIGHT OF SILENCE
publié par MIRA®

Traduction de l'américain par JEANNE DESCHAMP

Mira® est une marque déposée par le groupe Harlequin

83-85, boulevard Vincent-Auriol, 75646 PARIS CEDEX 13.
Tél. : 01 42 16 63 63

Service Lectrices — Tél. : 01 45 82 47 47
www.harlequin.fr

ISBN 978-2-2802-3251-7 — ISSN 1765-7792

Pour mes parents, Milton et Patricia Schmida

« Personne ne peut ignorer en entrant
Qu'ici est la véritable carte du monde,
Tu te tiens au cœur, tissant un foyer pour nous tous »
BRIAN ANDREAS

Prologue

Antonia

Louis et moi te voyons presque en même temps. Tu es là, dans les bois, entre les arbres à miel dont l'odeur sucrée restera toujours associée à cette journée, et j'entrevois un pan de ta chemise de nuit d'été rose, celle que tu portais hier soir au coucher. Ma poitrine se dénoue, le soulagement me fait chanceler. C'est à peine si je remarque tes jambes égratignées, la boue sur tes genoux. Même la chaîne que tu tiens à la main, je ne la vois pas. J'ouvre les bras pour te recueillir, te serrer tellement fort, poser ma joue sur tes cheveux mouillés de transpiration. Jamais plus je ne te demanderai de parler. Jamais plus je ne te supplierai en silence de me dire quelque chose. Tu es là. Mais tu passes à côté de moi sans un regard, tu t'immobilises devant Louis. Et je me dis : « Elle ne me voit même pas. C'est vers Louis qu'elle va, vers son uniforme de policier. C'est bien. C'est la bonne conduite à tenir. » Louis se penche vers toi et j'ai les yeux rivés sur ton visage. Je vois tes lèvres amorcer un mouvement, et alors je sais, je sais. Je vois le mot se former, la syllabe s'affermir et glisser de ta bouche sans effort. Ta voix. Non pas hésitante, ni enrouée à force de silence, mais claire et intrépide. Un mot, le premier en trois ans. L'instant d'après, je te tiens dans mes bras et je pleure. Et avec mes larmes coulent des émotions contraires, la gratitude et le soulagement, pour l'essentiel, mais aussi du chagrin. Je vois le père de Petra s'effondrer. Le mot que tu as choisi ne fait pas sens pour moi. Mais cela n'a pas d'importance. Je m'en moque.

Enfin, tu as parlé.

Calli

Calli s'agita dans son lit. La touffeur humide d'un petit matin d'août avait envahi sa chambre, l'enveloppant de sa moiteur épaisse. Plus tôt dans la nuit, elle avait repoussé du pied les draps et le couvre-lit blanc en chenille et sa chemise de nuit rose retroussée s'enroulait autour de sa taille. Pas un souffle de brise ne filtrait à travers la moustiquaire, par la fenêtre ouverte. La lune était basse dans le ciel encore nocturne et sa lumière laiteuse s'allongeait sur le sol — pâle falot dérisoire. Calli ouvrit les yeux avec la conscience vague qu'on s'activait au rez-de-chaussée : son père qui préparait son matériel de pêche. Calli reconnaissait son pas solide, si différent de la foulée rapide et légère de sa mère, de la démarche hésitante de Ben. Elle s'assit au milieu du cercle formé par ses peluches et ses draps entortillés, sentit la pression inconfortable sur sa vessie et serra les jambes pour contenir une envie pressante. Il n'y avait qu'un seul W.-C. chez elle, et il était en bas, dans la salle de bains carrelée rose, dont la moitié de la surface était envahie par l'énorme baignoire sur pieds, à l'émail éraflé. Calli n'avait pas envie de se faufiler jusqu'en bas de l'escalier aux marches grinçantes. Et encore moins de passer devant la cuisine où son père devait boire son café à l'odeur amère, tout en mettant de l'ordre dans son attirail de pêche. La pression s'accrut sur sa vessie. Calli changea de position et essaya de penser à autre chose. Elle repéra la pile de fournitures scolaires achetées pour sa future année de CE1 : des crayons aux couleurs vives, encore entiers et bien taillés ; de minces chemises en carton, toutes belles et neuves, sans angles écornés; des gommes roses et lisses qui sentaient le caoutchouc; une boîte de soixante-quatre crayons de couleur (la liste n'en indiquait que vingt-quatre, mais sa maman savait que cela ne ferait pas l'affaire); et quatre cahiers à spirale, chacun d'une couleur différente.

L'école avait toujours été un mélange de plaisir et de souffrance pour Calli. Elle adorait l'odeur de la craie et des vieux livres, sentir crisser les feuilles mortes sous les semelles de ses chaussures neuves lorsqu'elle marchait jusqu'à l'arrêt de bus. Et elle avait aimé toutes ses institutrices, sans exception. Mais elle savait aussi que les adultes se rassemblaient dans la salle de réunion de l'école pour débattre à son sujet : le directeur, le psychologue scolaire, l'orthophoniste, des enseignants spécialisés et des enseignants normaux, des spécialistes du trouble du comportement scolaire et des travailleurs sociaux. Tous réunis pour essayer de comprendre pourquoi elle avait cessé de parler. Calli connaissait même les mots savants que les adultes jetaient dans la conversation pour la décrire : « retard mental », « troubles du spectre autistique », « syndrome d'Asperger », « trouble oppositionnel avec provocation », « mutisme sélectif ». De fait, elle était plutôt intelligente. Elle lisait et comprenait sans problème les livres de classe des plus grands.

Sa maîtresse en grande section de maternelle, Mlle Monroe, dont la longue chevelure brune et la voix énergique de contralto contrastaient avec les airs d'étudiante sage, avait longtemps pensé qu'elle était juste timide. Il avait fallu attendre le mois de décembre avant que son cas passe en commission. Tout avait commencé lorsque l'infirmière scolaire, Mme White, après lui avoir tendu une paire de chaussettes ainsi qu'une culotte et un pantalon de survêtement propres pour la seconde fois en moins d'une semaine, s'aperçut un beau jour que ses visites à l'infirmerie suivaient un schéma un peu particulier.

— Tu n'as pas voulu dire à ta maîtresse que tu avais besoin d'aller faire pipi, Calli ? lui demanda-t-elle gentiment.

Incapable de lui répondre, Calli se contenta de soutenir

son regard comme elle le faisait d'ordinaire, les yeux écarquillés, le visage dépourvu d'expression.

— Passe à côté et change-toi, Calli. Et n'oublie pas de te laver du mieux que tu peux, ordonna alors l'infirmière.

Puis Mme White ouvrit le registre où elle notait méticuleusement le nom, le jour et l'heure de chaque visite. La nature de l'incident était également précisée, d'une écriture rigoureuse et serrée : maux de gorge ou de ventre, égratignures, piqûres d'abeille. Le nom de Calli revenait neuf fois depuis le 29 août, date de la rentrée des classes. Et chaque fois, dans la rubrique « motif de la visite », figuraient les initiales A. U., pour accident urinaire.

Mme White se tourna alors vers Mlle Monroe qui avait accompagné Calli à l'infirmerie.

— Michelle, c'est la neuvième fois que Calli a un petit accident depuis le début de l'année scolaire.

L'infirmière marqua une pause et attendit un commentaire qui ne vint pas.

— Va-t-elle aux toilettes en même temps que les autres enfants ?

La voix profonde de Mlle Monroe vint rouler jusque sous la porte des sanitaires où Calli se débarrassait de ses vêtements trempés.

— Je ne sais pas. Mais les possibilités d'y aller ne manquent pas. Et elle a le droit de demander, lorsqu'elle en a envie.

— Bon. Je vais appeler sa maman et lui conseiller de prendre rendez-vous chez le médecin, pour voir s'il ne s'agit pas d'une banale infection urinaire ou d'un petit problème physique de cet ordre, décida Mme White, d'un ton de sèche efficacité qui ne suscitait que rarement l'opposition. En attendant, laissez-la bien aller aux toilettes chaque fois qu'elle en ressent le besoin. Et même si elle n'en a pas envie, envoyez-la quand même.

— D'accord. Mais rien ne l'empêche de demander.

Mlle Monroe se détourna et disparut.

Calli sortit en silence des sanitaires, accoutrée d'un bas de survêtement qui gondolait à ses pieds et tombait bas sur ses fesses. Elle tenait d'une main un sac plastique avec sa culotte Charlotte aux Fraises, son jean mouillé, ses chaussettes et ses tennis rose et blanc. L'index de sa main libre tortillait distraitement une mèche de cheveux châtains.

Mme White se pencha de façon à amener son regard à hauteur du sien.

— Tu as des chaussons de gym que tu pourrais mettre, Calli ?

Elle baissa les yeux sur ses pieds emprisonnés dans les chaussettes de sport, toutes moches, que Mme White gardait en stock à l'infirmerie. Elles étaient si usées qu'on voyait, à travers le tissu, la couleur rosée de ses orteils et le vernis à ongles « Rouge Vamp » que sa maman avait appliqué la veille sur chacun de ses ongles nacrés.

— Calli ? répéta Mme White. Tu as des chaussons de gym à enfiler ?

Calli affronta son regard, serra les lèvres et fit oui de la tête. L'infirmière poursuivit sur une note plus tendre :

— Très bien, Calli. Va enfiler tes chaussures et mets le sac dans ton cartable. Je vais téléphoner à ta maman. Pas pour qu'elle te gronde, il ne s'agit pas d'une bêtise. Je vois que tu as fait plusieurs fois dans ta culotte, ce mois-ci. Et je veux juste que ta maman soit au courant. Ça marche ?

Mme White scruta avec attention le visage aux joues rosies par les rigueurs de l'hiver en Iowa. Sous son regard trop pénétrant, l'attention de Calli se réfugia vers le tableau optique, accroché au mur blanc, avec ses rangées de lettres de plus en plus minuscules…

Ni les examens médicaux qu'elle avait passés ni les tests auxquels elle avait été soumise par la commission n'avaient conclu à un problème particulier. Des solutions avaient été proposées, des options débattues. Et au bout de quelques semaines, la décision était tombée. On lui enseignerait en langue des signes le mot « toilettes » ainsi que quelques autres termes clés ; elle verrait le psychologue scolaire une fois par semaine, et pour le reste, on attendrait que Calli se décide à parler.

L'attente durait toujours.

Calli se glissa hors de son lit, prit avec précaution sa pile de fournitures scolaires et les disposa sur sa petite table en pin, exactement comme elle les placerait sur son nouveau bureau, le premier jour de la classe de CE1. Les chemises dessous et les cahiers dessus, avec les stylos et les crayons bien rangés dans sa trousse verte toute neuve.

L'envie de faire pipi lui sciait le ventre. Calli hésita un instant à se soulager dans la corbeille à papier en plastique blanc, à côté de son bureau, mais elle n'aurait pas le temps de faire disparaître les traces avant que sa mère ou Ben ne s'en aperçoivent. Et si sa maman trouvait une flaque suspecte dans sa corbeille à papier, elle se mettrait dans des états pas possibles pour essayer de comprendre ce qui se passait dans sa tête. Une liste sans fin de questions s'ensuivrait. « Il y avait quelqu'un dans la salle de bains et tu n'as pas pu tenir ? » « Tu jouais à un jeu avec Petra ? » « Tu es en colère contre moi, ma chérie ? » Calli envisagea d'escalader le rebord de sa fenêtre et de se laisser descendre en s'accrochant au treillis où s'entortillaient les fleurs de lune blanches, grandes comme sa main. Mais elle rejeta aussi cette idée. Elle ne savait pas trop comment enlever la moustiquaire, et si jamais sa mère la surprenait à faire le mur, elle pourrait se mettre en tête de condamner sa fenêtre. Alors qu'elle aimait trop dormir avec la croisée ouverte. Les soirs d'orage, elle collait le nez contre la moustiquaire et sentait les gouttes tièdes rebondir contre ses joues, tandis que montait l'odeur si particulière née du mariage de la pluie et de l'herbe brûlée par les feux de l'été. Pas plus que Calli ne voulait inquiéter sa mère, elle ne souhaitait attirer l'attention de son père alors qu'elle descendrait l'escalier pour aller aux W.-C.

Elle entrouvrit la porte de sa chambre et balaya le palier d'un regard circonspect, avant de passer dans le petit couloir où il faisait plus sombre, où l'air était plus épais et confiné.

Juste en face de sa chambre, il y avait celle de Ben, l'exacte réplique de la sienne, mais avec la fenêtre donnant sur le jardin à l'arrière et la forêt de Willow Creek. La porte de Ben était fermée, tout comme celle de la chambre de ses parents. Calli s'immobilisa un instant en haut des marches et tendit l'oreille pour écouter ce que faisait son père. Silence. Peut-être avait-il déjà quitté la maison ? Calli l'espérait de toutes ses forces. Son père avait prévu une expédition de pêche avec son copain Roger à la limite est du comté, le long du fleuve Mississippi, à cent trente kilomètres de là. Roger devait passer le prendre, tôt dans la matinée, et ils resteraient absents trois jours. Calli ressentit un petit pincement de culpabilité parce qu'elle se réjouissait du départ de son papa, mais la vie était tellement plus tranquille quand il n'y avait que maman, Ben et elle à la maison.

Chaque matin qui le trouvait assis sur la même chaise de cuisine leur apportait un homme différent. Il y avait les bons jours, où il la prenait sur ses genoux et frottait sa moustache rousse toute piquante contre sa joue pour la faire sourire. Les bons jours, il embrassait maman et lui tendait une tasse de café à son entrée. Et il proposait à Ben de l'emmener avec lui en ville. Les bons jours, son père déversait des flots presque continus de paroles, d'une voix légère, pleine d'une émotion qui ressemblait à la tendresse. D'autres fois, on le trouvait assis à la table éraflée de la cuisine, la tête entre les mains, avec des canettes de bière vides abandonnées en vrac dans l'évier et sur le plan de travail en mélaminé marron éclaboussé de taches. Ces jours-là, Calli traversait la cuisine sur la pointe des pieds, refermait sans bruit la moustiquaire derrière elle, et filait dans les bois pour jouer le long du lit de la rivière ou sur les branches des arbres tombés. De temps en temps, elle retournait jusqu'à la limite de la prairie derrière chez eux et regardait si le véhicule de son père était parti. Dès qu'elle constatait la disparition du pick-up, elle regagnait la maison, où les canettes auraient été retirées, où les odeurs de sueur et de bière qui accompagnaient les accès de beuverie de son père auraient été éliminées à grands coups de détergent. Les jours où le pick-up s'éternisait, Calli battait de nouveau en retraite dans la forêt, jusqu'à ce que la faim ou la chaleur la forcent à rentrer.

Silence, toujours. Encouragée par la pensée que son père avait sans doute déjà quitté la maison, Calli s'aventura dans l'escalier en prenant soin de ne pas faire craquer la quatrième marche. L'ampoule au-dessus de la cuisinière déversait une flaque de lumière fantomatique qui se répandait jusqu'au pied de l'escalier. Plus que deux grandes enjambées pour passer la porte de la cuisine, et elle aurait atteint sa destination. Debout sur la dernière marche, les orteils crispés sur le nez de bois d'érable, Calli remonta sa chemise de nuit au-dessus du genou pour se donner une plus grande aisance de mouvements. Un pas de géant, un coup d'œil furtif jeté dans la cuisine. Personne. Un second pas et, déjà, la fraîcheur du métal sous sa paume, la poignée que l'on tourne doucement.

— Calli?

La voix bourrue s'était élevée dans un chuchotement. Calli se figea.

— Calli? Amène-toi par là.

Calli lâcha la poignée et se retourna pour se diriger au son. Il n'y avait personne dans la cuisine, mais la porte donnant sur le jardin était ouverte et elle vit la ligne puissante des épaules de son père dans la pâle lumière d'avant le jour. Il était assis dehors sur une marche en ciment, dans un nuage de fumée de cigarette et de vapeur de café mêlées qui s'élevait jusqu'au-dessus de sa tête.

— Viens voir là, ma Callinette. Qu'est-ce que tu fais debout à une heure pareille? demanda-t-il, plutôt gentiment.

Calli poussa la moustiquaire en prenant garde de ne pas heurter le dos de son père. Elle se glissa par l'entrebâillement et se tint devant lui.

Griff leva les yeux et la regarda avec une expression de réelle sollicitude.

— Pourquoi es-tu levée si tôt, Calli ? Tu as fait un cauchemar ?

Elle fit non de la tête et fit le signe de « W.-C. », même si son envie s'était momentanément envolée.

— Quoi ? Qu'est-ce que tu dis ? Je ne t'entends pas.

Il éclata de rire.

— Tu peux élever un peu la voix ? Ah ! mais, non, c'est vrai, mademoiselle ne parle pas.

Son expression bascula, se fit sarcastique.

— Il faut que tu fasses tes espèces de signes.

Il se leva d'un bond et tordit les mains et les bras, parodiant les gestes de Calli en une caricature grotesque.

— Tu ne peux pas ouvrir la bouche comme une gamine normale ? Tu es obligée de garder les lèvres serrées, comme une débile ?

Petit à petit, son père élevait la voix. Le regard de Calli glissa vers le sol et vers la douzaine de canettes vides éparpillées autour de lui. L'envie de faire pipi revint en force, redoublant d'intensité. Elle leva les yeux vers la chambre de sa mère ; les rideaux restèrent immobiles, aucun visage réconfortant ne se dessina à la fenêtre.

— Elle ne peut plus parler, elle ne peut plus parler… C'est rien que des conneries, oui ! Tu parlais bien, avant. Je t'entends encore crier : « Papa, papa ! » Surtout quand tu voulais quelque chose. Et maintenant, j'ai une gamine retardée mentale sur les bras. Enfin, je dis ça, mais tu n'es probablement même pas de moi. Tu as les yeux de ce shérif adjoint.

Griff se pencha pour planter son regard gris-vert dans le sien. Calli ferma les paupières, les serra fort.

Un crissement de pneus se fit entendre sur le gravier de l'allée. Quelqu'un venait. *Roger.* Elle ouvrit les yeux lorsque le gros camion 4x4 s'immobilisa devant la maison.

— Hé ! Salut, la compagnie ! Alors ça boume, Calli ?

Roger pointa le menton dans sa direction, mais sans la regarder vraiment, sans attendre de réponse.

— Prêt à aller taquiner le poisson, Griff?

Roger Hogan était le meilleur ami de son père depuis le lycée. Il était petit et large, et son ventre imposant débordait sur son pantalon. Employé comme contremaître dans l'usine d'emballage de viande locale, Roger suppliait Griff de rester à Willow Creek chaque fois que son père revenait du pipeline pour passer ses jours de congé à la maison. « Je te trouve du boulot à l'usine quand tu veux, Griff. Et ce sera de nouveau comme avant. »

— Salut, Rodge.

La voix de Griff était enjouée, mais ses yeux plissés formaient deux fentes cruelles.

— Je te laisse prendre un peu d'avance, O.K.? Calli a fait un gros cauchemar. Je vais rester avec elle le temps qu'elle se calme. Je veux être sûr qu'elle se rendorme tranquillement.

— Oh, non, Griff… Tu peux bien laisser sa mère s'occuper de ta gamine! Ça fait des mois qu'on a prévu cette partie de pêche!

Griff secoua résolument la tête.

— Une petite fille a besoin de son *papa*, pas vrai, Calli? Un *papa* sur qui elle puisse compter pour l'aider dans les moments difficiles. Son *papa* doit la soutenir, tu ne crois pas, Rodge? Alors Calli va passer un petit moment avec son bon vieux *papa*, qu'elle le veuille ou non. Mais tu ne demandes que ça, pas vrai, Calli?

Chaque fois que son père prononçait le mot « papa » de ce ton corrosif, l'estomac de Calli se nouait d'un cran supplémentaire. Elle mourait d'envie de se réfugier dans la maison et de réveiller sa mère. Mais même si Griff lui crachait parfois sa haine à la figure quand il avait bu, il ne l'avait jamais maltraitée physiquement. Son frère Ben, si. Sa mère également. Mais elle, non.

— Je mets mes affaires dans ton camion, Roger. Et je te rejoindrai au cabanon, cet après-midi. On aura le temps de pêcher tranquillement ce soir. Et je prendrai un stock supplémentaire de bière en passant.

Griff souleva son sac marin vert et le jeta dans le camion. Puis, avec plus de précautions, il disposa ses cannes, son matériel et sa boîte à hameçons.

— Allez, à tout à l'heure, Rodge.

— Bon, ben d'accord. A cet après-midi. Tu es sûr que tu vas trouver ton chemin ?

— Ouais, ouais, t'inquiète. Tu me verras débarquer. Tu peux même commencer à jeter une ligne. T'as intérêt à prendre de l'avance, mon gars, car je vais te mettre une de ces raclées !

Roger partit de son gros rire.

— Ouais, c'est ça. Compte dessus !

Et il disparut en faisant rugir son moteur.

Son père revint à l'endroit où elle était restée plantée, les bras frileusement serrés autour d'elle, malgré la chaleur.

— Alors, que dirais-tu de passer un peu de temps en compagnie de ton *papa*, Calli ? Le shérif adjoint ne vit pas bien loin d'ici, pas vrai ? Il suffit de couper par la forêt, hein ?

Au moment où son père l'attrapa par le bras, la vessie de Calli se relâcha, envoyant un jet régulier d'urine le long de sa jambe tandis qu'il la tirait en direction des bois.

Petra

Ça recommence : je ne dors pas. Il fait trop chaud et mon collier me colle au cou. Je suis assise par terre devant le ventilateur sur pied et je m'approche pour sentir l'air frais sur mon visage. Je parle bas, tout près des pales, pour qu'il me renvoie le souffle de ma voix en réponse. « Je suis Petra, Princesse du Monde. » J'entends du bruit dehors, juste sous ma fenêtre. D'abord, j'ai la pétoche et j'ai envie d'aller réveiller papa et maman. Je rampe en m'aidant des mains sur le tapis rugueux qui me racle les genoux. Puis je me redresse un peu pour jeter un coup d'œil par la fenêtre. Dans le noir, je crois voir un regard levé. C'est un grand et j'ai peur. Puis je remarque quelque chose de plus petit à côté. Et là, je suis rassurée. Je les connais, je crois.

— Attendez, attendez ! Je viens avec vous !

Pendant une seconde, je me dis que ce n'est pas bien et que je n'ai pas le droit d'y aller. Mais comme il y a aussi un adulte, papa et maman ne pourront pas trop me gronder. J'enfile mes tennis et je sors de ma chambre sans bruit. Je vais juste aller leur dire un petit bonjour puis je rentrerai vite, vite me recoucher.

Calli

Son père et elle marchaient déjà depuis un bon moment, mais Calli savait très précisément où ils se trouvaient — et où ils ne se trouvaient pas — dans la forêt tentaculaire. Ils approchaient d'un endroit qu'on appelait la Butte du Mendiant, là où les délicates fleurs roses de la galane oblique poussaient entre les fougères et les joncs. Un endroit où elle voyait souvent de beaux chevaux, minces et racés, porter gracieusement leur propriétaire à travers bois. Calli souhaita de toutes ses forces qu'une fine jument couleur cannelle ou un Appaloosa tacheté débouche soudain au grand galop entre les arbres et que son père, de surprise, en revienne à la raison. Mais on était jeudi, et on ne rencontrait presque jamais personne sur les chemins près de la maison, lorsqu'on se promenait en semaine dans les bois. Il existait une chance minuscule pour qu'ils tombent sur un ranger du parc. Mais les gardes forestiers avaient plus de cinquante kilomètres de pistes et de chemins à surveiller et à entretenir. Calli était consciente de ne pouvoir compter que sur elle-même et elle se résignait, pour le moment, à se laisser traîner dans les chemins par son père. Ils n'allaient pas du tout en direction de la maison de Louis, le shérif adjoint, et Calli n'arrivait pas à décider si c'était plutôt un mal ou un bien. Un mal parce que rien ne semblait indiquer que son père avait renoncé à atteindre son but, et que ses pieds nus étaient déjà en sang sur les chemins caillouteux. Un bien parce que s'ils se présentaient chez le shérif adjoint, son père dirait un tas de choses impardonnables. Louis lui répondrait calmement et, à voix basse, essaierait de le calmer, puis finirait par appeler Antonia au téléphone. La femme de Louis, elle, se tiendrait un peu en retrait, sur le pas de sa porte, les bras croisés sur la poitrine, regardant furtivement autour d'elle pour s'assurer qu'aucun voisin n'assistait au spectacle.

Son père n'avait pas très bonne mine. Il était blanc comme la sanguinaire, cette délicate fleur printanière que sa mère lui montrait chaque année à l'occasion de leurs promenades dans les bois. Les cheveux roux de Griff se détachaient sur son visage très pâle et leur couleur rappelait le latex qui sourdait de la tige de la plante. Trébuchant régulièrement sur des racines apparentes, il ne lâchait pas pour autant son bras et allait d'un bon pas en marmonnant des trucs incompréhensibles. Calli prenait son mal en patience et attendait que le bon moment se présente pour regagner la maison en courant et retrouver sa maman.

Ils approchaient d'une clairière appelée le Chagrin des Saules. Arrangés en forme de demi-lune sur le bord de la rivière, sept saules pleureurs formaient un arc parfait. On disait que ces arbres avaient été apportés par un pionnier français, un ami de Napoléon Bonaparte. Les saules auraient été un cadeau du général, qui aimait l'ombre douce de leurs longues tiges murmurantes.

La mère de Calli était le genre de mère qui grimpait dans les arbres avec ses enfants, et se perchait dans les branches pour leur raconter des histoires au sujet de ses arrière-arrière-grands-parents, qui avaient émigré de leur Bohême natale quelque part dans les années 1800. C'était le genre de mère capable de préparer sur une impulsion des sandwichs dégoulinant de beurre de cacahuètes et de pâte à tartiner au marshmallow, puis d'attraper trois pommes au passage avant d'entraîner son petit monde pour un pique-nique improvisé dans la clairière des saules. Ils traversaient le cours d'eau en file indienne, sautant de rocher en rocher, sur les pierres lisses et couvertes de mousse. Puis Antonia étalait une vieille couverture sous le couvert d'un des saules et ils se faufilaient à l'ombre, protégés par les longues tresses bruissantes qui les isolaient du reste du monde. Les saules devenaient alors des huttes sur une île déserte. Ben, lorsqu'il avait encore du temps à leur consacrer, était le marin intrépide et Calli son fidèle second. Antonia, elle, faisait le pirate et les poursuivait en hurlant, avec un accent cockney à couper au couteau :

— Rendez-vous, bande de marins d'eau douce, ou je vous passe au fil de l'épée, tous autant que vous êtes !

— Jamais ! hurlait Ben en retour. Plutôt servir de nourriture aux requins que de nous soumettre à un mécréant de ton espèce, Barnacle Bart !

— Tant pis pour vous ! Préparez-vous à nager avec les poissons ! lançait Antonia en brandissant un bâton.

— Cours, Calli ! glapissait Ben.

Et elle prenait ses jambes à son cou — des jambes longues et pâles, couvertes de bleus et d'égratignures à force de grimper dans les arbres et d'escalader les clôtures. Elle courait, courait jusqu'à ce qu'Antonia demande grâce, pliée en deux, les mains en appui sur les genoux.

— Pouce, pouce ! suppliait-elle.

C'était le signal pour se replier tous les trois sous leur saule et se reposer en sirotant une limonade, tandis que la sueur se rafraîchissait le long de leur nuque. Le rire d'Antonia montait du fond de sa poitrine, joyeux, sans retenue. Elle rejetait alors la tête en arrière et fermait les yeux, qui commençaient à afficher les premières petites rides de la trentaine et du désenchantement. Lorsque le rire d'Antonia éclatait, tout son entourage faisait écho. A l'exception de Calli. Il y avait des années maintenant que Calli ne riait plus. Elle souriait, d'un joli sourire heureux, mais sans desserrer les lèvres. Et sans émettre les sons joyeux dont elle n'avait pourtant pas été avare, auparavant. Plus jamais on n'entendait le carillon gracieux de ses fous rires, même si elle savait que sa mère les attendait de tout son être.

Antonia était le genre de mère qui vous autorisait à manger des céréales du petit déjeuner pour le dîner du dimanche soir, et de la pizza avant de partir à l'école. Le genre de mère qui, après une journée de pluie, pouvait soudain proclamer « Ce soir, c'est thalasso » et vous inviter avec un accent distingué à entrer dans la « Maison de Beauté d'Antonia ». Elle transformait alors la vieille baignoire en un océan de bulles mauves parfumées, puis vous enveloppait dans un immense drap de bain blanc, tout doux, et vous peignait les ongles des orteils en « Rouge Tentation ». Ou vous inventait une coiffure de reine de la nuit, avec trois centimètres de piques sur la tête.

Griff, d'un autre côté, était le genre de père à boire de la bière Bud Light pour le petit déjeuner. Le genre de père à traîner sa fille de sept ans dans la forêt en quête d'une vérité toute personnelle. Le soleil apparaissant à travers les arbres, Griff s'assit sous un des saules pour prendre un peu de repos.

Martin

Je sens le visage de Fielda dans mon dos, son bras qui entoure mon flanc épaissi par le passage des ans. Il fait trop chaud pour dormir enlacés, mais je ne cherche pas à l'écarter de moi, même doucement. Si nous brûlions au fin fond de l'enfer de Dante, je ne pourrais pas repousser Fielda pour autant. En quatorze ans de mariage, nous n'avons été séparés qu'à deux occasions, elle et moi. Et chaque fois, j'ai eu le sentiment que c'était au-dessus de mes forces. La seconde nuit que Fielda et moi avons passée l'un sans l'autre, je ne la mentionnerai pas. Quant à la première, elle a eu lieu neuf mois après notre mariage, lorsque je suis allé assister à un congrès d'économie à l'université de Chicago. Je me souviens de l'hôtel où je reposais sur mon lit bosselé sous l'édredon rêche, aspirant à la présence de Fielda. Je me sentais en apesanteur sans elle, dans cette chambre inconnue. Sans son bras qui m'arrimait à elle, même dans les profondeurs du sommeil, j'aurais pu me mettre à flotter comme les graines de l'herbe à ouate emportées par le vent. Après cette nuit solitaire, j'ai renoncé au reste de mon séminaire et suis rentré à la maison.

Fielda a bien ri de me voir succomber à la nostalgie à peine le dos tourné, mais je sais qu'elle était secrètement ravie. Elle est venue à moi alors que j'approchais du midi de ma vie — une fille de dix-huit ans, jeune et d'une beauté insolente. J'avais quarante-deux ans, à l'époque, et j'étais marié à mon métier. J'enseigne l'économie à Saint-Gall, une université privée située à Willow Creek, qui accueille

25

mille deux cents étudiants. Non, Fielda n'est pas une de mes ex-étudiantes. Ils ont été nombreux à me poser la question, d'un ton léger, accusateur. J'ai rencontré Fielda Mourning alors qu'elle assurait le service dans le café familial, le Mourning Glory. Chaque jour, en me rendant à l'université le matin, je faisais une halte au Mourning Glory et commandais un café et un muffin, que j'avalais en lisant mon journal dans un coin tranquille de la salle gorgée de soleil. Je me souviens de Fielda en ce temps-là, si attentionnée, si gracieuse avec moi, apportant le café toujours brûlant et le muffin tiède coupé en deux et tartiné de beurre sur un côté. Je dois reconnaître que je prenais ces douceurs comme allant de soi, pensant qu'elles faisaient partie du service et que tous les clients avaient droit à la même considération.

Jusqu'au matin d'hiver, environ un an après ma première visite au Mourning Glory, où Fielda fondit sur moi, une main calée sur une hanche généreuse, l'autre tenant mon café.

— Vous pouvez me dire ce qu'il faut inventer pour attirer *enfin* votre attention ? avait-elle lancé d'une voix suraiguë.

La tasse avait heurté la table si bruyamment que mes lunettes, de surprise, en avaient glissé de mon nez. Avant que j'aie pu bredouiller une réponse, elle avait tourné les talons en me laissant face à mon café répandu. Quelques secondes plus tard, elle revenait avec mon muffin qu'elle me jetait à la figure. Il avait rebondi sur ma poitrine, laissant un dépôt de graines de pavot accrochées à ma cravate. Là-dessus, Fielda s'était élancée hors du café en courant. Sa mère — une version à l'identique de sa fille, juste un peu plus douce, un peu plus marquée par la vie — était venue jusqu'à ma table pour soupirer en levant les yeux au plafond :

— Allez donc la rejoindre dehors et parlez-lui, monsieur Gregory. Cela fait des mois qu'elle soupire après vous comme une âme en peine. Alors soyez gentil : soit vous abrégez ses souffrances, soit vous lui demandez de vous épouser. Je voudrais pouvoir recommencer à dormir la nuit.

J'ai fait comme Mme Mourning me l'avait dit : je suis

allé trouver Fielda. Et un mois plus tard, elle et moi étions mariés.

Couché sans même un drap, avec la chaleur poisseuse de ce matin d'août me hérissant la peau, je me retourne, trouve la joue endormie de Fielda dans le noir et l'embrasse. Je me glisse hors du lit, sors dans le couloir et m'immobilise devant la chambre de Petra. La porte est légèrement entrouverte et j'entends bourdonner le ventilateur. Je pousse doucement le battant et pénètre dans la pièce, un endroit si féminin, tellement saturé par l'imaginaire foisonnant de l'enfance, que j'en reste chaque fois comme interdit : collections minutieusement arrangées de pommes de pin, de glands, de feuilles, de plumes et de cailloux, le tout extrait avec le plus grand soin de notre jardin en lisière de la forêt de Willow Creek. Les poupons, les chiens en peluche, les nounours amoureusement bordés sous des couvertures fabriquées avec de vieilles serviettes sont disposés tout autour de la jeune dormeuse. L'odeur de petite fille — une combinaison de shampooing à la lavande, d'herbe verte et de transpiration qui ne contient que les enzymes de l'innocence — me submerge chaque fois que je franchis ce seuil. Ma vision, petit à petit, s'ajuste à l'obscurité et je vois que Petra n'est pas dans son lit. Je ne suis pas inquiet ; notre fille a souvent des accès d'insomnie, au cours desquels elle se faufile en catimini dans le living, en bas, pour regarder la télévision.

Je descends à mon tour mais très vite, je sais que Petra n'est pas devant le poste. La maison est silencieuse, sans le fond sonore des dessins animés, fait de voix pointues et de rires préenregistrés. Je presse le pas, parcours chaque pièce une à une, actionnant des interrupteurs. Le séjour — pas de Petra. La salle à manger, la cuisine, la salle de bains, mon bureau — pas de Petra. De nouveau, je traverse la cuisine pour descendre à la cave — pas de Petra. Je me rue au premier étage et je secoue Fielda.

— Petra a disparu ! dis-je d'une voix haletante.

Fielda bondit hors de notre lit et retrace le parcours que

je viens de faire. Pas de Petra. Je me précipite dehors pour faire le tour de la maison. Une fois. Deux fois. Trois fois. Pas de Petra. Fielda et moi nous retrouvons dans la cuisine, et le regard que nous échangeons reflète un même désarroi. Fielda étouffe un gémissement et compose le numéro de la police.

Nous nous sommes habillés en hâte pour être présentables à l'arrivée du shérif adjoint, Louis. Fielda continue d'errer de pièce en pièce, et inspecte chaque recoin de placard, scrute les endroits les plus improbables, comme si notre fille risquait d'en surgir.

— Et si elle était allée voir Calli ? suggère-t-elle soudain.

— Si tôt le matin ? Pourquoi aurait-elle fait une chose pareille ? Peut-être qu'elle avait trop chaud, qu'elle est allée se rafraîchir dehors et qu'elle a perdu la notion du temps…

Elle me considère avec scepticisme.

— Tu crois ?

— Je ne sais pas, mais assieds-toi, ça me rend nerveux de te voir t'agiter comme ça. Elle n'est pas dans cette maison, je te dis !

Sans le vouloir, j'ai haussé le ton. Le visage de Fielda se chiffonne ; elle est sur le point de pleurer. Je vais vers elle, lui chuchote que je suis désolé, même si ces recherches frénétiques me donnent envie de hurler.

— Allez, viens. Nous allons faire du café pour accueillir Louis.

— Du café ? Du *café* ?

La voix de Fielda est perçante, son regard incrédule.

— Préparer un bon café ? Nous asseoir tranquillement ? Tu as conscience de ce que tu dis, au moins ? Notre Petra se volatilise au beau milieu de la nuit alors qu'elle dormait dans sa chambre ! Tu veux que je cuisine un petit déjeuner pour Louis, pendant qu'on y est ? Des œufs miroir ? Ou peut-être des gaufres ? Martin, notre enfant est introuvable. Introuvable !

Sa tirade s'achève sur de petits sanglots. Je lui tapote le dos. Je ne suis pas une consolation pour elle, je le sais.

On frappe alors à la porte d'entrée et nous nous retournons tous les deux vers le shérif adjoint Louis, grand et élancé, ses cheveux blonds tombant sur ses yeux bleus. Nous l'invitons à entrer dans notre maison, cet homme qui a un peu plus de la moitié de mon âge et qui est proche de celui de Fielda, et nous le faisons asseoir sur notre canapé.

— Quand avez-vous vu Petra pour la dernière fois? demande-t-il.

Je prends la main de Fielda dans la mienne et je lui confie le peu que nous savons.

Antonia

J'émerge lentement de mon sommeil, éveillée par ce qui me semble être un roulement sourd que je prends d'abord pour de l'orage. Les yeux clos encore, je souris. Une bonne pluie d'orage, avec ses larges gouttes, fraîches et rondes. Je devrais peut-être réveiller Ben et Calli. Ils seraient tellement heureux de s'ébattre sous la pluie, tous les deux, et de rincer à grande eau la chaleur pesante de l'été, même si l'averse ne doit durer que quelques minutes. Je tends la main vers Griff, mais la place dans le lit est vide et les draps plus frais que de mon côté. Il est vrai que nous sommes jeudi, jour du départ pour l'expédition de pêche. Et Roger doit passer prendre Griff. Ce n'est peut-être pas l'orage que j'entends, mais le ronflement d'un moteur de camion… Je roule du côté de Griff pour absorber la brève fraîcheur des draps et décide de me rendormir. Mais des chocs répétés se font entendre, des coups énergiques frappés en bas, à la porte, dont les vibrations se répercutent jusque dans le plancher. Irritée, je bascule mes jambes hors du lit. Enfin, zut, quoi! Il est à peine 6 heures du matin! J'enfile le short que j'avais laissé traîner par terre hier soir, et je passe la main dans mes cheveux que le sommeil a emmêlés. En traversant le palier, je vois que la porte de la chambre de Ben est hermétiquement fermée, comme à l'ordinaire. La chambre de Ben est sa forteresse privée. Je n'essaie même plus d'y entrer. Les seuls à y avoir accès sont ses amis de l'école et sa sœur, Calli. Ce qui me surprend, d'ailleurs. J'ai grandi avec quatre frères et je n'accédais à leur domaine qu'en usant de la ruse ou de la force.

Toute ma vie, j'ai été encerclée d'hommes : mes frères, mon père, Louis. Et, bien sûr, Griff. La plupart de mes amis à l'école étaient des garçons. Quant à ma mère, elle est morte alors que je n'avais que dix-sept ans. Mais même de son vivant, elle se trouvait plutôt à la périphérie qu'au cœur du cercle familial. Aujourd'hui, je regrette de ne pas avoir été plus attentive à sa façon d'être. J'ai des souvenirs flous de ses attitudes lorsqu'elle se tenait assise, toujours en jupe, une jambe croisée sur l'autre, ses cheveux bruns tirés sur la nuque en un élégant chignon bas. Ma mère n'a jamais réussi à me faire enfiler une robe, à m'intéresser au maquillage ou à me faire me tenir « comme une dame ». Mais elle a toujours maintenu au moins une exigence : que je porte mes cheveux longs. Je me rebellais en les relevant en queue-de-cheval et en me collant systématiquement une casquette sur la tête. J'aurais dû regarder plus attentivement, lorsqu'elle passait un bâton de rouge sur ses lèvres, ou vaporisait juste la quantité voulue de parfum au creux de ses poignets blancs. Je me rappelle qu'elle se penchait parfois sur mon père pour lui chuchoter quelque chose à l'oreille et lui faire fleurir un sourire aux lèvres. Dans mes souvenirs, elle parvenait à l'apaiser rien qu'en posant une main manucurée sur son bras. Mais c'est ma propre fille, ma silencieuse petite fille, qui incarne, plus encore que ma mère, le mystère du féminin pour moi. La façon dont Calli aime que je lui lisse les cheveux en arrière, à la sortie du bain ; la joie avec laquelle elle examine ses orteils lorsque je lui applique, avec maladresse, du vernis sur les ongles. Avoir une fille, pour moi, c'était comme entrer en possession d'une vieille carte au trésor dont l'itinéraire principal aurait été déchiré, effacé. Ces temps-ci, je regarde Calli avec plus d'attention encore, scrutant chacun de ses gestes, chacune de ses mimiques. Au moins, lorsqu'elle parlait encore, elle pouvait me communiquer ses envies, ses besoins ; mais maintenant, je devine, j'hésite, j'espère faire au mieux. Je continue comme si tout était normal, comme si ma Calli était une fille de sept ans ordinaire, comme si des inconnus ne délibéraient pas régulièrement sur son « cas » à l'école, comme si les voisins ne chuchotaient pas dans notre dos au sujet de la « petite Clark » qui n'ouvre plus jamais la bouche.

La porte de la chambre de Calli est entrouverte, mais les coups frappés en bas redoublent d'intensité. Alors, je me hâte de dévaler les marches dont le bois déformé par les ans grince sous mes pieds nus. Je déverrouille la lourde porte d'entrée en chêne et trouve Louis et Martin Gregory, le père de Petra, sur le seuil. La dernière fois que Louis est entré chez moi, c'était il y a trois ans, mais je me souviens à peine de cette visite car j'étais à moitié évanouie sur le canapé après ma chute dans l'escalier.

— Bonjour, dis-je d'une voix incertaine. Il est arrivé quelque chose ?

C'est Louis qui, le premier, prend la parole :

— Petra est ici, Toni ?

Je réponds que non et tourne les yeux vers Martin. Je vois ses traits s'affaisser un instant, puis il relève le menton.

— Pouvons-nous parler à Calli un instant ? Il semble que Petra ait…

Martin hésite, ne termine pas sa phrase et reprend :

— Nous sommes à la recherche de Petra et nous avons pensé que Calli pourrait nous mettre sur la voie.

— Oh, mon Dieu, bien sûr… Entrez, je vous en prie.

Je les précède dans le séjour et m'aperçois que des canettes de bière vides jonchent la table basse. Je les rassemble en hâte et me dépêche d'aller les jeter dans la cuisine.

— Je monte réveiller Calli.

Je gravis les marches deux par deux, le ventre noué d'angoisse pour Martin et Fielda. En montant, j'appelle ma fille :

— Calli ? Calli, lève-toi, ma chérie. J'ai quelque chose à te demander.

Quand j'arrive en haut, Ben ouvre sa porte. Il est torse nu, et je m'aperçois que ses cheveux roux ont besoin d'une coupe.

— Ça va, Benny ? Il faut que je voie Calli, les parents de Petra cherchent leur fille partout.

Je passe à côté de lui sans m'arrêter et pousse la porte de la chambre de Calli. Ses draps sont froissés et son singe-chaussette en peluche gît par terre, son visage souriant tourné vers moi. Je m'immobilise, étonnée, puis je me retourne.

— Ben ? Tu sais où est passée Calli ?

Il hausse les épaules et se replie dans son antre. Je vais voir rapidement dans la chambre d'amis, puis dans ma chambre et celle de Ben. Je dévale l'escalier.

— Calli n'est pas là non plus !

Je passe en courant devant Louis et Martin, et descends l'escalier branlant qui mène à la cave, actionnant l'interrupteur au passage. La fraîcheur humide de notre sous-sol en béton glisse sur moi. Pas un son. Rien que des cartons et des toiles d'araignée. Et notre vieille armoire de congélation vide. Mon cœur s'arrête un instant de battre. On entend ces histoires d'enfants jouant à cache-cache dans de vieux congélateurs et qui restent enfermés, incapables d'en ressortir. J'ai dit je ne sais combien de fois à Griff de se débarrasser de ce vieux truc. Mais il ne s'en est jamais occupé. *Je* ne m'en suis jamais occupée. Je cours jusqu'au congélateur, je soulève le couvercle et une bouffée rance m'envahit les narines. L'armoire de congélation est vide. J'essaie de réguler ma respiration, puis je me retourne vers l'escalier et vois Martin et Louis qui m'attendent en haut des marches. Je remonte au pas de course, passe encore une fois à côté d'eux et sors par la porte de la cuisine. Personne dans le jardin. Je cours jusqu'à la limite de la forêt, scrute l'ombre des arbres. Hors d'haleine, je retourne vers la maison. Louis et Martin m'attendent en silence derrière la moustiquaire.

— Je ne trouve pas Calli ! Elle n'est ni dans la maison ni dans le jardin !

Louis reste impassible, mais les traits de Martin s'affaissent sous l'effet de la déception.

— Elles sont probablement parties jouer ensemble quelque part, suggère Louis. As-tu une idée de l'endroit où elles ont pu aller ?

— Je ne sais pas... Dans le parc ? Ou à l'école, peut-être ? Mais à une heure aussi matinale ? Il est quoi, là ? 6 heures ?

— Petra a quitté la maison avant 4 h 30 du matin, intervient Martin d'un ton neutre. Où ont-elles bien pu se mettre en tête d'aller, avant le lever du jour ?

Je secoue la tête.

— Je ne sais pas. Je ne comprends rien à cette histoire.

Louis me demande s'il peut jeter un coup d'œil et je lui emboîte le pas. Je suis sur ses talons tandis qu'il fait le tour de ma maison, regardant sous les lits, ouvrant les armoires.

— J'ai transmis l'information au sujet de Petra à tous les policiers en service. Les recherches ont déjà commencé en ville. A première vue, les filles n'ont pas été...

Il se tait, marque une pause.

— A priori, il ne leur est pas arrivé malheur. Je propose que vous alliez voir l'un et l'autre dans les endroits que vos filles fréquentent habituellement.

Martin ne paraît pas très convaincu. Mais il accepte d'un signe de tête et je fais de même.

— Toni, je vois que le pick-up de Griff est devant la porte. Il est à la maison ? Saurait-il nous dire où se trouvent les filles ?

Louis, avec son tact et sa gentillesse habituels, me demande si Griff est lucide, ce matin, ou s'il gît dans un demi-coma après une nuit de beuverie.

— Griff n'est pas ici, non. Il est parti pêcher avec Roger, tôt ce matin. Ils comptaient se mettre en route vers 4 h 30.

— Et s'il avait emmené les filles pêcher avec lui ? demande Martin d'un air d'espoir.

Je me mets à rire.

— Oh, non... La dernière chose que ferait Griff serait

de s'encombrer de deux gamines pour sa grande partie de pêche. Il compte rester quelques jours et n'est pas censé rentrer avant samedi. Je peux vous assurer que les filles ne sont pas avec lui.

— Je ne sais pas, Toni… Il a pu prendre une décision impulsive et te laisser un petit mot quelque part.

Je commence à ressentir une légère irritation contre Louis.

— Puisque je te dis que non ! Je sais que Griff n'aurait pas pris ce genre d'initiative.

— Bon, très bien. Alors, on refait le point dans une heure. Si les filles n'ont toujours pas été retrouvées d'ici là, nous changerons de stratégie.

J'entends un mouvement derrière moi, et quand je me retourne, je vois Ben assis derrière nous sur les marches. Au premier regard, on pourrait le prendre pour Griff, avec ses épaules carrées et ses cheveux d'un blond vénitien. La différence, ce sont les yeux. Ceux de Ben sont doux et calmes.

Je l'interroge :

— Ben ? Calli et Petra ont disparu on ne sait où. Tu as une idée de l'endroit où elles peuvent se cacher ?

— Dans les bois, répond-il sans hésiter. Je vais faire ma tournée de livraison de journaux. Puis je me mettrai à la recherche des filles.

— Bon, j'envoie deux policiers pour fouiller la forêt à proximité de vos deux maisons. Dans une heure, répète Louis. Nous nous retrouvons dans une heure.

Ben

Ce matin, je me réveille d'un coup, avec le cœur qui cogne dans ma poitrine. J'ai encore fait ce rêve idiot. Celui où nous grimpons, toi et moi, dans le vieux noyer de la forêt. Celui qui est près du pont de l'Arbre Seul. Je te soulève pour te hisser, comme je le fais toujours, et tu attrapes une branche au-dessus de toi ; tes doigts aux ongles rongés sont si crispés qu'ils en deviennent blancs. Je râle et te dis de te grouiller, que je n'ai pas que ça à faire et qu'on ne va pas y passer la journée. Et c'est là que tu commences à grimper pendant que je te regarde faire d'en bas. Déjà, tu t'élèves avec plus de facilité. Les branches, de plus en plus rapprochées, sont épaisses et solides. Tu montes de plus en plus haut et je ne vois plus que tes genoux maigres, puis seulement le bout de tes tennis. Je hurle : « Arrête, Calli ! Redescends ! Tu vas tomber ! » Mais toi, tu disparais au cœur du grand arbre et je ne vois plus rien. Là, je me dis que ça va me retomber dessus et que j'en prendrai plein la figure. Puis, d'un coup, j'entends ta voix d'en haut qui m'appelle : « Grimpe, Ben ! Il faut que tu voies ça ! Allez viens, Ben… Vite ! » Je sais que c'est toi qui cries, même si je ne me souviens plus vraiment du son de ta voix. Tu continues à appeler, à appeler, et je ne peux pas te rejoindre. Je voudrais grimper aussi mais je n'arrive pas à attraper la première branche, elle est trop haut. Alors je hurle à mon tour : « Attends-moi ! Attends-moi ! Qu'est-ce que tu vois, Calli ? » Et c'est là que je me réveille, tout mouillé de sueur. Pas une transpiration de chaleur, mais

36

celle qui est froide et qui fait mal à la tête et au ventre. J'ai essayé de me rendormir, mais je n'ai pas pu.

Et ce matin, tu as disparu je ne sais pas où, je ne sais pas comment. Et je me sens coupable, comme si c'était ma faute. Tu es plutôt cool, comme petite sœur, mais c'est une grosse responsabilité, pour moi. Il faut toujours que je fasse attention à toi. Tu te souviens, quand j'avais dix ans et que tu en avais cinq? Maman avait décidé que ce serait moi qui t'emmènerais à l'arrêt du car, tous les matins.

« Tu me promets que tu feras attention à ta petite sœur, Ben? »

Je promettais, mais je n'obéissais pas. Pas au début, en tout cas. Je faisais ma rentrée au CM2, et j'aurais perdu la face si mes copains m'avaient vu avec un bébé de maternelle. Je t'ai tenu la main tant qu'on marchait dans l'allée, jusqu'à l'endroit précis où maman ne pouvait plus nous surveiller de la fenêtre de la cuisine. Là, je me suis dégagé direct, et j'ai couru comme un dingue jusqu'à l'arrêt du car. De temps en temps, je me retournais pour voir si tu suivais. Je devais reconnaître que tes petites jambes maigres de maternelle tricotaient courageusement et que tu faisais de ton mieux, avec ton sac à dos rose tout neuf qui te rebondissait dans le dos. Mais tu ne pouvais pas tenir le rythme. Tu as trébuché en arrivant à la grosse fissure dans le caniveau, devant la maison des Olson, et tu t'es étalée par terre.

J'ai failli revenir te chercher. Sérieux, hein. Mais juste à ce moment-là, Raymond est arrivé et je suis resté sur place. Voilà. Quand tu as atteint l'arrêt, le car arrivait juste. Ton genou était en sang et la barrette violette que maman avait mise dans tes cheveux pendouillait sur le côté. Les enfants faisaient la queue pour monter dans le car, mais toi, tu ne t'es pas dégonflée : tu es venue te planter devant, à côté de moi. Et je faisais comme si je ne te voyais pas. Dans le car, je me suis assis d'office à côté de Raymond. Et toi, tu restais plantée au milieu du passage, en attendant que je me pousse pour te faire une place. Mais je t'ai tourné le dos et je me suis mis à parler à Raymond. Les enfants derrière toi ont commencé à hurler des « Dépêche-toi ! » et des « Assieds-toi ! ». Tu as fini par t'enfiler dans la rangée de sièges en face des nôtres. Et je te voyais du coin de l'œil, toute recroquevillée près de la fenêtre, avec tes jambes qui ne touchaient même pas le sol, et le filet de sang qui te coulait sur le genou. Ce soir-là, tu n'as même pas voulu me regarder. Même après dîner, quand je t'ai proposé de te lire une histoire, tu as juste haussé les épaules et tu es partie en me laissant tout seul à table.

Je sais que j'ai été nul avec toi, ce jour-là, mais pour un mec qui fait sa rentrée en CM2, les premières impressions, ça compte. Par la suite, j'ai essayé de me faire pardonner. Au cas où tu ne le saurais pas, c'est moi qui t'ai mis le petit paquet de Tootsie Rolls sous ton oreiller, ce soir-là. Je regrette de ne pas m'être plus occupé de toi pendant tes premières semaines à l'école. Mais tu sais ce que c'est, toi, d'être désolé et de ne pas avoir de mots pour dire quelque chose, alors que tu sais que tu devrais, mais que tu ne peux pas.

Calli

Griff somnolait, assis le dos calé contre le tronc d'un des vieux saules, la tête dodelinante et les yeux clos. Mais ses doigts puissants lui entouraient toujours le poignet. Calli se tortilla, cherchant une position moins inconfortable sur le sol dur et irrégulier. L'odeur de sa propre urine lui picota les narines et une vague de honte la submergea. Et si elle en profitait pour s'enfuir maintenant? Elle courait vite et connaissait chaque embranchement, chaque tournant, chaque ornière des chemins; elle devrait pouvoir semer son père. Lentement et sans à-coups, elle essaya de dégager son bras. Mais dans son sommeil léger, Griff resserra encore son emprise. Vaincue, Calli s'affaissa de nouveau contre son côté du tronc.

Elle aimait s'imaginer en enfant sauvage de la forêt, campant « à la dure », comme disait son frère. Ben savait un tas de choses au sujet de la forêt de Willow Creek : qu'elle faisait plus de cinq mille hectares et s'étendait sur deux comtés. Ben lui avait dit que le sol était essentiellement formé de grès et de calcaire et appartenait au plateau paléozoïque, ce qui signifiait que les glaciers n'avaient jamais traversé la partie de l'Iowa où ils vivaient. Ben lui avait montré aussi où trouver le faucon rouge-épaulé, un oiseau menacé d'extinction que même le ranger Phelps n'avait encore jamais vu. Cela ne faisait que quelques heures que son père et elle étaient partis de la maison, mais Calli en avait déjà bien assez. Normalement, la forêt était son endroit préféré, un lieu de calme où elle pouvait réfléchir, rêvasser, fureter. Ben et elle faisaient souvent semblant de camper, ici, au Chagrin des Saules. Ben charriait alors un gros jerricane plein d'eau et elle se chargeait des provisions consistant généralement en paquets de chips et en rouleaux de réglisse à grignoter. C'était Ben qui préparait le feu en empilant savamment les branches sèches et les brindilles, pour entourer ensuite le foyer d'un cercle de grosses pierres. Ils n'allumaient jamais leur feu pour de bon, en fait. Mais c'était rigolo de faire semblant. Ils embrochaient des marshmallows sur des branches encore vertes et les faisaient « griller » au-dessus des flammes imaginaires. Puis Ben sortait son couteau de poche et leur fabriquait des ustensiles en sculptant des bouts de bois qu'il trouvait par terre. Il avait réussi à confectionner deux cuillères et une fourchette avant que la lame ne dérape et lui entaille la main. Après les six points de suture, leur mère lui avait confisqué le couteau, déclarant qu'il le récupérerait dans quelques années. Ben le lui avait remis à contrecœur. Depuis, au lieu de fabriquer eux-mêmes leurs couverts, Ben et elle sortaient de la vaisselle en douce de leur propre cuisine. Sous le plus grand des saules, Ben avait construit un petit garde-manger avec des planches et l'avait cloué contre l'arbre. C'était là qu'ils rangeaient leur butin. Une fois, ils avaient voulu s'organiser pour leur visite suivante et ils avaient stocké des chips et un paquet de crackers sur l'étagère. Lorsqu'ils étaient retournés à la clairière, quelques jours plus tard, ils avaient découvert qu'on les avait précédés. Un raton laveur, probablement. Mais Ben, pour la taquiner, avait tenté de la persuader que l'auteur du larcin était sans doute un ours. Calli ne l'avait pas vraiment cru. Mais elle aimait bien l'idée qu'une maman ourse, quelque part dans la forêt, nourrissait ses oursons avec des chips Ahoy et des biscuits Wheat Thins.

Calli se demanda si sa mère avait déjà découvert son absence ; si Antonia se faisait du souci, si elle la cherchait dans toute la maison. Son estomac gronda et elle se hâta de placer sa main libre sur son ventre pour étouffer le son. Il y avait peut-être quelque chose à manger, dans leur buffet accroché à deux arbres de là. Griff émit un grognement, ouvrit lentement les yeux et fixa son regard sur elle.

— Tu schlingues, toi, commenta-t-il méchamment.

Il ne semblait pas avoir conscience de ses propres odeurs corporelles, une combinaison d'alcool, de sueur et d'oignon.

— Allez, on y va. N'oublie pas qu'une réunion de famille nous attend. C'est par où ?

Calli hésita. Elle pouvait mentir, entraîner son père au cœur de la forêt, puis se sauver à la première occasion. Elle avait également la possibilité de lui montrer le bon chemin et d'en finir. La seconde option l'emporta. Elle était fatiguée, elle avait faim, et elle voulait rentrer à la maison. Levant la main, elle pointa un index terreux dans la direction d'où ils étaient venus.

— Bon, lève-toi, ordonna Griff.

Calli se mit debout. Son père lui lâcha le bras et elle secoua sa main endolorie ; ses doigts picotaient comme si elle avait reçu des milliers de piqûres d'épingle. Ils se mirent en route, formant un drôle de tandem, avec Griff marchant juste derrière elle, sa grosse main posée sur son épaule. Calli avançait le dos légèrement courbé sous le poids. Ils rebroussèrent chemin sur environ deux cents mètres, jusqu'au début d'un sentier sinueux qu'on appelait le chemin des Antophytes. Calli était toujours capable de déterminer si quelqu'un avait emprunté un chemin avant elle. Durant la nuit, les araignées tendaient leurs toiles en travers et les longs fils fragiles s'étiraient entre les rameaux. Lorsque le soleil bas du matin éclairait les bois sous un angle bien particulier, elle discernait la barrière luisante et fragile qui protégeait le ventre de la grande forêt, comme si les arbres eux-mêmes chuchotaient : « N'entre pas. » Calli veillait toujours à ne pas briser les constructions délicates tissées en fil de soie. Lorsqu'elle voyait que les toiles avaient été déchirées, elle savait qu'un homme ou un animal était passé avant elle. Elle se baissait alors pour examiner le sol. Et si elle découvrait des empreintes humaines, elle revenait sur ses pas et choisissait un autre sentier. Calli aimait à penser qu'elle était la seule personne dans les bois sur des kilomètres et des kilomètres à la ronde. Et que l'écureuil moucheté de blanc qui se tenait dressé sur une vieille branche vermoulue en tordant ses petites pattes rencontrait pour la première fois un représentant de son espèce : une créature aux yeux tristes qui, si elle n'appartenait pas tout à fait au monde de la forêt, n'y était pas non plus complètement étrangère. Cette fois-ci, Calli contourna avec précaution un érable rouge, et le souffle créé par son passage effleura la toile, qui oscilla de façon précaire puis se remit en place, retrouvant sa configuration d'origine.

Un mouvement rapide à leur droite surprit Griff autant qu'elle. Un grand chien roux filait droit devant lui, la truffe à ras de terre, reniflant l'herbe à leurs pieds. Calli tendit la main pour lui caresser les flancs mais le chien repartait déjà, nez au vent, une longue laisse rouge glissant dans son sillage.

— Nom de Dieu ! tonna Griff en portant la main à sa poitrine. Il m'a fait peur, ce clébard ! Allez, on continue.

Un animal, un seul, avait effrayé Calli dans ses expéditions passées au cœur des bois : le corbeau couleur de suie, avec ses plumes lisses et grasses, lorsque, perché sur des érables tordus, il couvrait de son croassement excédé le chant fragile de la forêt. Calli imaginait parfois qu'une confrérie de corbeaux l'espionnait du haut des frondaisons, avec des yeux aussi étincelants et froids que des roulements à billes. Ces oiseaux, qui semblaient observer, réfléchir, lui donnaient parfois l'impression de la suivre à distance, opérant par moments de bruyantes descentes en piqué. Calli scruta le ciel au-dessus de leurs têtes. Pas de corbeaux en vue. Mais elle repéra une sitelle solitaire au plumage gris-bleu, qui marchait tête en bas le long d'un tronc, à la recherche d'insectes.

Griff s'immobilisa pour regarder autour de lui

— Tu es sûre que c'est la bonne direction, au moins ?

Sa voix était plus claire, moins pâteuse, et il trébuchait

moins sur ses mots. Calli fit oui de la tête. Ils marchèrent encore une dizaine de minutes, puis elle leur fit quitter le chemin des Antophytes, qui s'enfonçait entre les ronces épaisses. Calli sentit les coques gluantes des noix sous ses pieds et regarda si elle ne voyait pas de lierre toxique. N'en repérant aucun, elle poursuivit son chemin en montée, faisant la grimace à chaque pas. Brusquement, ce fut la fin des bois, et ils se retrouvèrent juste derrière le jardin de Louis. L'herbe humide de rosée était trop haute ; des battes de base-ball, des gants et d'autres jouets épars jonchaient le sol à côté d'une balançoire. Une camionnette verte était garée dans l'allée à côté de la grande construction de bois brun de style ranch. Tout était calme, à l'exception des abeilles qui bourdonnaient autour d'un parterre fané de marguerites à cœur jaune. Une grande torpeur semblait régner sur les lieux.

Griff ne paraissait plus très bien savoir ce qu'il voulait, tout à coup. Sa main tremblait légèrement sur son épaule et Calli sentait à travers sa chemise de nuit l'infime mouvement oscillatoire, comme une amorce de spasme.

— Je t'avais dit que je t'emmènerais voir ton papa. Tu te rends compte que tu pourrais vivre dans une belle maison comme celle-ci ? s'esclaffa-t-il en frottant ses yeux injectés de sang. Qu'est-ce que t'en dis, Calli ? On entre leur dire un petit bonjour ?

Son père avait l'air nettement moins sûr de lui, à présent. Calli secoua misérablement la tête.

— Tu ne veux pas ? Bon, ben, tant pis, on s'en va. J'ai mal au crâne, de toute façon.

Griff lui tirait sur le bras sans ménagement lorsque le claquement d'une moustiquaire l'arrêta. Une femme pieds nus, juste vêtue d'un short et d'un T-shirt, sortit de la maison avec un téléphone sans fil pressé contre l'oreille. Elle parlait fort, d'une voix aiguë, presque perçante.

— Oui, c'est ça, d'accord. Elle a besoin de toi parce que sa précieuse petite fille manque à l'appel, et toi, tu disparais sans un mot !

Griff se figea. Calli fit un pas en avant pour mieux entendre, mais son père la tira en arrière. La femme, Calli la connaissait, c'était Christine, l'épouse de Louis.

— Je me fiche qu'elles soient *deux* gamines à avoir disparu. C'est sa fille à elle qui t'intéresse! hurla Christine d'une voix amère. Quand Antonia appelle, tu accours ventre à terre. Et tu le sais aussi bien que moi!

La femme fit silence un instant pour écouter la voix à l'autre bout du fil.

— Oui, c'est ça, c'est ça… Fais ce que tu as à faire, Louis. Mais ne me demande pas ma bénédiction.

Arrachant le téléphone de son oreille, Christine appuya avec violence sur la touche d'arrêt. Elle esquissa le geste d'envoyer voler l'appareil dans les buissons, mais sa main retomba.

— Merde, jura-t-elle en se retournant.

Puis elle répéta un second « merde » retentissant, avant d'ouvrir la moustiquaire et de la faire claquer derrière elle en disparaissant dans la maison.

— Eh ben, grommela Griff en la regardant. Tu as disparu, on dirait? Je me demande bien qui a pu t'enlever.

Il partit d'un gros rire.

— Oooh, je suis le vilain, méchant kidnappeur. On ferait mieux d'y aller, tiens. Ta mère va sauter au plafond lorsqu'elle nous verra arriver.

Calli se laissa traîner de nouveau à l'ombre de la forêt et sentit la fraîcheur des arbres l'envelopper. Sa mère avait découvert son absence, mais elle ne savait pas qu'elle était avec son père, apparemment. Et une autre petite fille avait disparu. Mais qui? Calli ferma les yeux et lutta fort pour contenir ses larmes. Elle voulait sa maman, sa maison. Se débarrasser de sa chemise de nuit sale, laver et panser ses pieds en sang, puis se glisser au fond de son lit et disparaître entre les draps.

Martin

J'ai déjà visité tous les endroits de prédilection de Petra : la bibliothèque, l'école, la boulangerie, les maisons de Kerstin et de Ryan, l'étang de Wycliff, et maintenant l'aire de jeux, près du parc. J'avance entre les balançoires, les bascules, les toboggans et autres échelles de singe, tous abandonnés, à cette heure matinale. Je grimpe même sur la grosse locomotive noire dont la compagnie de chemins de fer a fait don à la ville pour servir de module de jeux. Je suis sidéré que des gens investis d'un minimum d'autorité aient pu juger que cette énorme machine conviendrait comme équipement de jeux pour des enfants. La locomotive n'est plus en service depuis des lustres, et toutes les pièces dangereuses ont naturellement été retirées. Le verre, d'autre part, a été remplacé par du plastique, et les angles durs ont été arrondis. Mais cette loco n'en reste pas moins gigantesque. Tout à fait le genre d'engin à mettre à la disposition de jeunes enfants convaincus qu'ils voleraient comme des oiseaux si seulement on leur en laissait l'opportunité. J'ai vu des gamins escalader les nombreuses échelles qui mènent jusque dans les parties les plus élevées de la locomotive. Ils organisaient un jeu baptisé « Attaque du train », observant tout un tas de règles souvent tacites, ou posées en cours de partie. Je les ai vus sauter du sommet du train et atterrir au sol avec un bruit terrible — un bruit que j'associe à des os fracturés. Immanquablement, cependant, les enfants se relevaient d'un bond, essuyaient leurs postérieurs poussiéreux et repartaient sans paraître autrement affectés.

Moi aussi, je grimpe jusqu'au sommet de la loco noire et je scrute le parc, à la recherche de Petra et de Calli. Pour une fois, j'expérimente l'ivresse que les enfants doivent ressentir. Le sentiment d'être au pinacle, d'avoir atteint un stade où il n'y a plus d'autre issue que la descente — ou la chute. La sensation est vertigineuse, et le manque d'assurance me fait vaciller sur mes jambes tandis que j'observe les alentours. Nulle part les filles ne sont en vue. Je me mets en position assise, à califourchon sur l'énorme machine noire. Je regarde mes mains noircies par une suie si profondément incrustée que même des années de pluie n'en sont pas venues à bout, et je pense à Petra.

La nuit où Petra est née, j'étais à l'hôpital avec Fielda. Je m'étais installé dans un fauteuil confortable à côté de son lit et je suis resté rivé au chevet de ma femme. J'étais surpris par le luxe de ce qu'ils appelaient notre « suite de naissance » : l'élégante neutralité du papier peint, les variateurs qui tamisaient la lumière, la salle de bains privée avec le bain à remous. J'étais heureux que Fielda puisse accoucher dans un endroit aussi agréable, secondée par une sage-femme réconfortante qui plaçait une main sûre sur son front en sueur et lui murmurait des encouragements.

Je suis né dans le Missouri, à la ferme, dans le lit conjugal de mes parents, tout comme les sept frères et sœurs qui m'ont suivi. Les hurlements des femmes prises dans les douleurs de l'enfantement ont ponctué toute mon enfance. Et lorsque Fielda s'est mise à émettre ces mêmes sons qui donnent la chair de poule, la tête a commencé à me tourner, et j'ai dû sortir de la chambre d'hôpital un instant. Quand j'étais enfant, je voyais ma mère enceinte s'acquitter de ses tâches domestiques avec sa diligence habituelle. Mais je me souviens de la façon dont elle s'agrippait soudain au plan de travail lorsqu'une contraction la prenait par surprise. Quand la douleur ravageait son visage normalement fier et austère, je me faisais encore plus attentif. Je savais que le moment approchait où elle m'enverrait chez ma tante. C'était à moi, l'aîné, qu'il incombait de courir chercher sa sœur et sa mère pour qu'elles viennent l'assister. Investi de ma mission, je galopais tout le long du chemin, soulagé d'échapper un moment à l'angoisse et au chaos qui envahissait notre maisonnée, d'ordinaire tenue au cordeau.

En été, je courais pieds nus. J'avais tellement de corne, à l'époque, que je ne sentais même plus les cailloux et les mottes de terre sous mes plantes de pied durcies. Même petit, je préférais porter des chaussures, mais ma mère ne me les autorisait que pour l'église et l'école. Il me coûtait d'avoir à exhiber mes pieds sales, avec la crasse qui se logeait immanquablement sous les ongles des orteils. J'avais pris l'habitude de me tenir sur une jambe, un pied posé sur l'autre, les doigts de pied recroquevillés pour offrir le moins de surface possible aux regards. Ma grand-mère se moquait de moi et m'appelait « la cigogne ». Ce qui amusait immensément ma tante, surtout lorsque je venais les chercher, toutes les deux, pour une naissance. Elle partait d'un rire si généreux, si merveilleux à entendre, que je ne pouvais m'empêcher de sourire aussi, même si j'étais l'objet de son hilarité. Nous grimpions alors tous les trois dans la Ford rouillée de ma grand-mère et nous roulions ainsi jusqu'à la ferme. En chemin, nous passions devant la porcherie, où nous trouvions toujours mon père, debout devant la porte, qui nous faisait de grands signes, avec un sourire jusqu'aux oreilles, car il savait que le passage de la Ford de ma grand-mère était synonyme de naissance.

J'étais un garçon qui vivait dans une ferme, mais je ne voulais surtout pas entendre parler des activités liées à l'élevage de cochons que possédait mon père. Mes centres d'intérêt tournaient autour des livres et des chiffres. Mon père, un homme simple et bon, se contentait de secouer la tête quand il voyait mon peu d'empressement à aider nos truies à mettre bas. Mais je devais quand même m'acquitter d'un certain nombre de corvées ; il me revenait de nettoyer les enclos et d'apporter les seaux de pâtée aux porcs. Mais je refusais mordicus d'assister à l'abattage. L'idée de tuer une créature vivante me rendait malade, même si je n'avais aucun scrupule à manger la viande de porc que l'on servait à table. Les jours où on tuait le cochon, je m'arrangeais toujours pour disparaître fort à propos. J'allais pêcher mon unique paire de souliers au fond de l'armoire, je les attachais solidement puis je les brossais pour faire disparaître toute trace de crottin, et je parcourais d'un pas ferme les cinq kilomètres qui me séparaient de la ville. Lorsque j'atteignais les premiers faubourgs, je crachais dans mes mains et je m'accroupissais pour faire briller mes chaussures en les débarrassant de la poussière des chemins. Je vérifiais à plusieurs reprises que ma carte de bibliothèque, toute cornée et fripée par l'usage, n'avait pas quitté ma poche. Puis, une fois autorisé à pénétrer dans le temple de la lecture, je passais des heures plongé dans des livres d'histoire ou de numismatique. La bibliothécaire me connaissait, m'appelait par mon nom et mettait souvent de côté à mon intention des ouvrages dont elle savait que je les apprécierais.

« Ne t'inquiète pas si tu ne peux pas les ramener dans quinze jours. Je tricherai sur la date du retour », me glissait-elle d'un ton de conspirateur, en me tendant les volumes que je plaçais dans le sac en toile dont je me munissais toujours.

Elle savait que c'était compliqué, pour le petit paysan que j'étais, de quitter la ferme pour effectuer le long trajet jusqu'en ville. Mais je me débrouillais généralement pour m'esquiver. Lorsque je rentrais à la ferme en catimini, le cochon avait été tué et saigné. Je trouvais mon père dans la véranda, à rouler ses cigarettes ou à boire du thé glacé que ma mère faisait elle-même. Chaque fois que je m'approchais ainsi à pas lents de la maison, j'étais impressionné par la corpulence de mon père. C'était un homme immense, en hauteur comme en volume, et son ventre imposant menaçait toujours de faire craquer les boutons de sa chemise. Les gens qui le découvraient pour la première fois prenaient souvent peur devant cet être monumental ; mais, très vite, lorsqu'ils apprenaient à le connaître, sa grande gentillesse attirait ceux-là mêmes qu'il avait fait fuir. Je ne me souviens pas d'une seule occasion où mon père aurait élevé la voix contre ma mère ou l'un de mes frères et sœurs.

Il l'a fait avec moi, en revanche. Je n'oublierai jamais le jour terrible, alors que j'avais douze ans, où, revenant de la bibliothèque après m'être soustrait une fois de plus à mes obligations à la ferme, j'ai trouvé mon père qui m'attendait, adossé contre une barrière, juste devant la porcherie. Son visage normalement placide était déformé par la colère et il avait les bras croisés sur sa large poitrine. Il me regardait avancer, le regard fixe et implacable, et je n'avais qu'une envie : lâcher mon sac de livres et détaler comme un lièvre. Je n'en fis rien, cependant. Je suis allé me planter devant lui en baissant les yeux sur mes souliers du dimanche, tout maculés de terre et de poussière.

— Martin, avait-il dit d'une voix si grave qu'elle en était méconnaissable. Martin, regarde-moi.

Je levai les yeux, croisai son regard et sentis tout le poids de sa déception peser en moi. Il me sembla percevoir sur lui l'odeur fade du sang du porc abattu quelques heures plus tôt.

— Martin, nous formons une famille et tu en fais partie, même si cela ne t'amuse pas beaucoup. Il se trouve que c'est en élevant des cochons que je gagne notre vie à tous. Et je vois bien que tu en as honte.

Très vite, je secouai la tête. Ce n'était pas de la honte que j'éprouvais, mais je ne savais comment le lui faire comprendre. Mon père poursuivit :

— Je sais que mon activité te paraît sale, et que tu rougis de ton père qui n'est pas allé aussi loin que toi à l'école. Mais je suis ce que je suis : un éleveur de cochons. Et c'est également ce qui te définit, toi. Pour le moment, en tout cas. Je ne comprends rien aux livres que tu lis et tu prononces des mots savants que je ne connais pas, mais s'il y a à manger tous les jours sur la table, c'est grâce au travail que j'accomplis tous les jours. Sans lui, tu n'aurais pas les souliers que tu portes aux pieds. Mais je ne peux pas continuer à diriger cette ferme sans l'aide de ma famille. Tu es mon fils aîné et j'ai besoin de toi. Je te laisse choisir toi-même le moyen de te rendre utile, Martin ; à toi de me faire une proposition. Tout ce que je demande, c'est que tu fasses ta part, comme les autres. Il n'est plus question que tu te sauves en ville quand il y a de la tâche à abattre par ici. Compris ?

Je hochai la tête, les joues embrasées par le feu de ma propre honte.

— Réfléchis, Martin. Je te laisse la soirée. Et demain matin, tu me diras comment tu veux apporter ta contribution.

Il se détourna de moi pour s'éloigner tête basse, les mains enfoncées dans les poches de son bleu de travail.

Cette nuit-là, je la passai éveillé dans mon lit à me demander ce que je pouvais apporter de valable à ma famille. M'occuper des plus jeunes de mes frères et sœurs ? Je n'en avais ni la patience ni l'envie. Je n'étais pas non plus très habile pour construire ou réparer. « A quoi suis-je bon ? » me demandai-je. J'étais un lecteur passionné, et j'étais doué en maths. Là résidaient mes points forts. Je tournai le problème dans ma tête le reste de la nuit.

Et lorsque mon père s'est levé, le lendemain matin, il m'a trouvé déjà attablé dans la cuisine.

— Je crois que je sais comment je peux t'aider, papa, lui ai-je dit timidement.

Et j'ai eu le plaisir de retrouver sur ses traits son habituel sourire en coin.

— Je savais que tu trouverais quelque chose, Martin, répondit-il en s'asseyant à côté de moi.

J'ai tout mis à plat devant lui, en sortant même le livre de comptes de la ferme pour lui montrer les inexactitudes, les faiblesses, les erreurs. Pour me rendre utile, lui ai-je dit, je pouvais garder un œil sur les rentrées et sorties d'argent. Je me proposais de trouver des moyens d'économiser et des moyens de rendre la ferme plus rentable. Mon père se montra satisfait de mon projet, et j'étais heureux qu'il me fasse confiance. Notre ferme familiale n'est jamais devenue prospère, mais notre qualité de vie s'est améliorée. Nous avons pu moderniser nos équipements et installer le téléphone. Et il y avait même assez d'argent pour que la flopée d'enfants que nous étions puisse porter des chaussures toute l'année, même si j'étais le seul de la fratrie à renoncer à marcher pieds nus en été. Un jour d'hiver, alors que j'avais seize ans, juste avant l'anniversaire de mon père, j'ai pris le camion de notre exploitation et je suis allé dans le seul grand magasin de la ville, où on trouvait aussi bien de l'épicerie que du matériel électroménager. J'ai passé deux heures et demie à examiner les deux seuls modèles de télévision qu'ils proposaient à la vente, en comparant les défauts et les qualités de chacun. Je me suis finalement décidé pour le modèle douze pouces avec des antennes de style « oreilles de lapin ». J'ai soigneusement enveloppé mon acquisition dans des couvertures pour amortir les chocs et l'ai placée à côté de moi, sur le siège du camion, avant de négocier les chemins de terre creusés d'ornières qui menaient à notre ferme.

Lorsque mon père est rentré du travail, ce soir-là, après avoir enfermé ses cochons pour la nuit, nous étions tous rassemblés dans le séjour. Et pas un des neuf ne manquait à l'appel. Derrière la barrière humaine que nous formions était caché son cadeau d'anniversaire.

— Eh bien! Quel rassemblement! Que se passe-t-il, ici?

Il était rare qu'on nous trouve tous regroupés en dehors des moments où la famille se réunissait à table. Ma mère commença à chanter « Joyeux anniversaire » et nous avons enchaîné en chœur. A la fin de la chanson, la ligne des frères et sœurs s'est écartée et mon père a découvert la télévision posée sur une étagère de la vieille bibliothèque.

— Qu'est-ce que c'est que ça? s'est-il écrié, incrédule. Qu'avez-vous fait?

Nous arborions tous le même sourire jusqu'aux oreilles. Et ma petite sœur Lottie qui avait sept ans, à l'époque, a crié de sa voix aiguë :

— Allume-la, papa !

Mon père a fait un pas en avant, appuyé sur le bouton « marche », et quelques secondes plus tard, l'image en noir et blanc d'une émission de variétés est apparue à l'écran sous nos regards fascinés. Toute la famille riait et applaudissait pendant que mon père réglait le son. Plus tard dans la soirée, mon père m'avait pris à part et m'avait remercié. Je me souviens encore de sa main reposant sur ma nuque et de son regard dans le mien. Nous étions quasiment de la même taille, à ce moment.

— Mon garçon…, avait-il murmuré.

Ces deux mots ont été les plus doux que j'aie jamais entendus — en tout cas jusqu'au moment où Petra a commencé à gazouiller des « pa pa pa » pour la première fois à mon oreille.

Tenir Petra dans mes bras après l'interminable accouchement de Fielda m'a fait l'effet d'un miracle. J'avais bataillé des années pour essayer d'effacer le garçon de ferme en moi, pour gommer les restes d'accent du terroir et me présenter comme un homme cultivé, intelligent — pour venir à bout du fils de l'éleveur de porcs inculte. J'étais abasourdi par la perfection que j'avais engendrée : les longs cils noirs, la touffe abondante de cheveux noirs, la peau qui formait un pli tendre sous le cou, la bouche minuscule qui amorçait déjà le mouvement impérieux de la succion. A mes yeux, tout cela était stupéfiant.

A califourchon sur la locomotive, j'enfouis mon visage dans mes mains noires de suie. Je suis incapable de retrouver Petra, et la honte d'avoir à retourner auprès de Fielda sans notre fille m'accable. De nouveau, je me suis soustrait à mon devoir, de nouveau, j'ai fui mes responsabilités. En tant que parent, cette fois. Et c'est comme si, de nouveau, je voyais la déception sur le visage de mon père.

Louis

En route vers chez les Gregory, je prends contact avec le shérif, Harold Motts. Je dois mettre Harold au courant de ce qui se passe. L'informer de mon inquiétude. Je n'ai pas un bon pressentiment, et je crois qu'il ne s'agit pas simplement d'un de ces cas anodins où deux petites filles s'éloignent de chez elles, sans penser à mal, pour aller s'amuser quelque part.

— Qu'est-ce qui te fait penser que ça pourrait être une sale histoire ? demande Harold. Tu as des éléments de preuves ?

Je dois reconnaître que je n'en ai aucun. Rien de tangible, en tout cas. Il n'y a pas de traces d'effraction, aucun signe pouvant indiquer qu'il y ait eu une lutte dans les chambres des deux filles. C'est juste que je ne la sens pas, cette affaire. Mais Motts me fait confiance ; il y a longtemps que nous nous connaissons, lui et moi.

— Tu suspectes une action criminelle ?

La question que me pose Harold est lourde de conséquences. Si je réponds oui, c'est une cascade de mesures qui s'enclenche. La police de l'Etat sera alertée et la division des enquêtes criminelles débarquera sur les lieux. Sans parler des médias et des complications associées. Je pèse mes mots avant de parler.

— Je ne suis pas tranquille, Harold. Et cela m'ôterait un poids si on faisait appel à un des gars des services spécialisés de la police d'Etat de l'Iowa. Juste histoire de mettre toutes les chances de notre côté. D'ailleurs, si on les fait intervenir, l'enquête passera sur le budget de l'Etat, non ? Nous n'avons pas les moyens, localement, de payer pour la mise en œuvre d'un dispositif de recherche un peu conséquent.

A mon grand soulagement, Motts tranche sans discuter.

— Bon, j'appelle la division des enquêtes criminelles. Il te faut une unité de la police scientifique ?

— Pour l'instant, on ne peut pas vraiment parler de scène de crime. Et j'espère qu'il n'en sera jamais question. Mais je n'exclus pas la possibilité. Je retourne voir les parents des deux petites filles. Il va falloir faire appel aux réservistes, je pense.

Je ne suis pas mécontent de laisser à Motts le soin de réveiller nos policiers qui ne sont pas de service ainsi que nos réservistes — les arracher, tous, à leurs occupations et à leurs familles. Willow Creek compte seulement huit mille habitants, même si, chaque automne, la population grandit d'un coup de mille deux cents personnes, à cause de l'université. Notre département de police est de taille modeste. Nous sommes dix policiers en tout, fonctionnant par équipes de trois. Un effectif tout à fait insuffisant quand il s'agit de ratisser les bois pour retrouver deux enfants de sept ans. Nous aurons besoin des réservistes pour interroger les gens et quadriller le secteur.

— Louis ? me demande Motts. Tu crois que ça pourrait tourner à quelque chose du style de l'affaire McIntire ?

Je lui réponds que cela m'a traversé l'esprit. Nous n'avons eu aucune piste, l'année dernière, après l'enlèvement suivi du meurtre de la petite Jenna McIntire, âgée de dix ans. Il n'y a pas eu de nuit, depuis, sans que cette petite fille soit venue hanter mon sommeil. Et même si je voudrais repousser de toutes mes forces l'idée qu'un sort similaire ait pu échoir à Calli et à Petra, je n'ai pas le droit de me dérober face à cette possibilité. C'est mon boulot de penser au pire.

Petra

Je ne peux pas les suivre, ils marchent trop vite. Je sais qu'il m'a vue, puisqu'il a tourné la tête vers moi et qu'il m'a souri. Pourquoi est-ce qu'ils ne m'attendent pas? Je les appelle, mais ils ne s'arrêtent pas. Ils sont quelque part par là, devant moi, mais je ne sais pas vraiment où. J'entends une voix au loin. Je me rapproche.

Calli

La température de la matinée s'élevait rapidement et les stridulations aiguës des cigales leur remplissaient les oreilles. Griff était tombé dans un silence peu ordinaire, et Calli savait qu'il réfléchissait très fort à quelque chose. Elle avait peur et l'angoisse montait dans sa poitrine. Pour s'en distraire, elle s'appliqua à repérer les nymphes de cigales. Les fragiles insectes restaient accrochés sur les troncs ou aux branches des arbres, et elle en avait déjà compté au moins douze. Avant, Ben faisait la collection des nymphes de cigales dans un vieux coffret à bijoux qui avait appartenu à leur grand-mère. Il passait des heures à scruter l'écorce grisâtre et velue des grands noyers blancs d'Amérique pour trouver les larves fragiles, les cueillir avec précaution et les déposer sur le velours rouge qui tapissait la boîte. Son frère l'appelait toujours quand la vieille cuticule se fendait et qu'une cigale à l'aspect farouche et aux yeux de démon commençait à se déplier. Ensemble, ils pouvaient rester de longs moments à observer intensément la lente éclosion : le fendillement progressif de la carapace, l'apparition de l'insecte blanc aux ailes humides encore pliées, l'attente patiente du durcissement du nouvel exosquelette. Ben plaçait alors l'exuvie, l'enveloppe vide, sur la paume ouverte qu'elle lui tendait, et elle sentait les petites griffes minuscules, piqûres d'épingles d'une vie antérieure, lui chatouiller la main.

— Même sa femme a compris qu'il se passe un truc entre eux, marmonna Griff.

Le cœur de Calli fit un bond dans sa poitrine. « Treize… quatorze », compta-t-elle.

— Ouais, elle l'a bien senti, Christine, qu'il s'intéresse un peu trop à elle. Dès que Toni a le moindre problème, c'est vers lui qu'elle accourt.

La voix de Griff tremblait.

— Est-ce qu'elle se tournerait vers moi, tu penses ? Jamais. Il faut qu'elle se précipite chez Louis. Et moi qui ai joué au père avec toi, toutes ces années.

Les doigts de Griff s'enfoncèrent dans la chair de son épaule. Son visage avait pris une teinte violacée sous l'effet de la chaleur, et la sueur ruisselait jusque dans son cou. Une nuée de minuscules moucherons piqueurs tournait en orbite autour de sa tête. Plusieurs étaient collés comme des grains de poussière sur sa peau luisante.

— Et de quoi j'ai l'air, moi, alors que tout le monde, et je dis bien *tout le monde,* est au courant, pour ta mère ?

Griff la propulsa à terre avec violence. Sous le choc, son souffle s'échappa bruyamment, comme si l'air lui avait été arraché alors qu'elle heurtait le sol.

— Ah, tiens ! C'est donc ça qu'il te faut pour que tu te décides à émettre un son ? J'aurais enfin découvert la recette miracle pour que tu retrouves ta voix ?

Calli rampa en marche arrière, à la manière d'un crabe, fuyant la haute silhouette menaçante de Griff dressée juste au-dessus d'elle. La tête lui tournait et des larmes silencieuses lui striaient les joues. Griff était son papa ; elle avait hérité de ses petites oreilles, des taches de rousseur qui lui éclaboussaient le nez. Chaque année, à Noël, ils sortaient le gros album de photos en cuir vert, chronique des étapes clés de la vie de Ben et de la sienne. Un cliché d'elle à six mois, assise sur les genoux de son père, la montrait presque identique à la photo où on voyait Griff au même âge, perché sur les genoux de sa mère. On reconnaissait le sourire édenté, les mêmes joues creusées de fossettes.

Calli ouvrit la bouche, désirant de toutes ses forces que

le mot se forme et émerge. « Papa ! » aurait-elle aimé crier. Elle aurait voulu se lever pour jeter les bras autour de lui et l'étreindre aussi fort que possible, la joue contre le coton fané de son vieux T-shirt tout doux. Evidemment qu'il était son père. Ils avaient la même façon de se tenir debout, les poings sur les hanches ; la même manie de toujours manger d'abord les légumes dans l'assiette, et ensuite seulement le plat principal, en gardant leur verre de lait pour la fin du repas. Ses lèvres se murent de nouveau pour former les deux syllabes. « Papa », souhaitait-elle dire de tout son être. Mais rien ne vint. Juste un souffle d'air muet.

Griff se rapprocha, le visage convulsé par la rage.

— Tu veux que je te dise, toi ? Tu vis peut-être chez moi comme si tu étais ma fille, mais je ne suis pas obligé d'apprécier ta compagnie pour autant.

Il lui envoya un coup de pied, et la pointe de sa chaussure entra en contact brutal avec son tibia. Calli s'enroula sur elle-même, formant une boule toute ronde et compacte, comme la chenille velue isia isabelle, protégeant sa tête de ses bras.

— Ecoute-moi bien, toi : quand on sera à la maison, je dirai à ta mère que tu es partie jouer dans les bois, que tu t'es perdue et que je t'ai retrouvée. Compris ?

Un second coup de pied partit, mais cette fois, Calli roula sur le côté à temps pour l'éviter. La force de son élan entraîna Griff, et il tomba du chemin pour s'affaler dans un tas de branchages secs et piquants.

— Putain ! hurla-t-il, les mains griffées et en sang.

Calli fut sur ses pieds avant lui, les muscles en tension, le corps en suspens dans le temps infime qui précède la fuite. Il essaya de l'attraper et elle pivota sur la pointe d'un pied en une pirouette maladroite de danseuse. La main rougeaude de Griff chercha une nouvelle prise. Pendant une fraction de seconde, ses doigts puissants se refermèrent sur la chair tendre à l'arrière de son bras. Puis elle se dégagea et prit ses jambes à son cou.

Antonia

Je suis assise à la table de cuisine et j'attends. Louis m'a dit de ne pas entrer dans la chambre de Calli, qu'ils auront peut-être besoin d'examiner ses affaires pour essayer de mieux comprendre où elle a pu disparaître. Devant ses explications embarrassées, je lui ai jeté un regard incrédule.

— *Quoi ?* Comme pour une scène de crime ?

Louis a évité mon regard et a répondu que cela n'irait probablement pas jusque-là.

Je ne suis pas aussi inquiète au sujet de ma fille que Martin pour Petra, et je me demande si je suis une mère indigne. Calli a toujours été vagabonde. Au supermarché, il suffisait que je la quitte des yeux une seconde pour vérifier le prix sur le couvercle d'un pot de beurre de cacahuètes, et pfft… Calli avait disparu. Je courais dans toutes les allées, cherchant ma fille. Et je finissais toujours par la trouver au rayon poissonnerie devant le vivier des homards, à tapoter le verre de l'aquarium de son petit doigt dodu. Étourdie par le soulagement, je la voyais se tourner vers moi avec une expression désolée.

— Maman, ça leur fait mal, aux crabes, d'avoir les mains attachées comme ça ?

J'ébouriffais ses fins cheveux châtains indociles.

— Non, ça ne leur fait pas mal, ma puce.

— Et ça ne leur manque pas, l'océan ? insistait-elle. On devrait les acheter et les lâcher dans la rivière.

— Je crois qu'ils mourraient, en eau douce, tu sais.

Elle tapotait alors le verre de l'aquarium une dernière fois et acceptait de se laisser emmener.

Ça, c'était avant, bien sûr, quand je n'avais pas à me demander si le mot suivant arriverait jamais. C'était au temps où, après avoir rêvé la nuit que Calli me parlait, je ne me débattais pas au réveil pour tenter de capter de nouveau le son de sa voix, d'en retrouver le ton, les couleurs, la cadence.

Dix fois, au moins, j'ai essayé de joindre Griff sur son portable. Rien. J'ai envisagé d'appeler ses parents qui vivent dans le centre de Willow Creek, mais j'ai finalement décidé de m'abstenir. Ils boivent encore plus que lui, et cela fait huit ans maintenant que Griff refuse d'adresser la parole à son père. Je crois que c'est un des aspects de lui qui m'a attirée, au début. Le fait que nous étions très seuls, l'un et l'autre. Ma mère venait de mourir, et mon père était parti vivre loin d'ici pour fuir le chagrin de son veuvage. Et avec Louis, eh bien, c'était fini. Une rupture en douceur, survenue tristement et sans drame. Griff n'avait personne, lui non plus, à part ses parents indifférents et critiques. Sa seule et unique sœur avait quitté la région pour échapper au stress et aux drames liés à la vie commune avec deux parents alcooliques. Lorsque nous nous sommes mis ensemble, Griff et moi, ce fut un tel soulagement. Nous respirions librement ; en tout cas pendant quelque temps... Puis les choses entre nous ont changé ; les choses changent toujours. Maintenant, par exemple, il est une fois de plus introuvable alors que j'ai besoin de lui. Je plie et replie nerveusement les torchons du tiroir de la cuisine, et je me dis que je devrais peut-être appeler mes frères pour leur dire ce qui se passe. Mais l'idée de dire à voix haute, avec des mots, que Calli est perdue, ou peut-être même pire encore, me fait reculer. Je regarde par la fenêtre de la cuisine, et je vois Martin et Louis descendre de voiture. Il fait chaud, et la chemise de Martin est déjà trempée de sueur. Les filles ne sont pas avec eux. Ben les trouvera. Calli et lui sont proches. Il saura où les dénicher.

Louis

Martin Gregory et moi, nous nous approchons de la porte d'entrée de la maison de Toni. Martin a cherché partout sans succès et j'espère trouver les deux fillettes attablées devant une montagne de crêpes, dans la cuisine de Toni. Ou en sécurité chez les Gregory où Fielda est restée, elle aussi, à attendre. Je suis encore déstabilisé par ma dispute au téléphone avec Christine, et j'essaie de chasser ses accusations amères de mon esprit.

La porte de Toni s'ouvre avant même que j'aie frappé, et elle apparaît sur le seuil, tellement belle dans sa tenue d'été typique — un débardeur, un short en jean et pieds nus. Sa peau est brunie par le soleil. A cause des heures passées à jardiner et à jouer dehors avec ses enfants, je suppose.

— Vous ne les avez pas trouvées…

Ce n'était pas une question.

Je fais non de la tête, et Martin et moi franchissons le seuil. Elle nous précède, non pas dans son séjour, cette fois, mais dans la cuisine où une carafe de thé glacé nous attend sur le comptoir, avec trois verres remplis de glaçons.

— Il fait trop chaud pour boire du café, explique-t-elle en versant le thé dans les verres.

Elle nous prie de nous asseoir et nous nous exécutons.

— Avez-vous une idée de l'endroit où elles ont pu aller ? demande Martin d'un ton presque suppliant.

— Ben est parti à leur recherche dans la forêt. Il connaît tous les endroits où Calli a ses habitudes.

Je remarque une curieuse absence d'inquiétude dans la

voix de Toni. Cela paraît à peine croyable, mais elle ne semble pas imaginer qu'il ait pu arriver malheur à sa fille.

Je choisis mes mots avec précaution pour la questionner.

— Calli joue souvent seule dans la forêt, Toni?

— Les bois sont une seconde maison pour elle. Comme ils l'ont été pour nous, Lou.

Nos regards se trouvent et un océan de souvenirs passe entre nous.

— Elle ne va jamais très loin et elle revient toujours… Saine et sauve, précise-t-elle.

A l'intention de Martin, je pense.

— Petra n'est pas autorisée à aller dans la forêt sans la compagnie d'un adulte. A son âge, c'est beaucoup trop dangereux. Elle ne retrouverait pas son chemin.

Le ton de Martin frise l'accusation.

Mes pensées tournent encore autour de la façon dont Toni m'a appelé « Lou », ce qu'elle n'a plus fait depuis des lustres. Je suis redevenu « Louis », pour elle, le jour où elle s'est engagée à épouser Griff. L'usage officiel de mon nom était sans doute destiné à faire tampon entre nous. Comme si je n'avais pas connu d'elle certains de ses aspects les plus intimes.

— Ben va bientôt revenir, Martin, dit Antonia d'une voix apaisante.

De son bras mince et fort, elle désigne la forêt.

— Si les filles sont là-dedans, Ben les ramènera. Je ne vois pas d'autre endroit où elles auraient pu aller ensemble.

Martin tripote son verre de thé sans le boire.

— Nous devrions peut-être nous mettre à leur recherche aussi. Organiser des équipes que nous dispatcherons dans les bois. Deux petites filles de cet âge, franchement! Je ne vois pas comment elles auraient pu aller très loin. Si nous nous répartissons les tâches, il devrait être possible de quadriller efficacement le périmètre proche.

Je secoue la tête.

— Nous n'avons aucune preuve tangible, Martin, que les

filles se trouvent effectivement dans la forêt. Il serait regrettable de tout miser sur une seule direction de recherche, en prenant le risque de passer à côté d'autres pistes. La forêt s'étend sur plus de cinq mille hectares, et seule une infime partie est entretenue. Il faut espérer, si elles sont dans les bois, qu'elles auront eu la prudence de rester sur les chemins. Nous avons déjà affecté un de nos policiers à l'exploration du secteur.

J'indique d'un geste la voiture de police garée dans l'allée des Clark, avant de risquer :

— Je pense, en revanche, que nous devons informer le public que nous avons deux petites filles égarées.

— Egarées ? rugit Martin, le visage assombri par la colère. Je n'ai pas *égaré* ma fille. Nous l'avons mise au lit hier soir à 20 h 30, et lorsque je me suis réveillé, ce matin, elle n'était plus dans sa chambre. Elle était en pyjama, bon sang ! Quand allez-vous reconnaître que quelqu'un est peut-être venu l'enlever dans son lit ? Il faudrait peut-être vous décider à…

Je m'efforce de le calmer.

— Martin, Martin… Loin de moi l'idée de vouloir vous accuser, Toni ou vous, d'avoir commis une négligence. On ne constate aucune trace d'effraction ni de lutte : il n'y a donc aucune raison de penser qu'elles aient été arrachées de leur lit de force. Apparemment, Petra avait ses tennis aux pieds, puisqu'elles n'étaient plus dans sa chambre. Croyez-vous qu'un intrus aurait pris le temps de lui faire enfiler ses chaussures avant de l'emporter hors de la maison ? Cela ne tient pas debout.

— Je suis désolé, soupire Martin. C'est juste que je n'arrive pas à imaginer qu'elles aient pu partir comme ça, toutes les deux. Si elles n'ont pas été… kidnappées et qu'elles ne sont pas non plus dans les endroits qu'elles fréquentent d'ordinaire, je ne vois plus qu'une seule possibilité logique : elles se baladent quelque part dans la forêt. Surtout si c'est un endroit où Calli a ses habitudes.

Antonia hoche la tête.

— Je suis sûre que Ben va revenir bientôt avec nos deux miss. Toutes contrites d'apprendre que nous nous sommes fait un sang d'encre à leur sujet.

Une pensée me traverse alors l'esprit.

— Toni, manque-t-il une paire de chaussures de Calli, là-haut ?

— Je ne sais pas.

Toni se redresse, le dos un peu plus droit sur sa chaise. Le verre de thé glacé transpire entre ses mains.

— Je vais aller voir, annonce-t-elle en se levant.

Pendant que Toni monte à l'étage, Martin prend une gorgée de thé froid, repose son verre, puis le reprend faute de savoir quoi faire de ses mains. Nous restons assis quelques instants face à face dans un silence inconfortable. Puis il prend la parole :

— Je n'ai jamais compris pourquoi Calli et Petra étaient devenues d'aussi bonnes amies. Elles n'ont rien en commun, franchement. Elle n'ouvre jamais la bouche, cette gamine. Comment deux filles de sept ans peuvent-elles s'amuser ensemble, s'il n'y en a qu'une seule qui parle ?

Il s'interrompt, le temps de darder sur moi un regard exaspéré.

— Petra nous demande parfois : « On pourrait avoir un sandwich, Calli et moi ? Juste avec du beurre de cacahuètes pour Calli, elle n'aime pas la confiture. » Je veux dire : comment sait-elle tant de choses au sujet de cette petite fille, alors que Calli ne prononce jamais un mot ? Je ne comprends rien à leur façon de fonctionner, conclut-il en secouant la tête.

— Il y a une parenté d'âmes entre nos filles.

La voix douce de Toni nous parvient de l'escalier. Elle entre dans la cuisine avec, à la main, une paire de tennis défraîchies et des tongs dans le même état.

— Elles sont incroyablement proches, toutes les deux, précise-t-elle en réponse à nos deux regards interrogateurs. L'une sait toujours quel est le besoin de l'autre. Petra lit en

Calli comme dans un livre. Elle sait à quel jeu elle a envie de jouer, elle sait si elle se sent blessée, ou si elle a un désir particulier. Et Calli a la même facilité à comprendre Petra. Elle sait que Petra est terrifiée par l'orage, alors elle l'emmène dans sa chambre et met la musique si fort qu'elle couvre le bruit du tonnerre. Ou si Petra a un coup de cafard, Calli trouve le moyen de la faire rire. Calli a un rare talent pour la grimace — elle est capable de nous faire éclater de rire tous les trois. Petra et Calli sont amies de cœur. Je ne saurais pas vous expliquer comment elles fonctionnent, mais entre elles, ça coule de source. Et j'en suis heureuse. Cela ne dérange pas Petra que Calli ne prononce jamais un mot. Et Calli accepte les angoisses de Petra et le fait qu'elle suce parfois encore son pouce.

Toni s'interrompt et montre les chaussures.

— Ses tennis étaient encore dans sa chambre. J'ai prévu de lui en acheter de nouvelles pour la rentrée, la semaine prochaine. Ses bottes de cow-boy sont toujours au garage, je les ai vues en passant, tout à l'heure. Calli n'a rien aux pieds. Et elle ne serait jamais allée dans les bois sans ses chaussures.

Le menton de Toni se met à trembler. Pour la première fois depuis qu'elle sait que sa fille a disparu, elle paraît effrayée. Je pose ma main sur son bras et elle ne cherche pas à se soustraire à mon contact.

Ben

Je suis allé voir tous les endroits de la forêt où on aime jouer, toi et moi. D'abord le Chagrin des Saules, où on s'accrochait aux longues tiges frémissantes pour se balancer en faisant semblant d'être des singes. J'ai regardé sous chacun des sept saules, persuadé que je vous trouverais en train de jouer à cache-cache, Petra et toi. Personne. J'ai continué jusqu'au pont de l'Arbre Seul, là où un tronc tombé en travers joint les deux rives de la rivière. Tous les deux, on traversait chacun à son tour, pour voir qui arrivait le plus vite de l'autre côté. Je gagnais chaque fois. Mais je n'ai trouvé personne près de la rivière. Alors j'ai parcouru deux fois le chemin qui va à l'étang. J'étais *sûr* que je vous surprendrais en train de chercher des rainettes. Mais là encore, je n'ai trouvé que le silence. Je ne veux pas rentrer à la maison sans toi.

Je commence à me dire que papa t'a peut-être emmenée à la pêche avec lui, finalement. Ce serait bien de lui, de se rappeler tout à coup qu'il a un rôle à jouer en tant que père et de vouloir passer un moment « constructif » avec toi. Avec papa, c'est comme ça. Des fois, pendant des semaines, il n'a même pas l'air de s'apercevoir de notre existence. Puis, d'un coup, il se met à s'intéresser à nous et il nous embarque pour aller faire un truc sympa. Une fois, il a décidé qu'on irait pêcher tous les deux, un peu plus bas, sur la rivière. On est partis après l'école, juste lui et moi. On n'avait pas d'appâts, alors on a fauché de la crème de fromage Velveeta dans le réfrigérateur et on s'est servis de ça. Ça a duré des heures. On était assis sur la rive à l'endroit où la rivière est la plus large. On ne parlait même pas tellement, tous les deux ; on était juste là à chasser les moustiques et à sortir des chabots et des perches soleil. Et on rigolait, parce que nos prises étaient toutes plus minuscules les unes que les autres. On a même lancé un pari : c'était à qui attraperait le poisson le plus petit, et j'ai gagné en ferrant une perche soleil pas plus grande qu'un guppy. C'était tranquille. On buvait des canettes de Fanta et, posé entre nous, il y avait un sac de cacahuètes qu'on faisait craquer pour avaler les graines et jeter les coques dans l'eau. Quand le soir est tombé, les grillons se sont mis à chanter, et papa a dit qu'on pouvait calculer la température en comptant le nombre de « cri-cri » qu'émettait un grillon. Je lui ai dit : « Pas vrai », et il m'a répondu : « Si, vrai. » Et il m'a expliqué comment on faisait. Ça, c'était la meilleure fois où on a fait un truc ensemble. Donc, je me dis que papa a peut-être voulu se rapprocher de toi et qu'il t'a emmenée à la pêche avec Roger, sans rien dire à personne. Mais quand même, je ne le vois pas partir trois jours avec son meilleur copain en se coltinant deux filles de sept ans. Enfin… on ne sait jamais. Des fois, papa fait des trucs auxquels on ne s'attend vraiment pas.

Tu as toujours été plutôt cool, Calli, ça je suis obligé de l'admettre. Pas du genre fifille à poupée Barbie. Je me souviens quand tu avais un an : tu commençais tout juste à marcher et tu tenais à peine sur tes jambes. Moi, j'avais six ans et maman nous envoyait jouer dehors ensemble. Tu me suivais pas à pas en essayant de m'imiter en tout. Je ramassais les pommes talées tombées par terre sous notre pommier et je les jetais de toutes mes forces contre le mur latéral du garage. Et toi, pareil, bien sûr. Cela ne me plaisait pas trop d'avoir un bébé dans les jambes qui faisait tout comme moi. Mais j'aimais bien la façon dont tu disais « Beh, Beh », au lieu de Ben. Chaque fois que tu me voyais, tes yeux s'éclairaient, comme si tu étais surprise et que c'était le bonheur pour toi de me voir arriver, même si on s'était quittés dix minutes plus tôt.

Cela faisait beaucoup rire maman de te voir tendre les bras vers moi.

— Regarde, Ben. Calli adore son grand frère, pas vrai, Calli ?

Et toi, tu dansais sur place en martelant le sol avec tes petits pieds dodus et tu criais à tue-tête :

— F'ère ! F'ère !

Puis tu courais vers moi pour m'attraper la jambe et tu serrais fort.

Un peu plus tard — je crois que c'était la même année — j'ai eu sept ans et papa et maman m'ont acheté des bottes de cow-boy pour mon anniversaire. Elles étaient trop classe, toutes noires avec des coutures rouges. Je les mettais partout et à toute occasion. Et s'il existe un bébé au monde qui a jamais été jaloux d'une paire de bottes, c'était toi. Tu me surprenais parfois en train de faire le beau devant le miroir avec mes boots aux pieds, et tu courais vers moi pour essayer de me les arracher. C'était assez comique, en fait. Maman qui nous regardait, assise en tailleur par terre dans la chambre, était pliée en deux de rire. Je ne sais pas si tu pensais que j'aimais ces boots plus que toi ou si cela t'amusait simplement de me voir m'énerver, mais pendant quelque temps, c'était devenu ton passe-temps préféré. A force d'acharnement, tu finissais toujours par m'arracher au moins une botte. Parce que tu étais tellement plus petite que moi, donc pas moyen de me débarrasser de toi à coups de pied. Ça m'aurait attiré trop d'ennuis si je t'avais frappée. Souvent, tu me tombais dessus par surprise quand je regardais la télé, et tu t'escrimais sur ma jambe jusqu'au moment où tu parvenais à me retirer une botte, puis tu t'enfuyais sur tes petites jambes. La plupart du temps, tu te contentais de jeter ton butin du haut de l'escalier ou tu déposais la botte dans le jardin. Mais une fois tu l'as carrément jetée dans la cuvette des W.-C. J'étais fou. Après ça, j'ai refusé tout net de les porter. Maman les a lavées et les a mises à sécher au soleil, mais j'étais dégoûté. Toi, ça ne t'a pas gênée, par contre. Du coup, tu t'es approprié les bottes, même si elles faisaient au moins dix tailles de trop. Tu les portais en permanence, même en short, en robe ou en pyjama. Maman devait parfois te les enlever au lit quand tu t'endormais avec. Même maintenant, tu les mets encore de temps en temps. Je ne serais pas surpris, d'ailleurs, si tu les avais aujourd'hui pour traîner dans la forêt.

Quand exactement tu as cessé de parler, cela n'est pas très clair pour moi. Je me souviens juste que tu avais quatre ans et moi neuf. La veille encore, tu faisais la maligne avec mes boots et tu me racontais les blagues les plus stupides du monde en pouffant de rire, et moi, je levais les yeux au plafond. Et puis, tout à coup, plus rien, plus un mot. La maison est devenue tellement silencieuse, après. Comme quand on met le pied dehors après la première vraie tempête de neige de l'année et que le blanc écrase tout, que personne n'a encore donné le moindre coup de pelle et qu'on ne voit plus aucune voiture sur la route. Tout est silence, et c'est vraiment génial. Pendant un certain temps. Puis ça finit par filer les jetons. Le calme est tellement profond qu'on se met à crier rien que pour entendre le son de sa propre voix. Et le dehors enfoui ne restitue rien, pas même une poussière d'écho.

Calli

Calli dévala le chemin des Antophytes puis se jeta dans le sentier qui descendait en pente raide vers le lit de la rivière. Chaque creux, chaque élévation de la forêt avait sa propre odeur, ici la douceur suave des fleurs aux boutons encore en spirale, là le piquant des oignons sauvages, ailleurs encore les émanations putrides des feuilles décomposées. Pas un recoin de la forêt qui n'ait son climat particulier — chaud et humide en certains points, frais et plus aride en d'autres. Alors que Calli courait en direction de la rivière et s'enfonçait plus profondément dans les bois, la température chuta, les arbres se rapprochèrent, la végétation se densifia autour de ses chevilles nues.

Elle entendait le pas puissant de Griff marteler le sentier au-dessus d'elle. Sa poitrine lui faisait mal et, à chaque respiration, elle sentait la brûlure dans ses poumons. Mais elle continuait de courir quand même, enregistrant du coin de l'œil un défilé flou de troncs maigres et de monticules herbeux. Des taches de soleil se projetaient brièvement sur le sol devant elle. Un point de côté l'obligea à ralentir puis à s'immobiliser tout à fait. Elle sonda les petits bruits des bois avec attention. La rivière étroite glougloutait, le cardinal rouge lançait son appel, les insectes vrombissaient. Calli chercha des yeux un endroit où se cacher. A distance du chemin, elle repéra les restes couchés de plusieurs arbres abattus, dont les branches mortes entremêlées formaient une masse suffisamment compacte pour qu'elle puisse s'abriter derrière quelques instants, sans être visible pour un passant. Elle grimpa sur le tas de bois sec et se laissa choir avec précaution de l'autre côté. Une fois assise, elle tira des branchages sur elle afin de dissimuler le rose trop voyant de sa chemise de nuit. Elle fit un effort pour calmer sa respiration. Si Griff l'entendait haleter et la trouvait prisonnière de ces branchages, elle aurait du mal à s'échapper.

Quelques minutes d'attente tendue s'écoulèrent. Pas de Griff. Juste le toc-toc réconfortant d'un pivert, quelque part au-dessus de sa tête, qui couvrait les murmures habituels de la forêt. Calli tremblait malgré la chaleur ; elle frotta ses bras couverts de chair de poule. La rage qui émanait de son père tirait les fils du souvenir et elle essaya de les repousser en fermant les yeux. *Ce jour-là.*

C'était en décembre, il faisait froid. Elle avait quatre ans et Ben était sorti faire de la luge avec ses copains. Sa mère, le ventre alourdi par une grossesse déjà avancée, faisait du chocolat chaud en jetant des marshmallows blancs et moelleux dans le mélange de cacao et de lait. Au dernier moment, Antonia avait ajouté un glaçon dans la grande tasse posée devant elle ; Calli était assise à la table de cuisine avec du papier à dessin et des tas de feutres de couleur.

— Tiens, Calli, c'est pour toi. Fais attention de ne pas te brûler la langue. Comment on va l'appeler, le bébé, tu as une idée ?

Calli laissa de côté son dessin qui représentait un sapin de Noël, des rennes et un Père Noël grassouillet.

— Macaron, je crois, répondit-elle en appuyant sa petite cuillère sur un marshmallow qui fondait rapidement.

Sa mère se mit à rire.

— Macaron ? C'est original, comme prénom. Quoi d'autre ?

— Cookie ! s'esclaffa-t-elle.

— Cookie ? C'est son second prénom ?

Calli hocha la tête, affichant un sourire tout collant de marshmallow.

— Petit-Beurre. Elle s'appellera Macaron Cookie Petit-Beurre Clark.

— C'est joli, observa sa mère en riant. Mais chaque fois que je prononcerai son nom, ça me donnera faim. Et si on l'appelait Lily? Ou Evelyn? Evelyn, c'était le prénom de ma maman.

Calli fit la moue et goûta prudemment une minuscule gorgée de chocolat chaud. Elle sentit le liquide brûlant descendre dans sa gorge et agita la main devant la bouche, en imitant le bruit d'un ventilateur.

La porte arrière de la maison s'ouvrit, livrant passage à un tourbillon d'air glacé. Calli battit des mains et poussa un cri haut perché.

— *Papa!* Papa est rentré d'Alaska!

Debout sur sa chaise, elle ouvrit les bras et se pendit au cou de Griff lorsqu'il passa à sa hauteur. Le froid accroché à sa parka la transperça à travers son sweat-shirt. Il essaya de la reposer.

— Pas maintenant, Calli. J'ai à parler avec ta maman.

Calli resta cramponnée à son cou tandis qu'il se rapprochait de sa mère d'une démarche mal assurée. Il la fit basculer pour la caler sur une hanche. L'odeur de la bière assaillit ses narines et elle fronça le nez.

— Berk… Sent pas bon.

— Je t'attendais plus tôt que cela, Griff, observa Antonia d'un ton mesuré. Tu as préféré faire un tour en ville?

— Cela fait trois semaines que je suis parti. Quelques heures de plus ou de moins ne changent pas grand-chose, si?

Les paroles de Griff étaient innocentes, mais il y avait quelque chose de mordant dans la façon dont il les avait prononcées.

— Je me suis arrêté chez O'Leary's pour boire un verre avec Roger.

Antonia l'examina de la tête aux pieds.

— Un verre? Si je me fie à ton haleine et à la façon dont tu te déplaces, tu ne t'es pas arrêté au premier. Tu es parti presque un mois entier de la maison. Je pensais qu'une fois de retour ici, tu serais pressé de voir ta famille.

Calli perçut la tension dans leurs voix et se tortilla pour échapper aux bras de Griff. Mais il la tenait serrée.

— J'ai envie de voir ma famille, c'est vrai. Mais les amis comptent aussi.

Griff ouvrit le réfrigérateur pour prendre une bière, ne trouva pas ce qu'il cherchait et le referma violemment. Les bouteilles de verre tintèrent, à l'intérieur de la porte.

— Je n'ai pas envie qu'on se dispute, Griff.

Antonia s'avança vers son mari et lui entoura la taille, en une étreinte que la masse de son ventre rendait malaisée. Calli tendit les bras vers sa mère, mais Griff la maintint hors de la portée d'Antonia. Il prit place à la table en la gardant sur ses genoux.

— J'ai eu une discussion intéressante chez O'Leary's, annonça Griff sur le ton de la conversation.

Antonia attendit, préparée à ce qu'elle savait devoir suivre.

— Il semblerait qu'on ait vu Loras Louis traîner dans le coin, ces temps-ci.

Ouvrant le vaisselier, Antonia commença à sortir des assiettes pour le dîner.

— Il a déblayé la neige de l'allée pour moi la semaine dernière. Il était venu vérifier si tout allait bien chez la vieille Mme Norland. Le facteur lui avait dit qu'elle ne sortait plus le courrier de sa boîte. Mme Norland se portait comme un charme, finalement. Toujours est-il que Louis m'a vue pelleter, et il m'a demandé si je voulais un coup de main.

Antonia se tourna vers Griff et attendit une réponse qui ne vint pas.

— Ben avait une gastro et il vomissait tripes et boyaux. Comme il ne pouvait pas tenir une pelle, je m'y suis collée. Louis passait par là, il s'est arrêté. Il n'y a vraiment pas de quoi fouetter un chat. Il n'est même pas entré dans la maison.

Griff, le visage implacable, continuait de la fixer sans rien dire. Elle eut un rire sans joie.

— Quoi? Tu penses que je... que nous... Je suis enceinte

de sept mois, bon sang! Oh, et puis laisse tomber, tu n'as qu'à penser ce que tu veux. Je vais m'allonger un moment.

Antonia sortit de la cuisine au pas de charge. Calli l'entendit monter pesamment l'escalier. Griff bondit sur ses pieds d'un mouvement si brutal que Calli se mordit la langue sous le choc. Elle poussa un cri de douleur et sentit le goût métallique du sang lui remplir la bouche.

— Je suis en train de te parler! hurla Griff. Tu ne veux pas entendre ce que tout le monde dit de toi?

Il alla à grandes enjambées se placer au pied des marches.

— Redescends immédiatement!

Calli voyait une veine violacée battre à sa tempe; les tendons de son cou saillaient. Elle commença à pleurer fort et se débattit pour lui échapper.

— Pose-la! protesta Antonia du haut de l'escalier. Tu lui fais peur.

Griff se lança à l'assaut des marches, les négociant deux par deux en lui hurlant d'arrêter de crier. Calli était secouée et sa tête ballottait à chaque pas.

— Griff! Laisse-la, s'il te plaît. Tu ne vois pas que tu lui fais mal?

Antonia pleurait, à présent, les bras ouverts, tendus vers elle.

— Sale pute! Il a fallu que tu te remettes avec lui, hein? Et j'ai l'air de quoi, moi? Je travaille comme un forçat, sur le pipeline, pour faire vivre ma famille, et toi tu te paies du bon temps avec ton ex.

Des postillons volaient de la bouche de Griff, se mêlant aux larmes de Calli. Elle s'arc-bouta violemment, cherchant de toutes ses forces à se libérer de l'étreinte paternelle.

Antonia poussa un cri strident.

— Oh, mon Dieu, Griff! Arrête, s'il te plaît, arrête!

Griff avait atteint le sommet des marches. Debout à côté d'Antonia, il lui attrapa le bras.

— Salope!

Les hurlements hystériques de Calli couvraient presque le flot d'insultes de Griff.

— Maman ! Maman !

— Tais-toi, merde !

Griff la balança par terre sur le palier. Sa tête rebondit avec un bruit effrayant sur le sol de bois plein. Pendant quelques secondes, elle demeura allongée en silence, ses yeux désespérés rivés sur sa mère qui repoussait Griff pour essayer de l'atteindre. Lui tenait toujours le bras d'Antonia et il tira d'un coup sec. Bloquée dans son élan, elle pivota sur elle-même comme un élastique qui lâche. Pendant une fraction de seconde, avant que Toni ne tombe en arrière dans l'escalier, Griff faillit la ramener à l'équilibre. Figés dans une même horreur, Calli et lui virent le dos d'Antonia heurter les marches tandis que sa chute l'emmenait jusqu'au pied de l'escalier.

— Maman ! hurla Calli d'une voix stridente tandis que Griff dévalait les marches.

Il s'agenouilla à l'endroit où Antonia gisait recroquevillée. Elle était consciente, le visage crispé par la souffrance, entourant son ventre de ses bras, et gémissait doucement.

— Tu peux t'asseoir ?… Tais-toi, Calli, putain ! lança-t-il.

Calli continua de sangloter tandis que Griff relevait Antonia en position assise.

— Le bébé, le bébé, psalmodiait-elle.

— Ça va aller, pour le bébé, Toni, murmura Griff d'une voix suppliante. Je suis désolé, désolé… Calli, ferme-la, merde… Tu peux marcher ? Là, voilà, tu vas t'allonger un moment sur le canapé.

Griff remit Antonia debout avec précaution et la soutint pour la conduire dans le séjour. Il l'aida à s'étendre sur le canapé et la couvrit avec un plaid.

— Bon… Tu vas te reposer tranquillement, sans bouger. Et tout va bien se passer, tu verras.

Les hurlements de Calli s'élevaient toujours en arrière-plan. Ses pleurs hystériques se rapprochaient à mesure qu'elle descendait l'escalier. Elle vint se blottir contre sa mère sur le canapé et Antonia, les yeux mi-clos, passa un bras autour d'elle.

— Vas-tu fiche la paix à ta maman ? beugla Griff. Ecarte-toi de là et *tais-toi*.

Les mains de Griff étaient parcourues de tressaillements lorsqu'il arracha Calli des bras d'Antonia pour l'emmener dans la cuisine.

— Assieds-toi ici et ferme-la, tu m'entends ?

Griff arpentait la cuisine, se tirait les cheveux, s'essuyait la bouche d'une main tremblante. Il s'accroupit alors devant Calli, dont les pleurs bruyants chutèrent en intensité, se muant en misérables petits hoquets. Pendant une minute entière, il lui parla à voix basse à l'oreille. Soixante secondes, longues comme l'éternité, durant lesquelles Calli cligna rapidement des paupières à l'écoute des paroles de Griff. Son souffle sifflait dans le creux fragile de son oreille, mêlé aux petits pleurs de détresse qui s'élevaient du canapé. Ayant parlé, Griff se leva, se précipita vers la porte donnant sur le jardin et partit en laissant entrer une bourrasque de vent aigre — emportant avec lui plus qu'il n'avait apporté.

Ce soir-là, après le retour de Ben, Calli et son frère avaient monté la garde auprès de leur mère alors qu'elle gisait toujours sur le canapé. Ses gémissements désespérés avaient continué de s'élever dans la pièce jusqu'au moment où Ben s'était décidé à appeler Louis, le policier. L'ambulance était arrivée juste à temps pour la mise au monde d'un minuscule bébé fille : parfaite et silencieuse, fragile comme un oiseau, avec une peau de la même couleur bleuâtre que les lèvres d'Antonia. Les ambulanciers avaient emporté rapidement le fœtus immobile, mais pas avant que Calli ait eu le temps d'effleurer au passage ses fins cheveux couleur coquelicot.

Des années plus tard, Calli, assise au milieu de son tas de branches mortes, tendue et aux aguets, entendait encore la voix chuchotée de son père vibrer dans ses oreilles. Un son léger s'éleva quelque part derrière elle. Venant de là, ce ne pouvait pas être Griff. Phelps, le ranger, alors ? Elle connut une brève montée d'espoir. Oserait-elle sortir de sa cachette ? Calli pesa sa décision. Si elle se montrait, le garde forestier la reconduirait sûrement chez elle. Mais s'ils tombaient sur son père en chemin ? Il la confierait à Griff. Normal. Et elle ne pourrait pas expliquer ce qui s'était passé. Non. Le plus sûr serait de rester tapie là. Elle saurait retrouver son chemin pour retourner chez elle. Il suffisait qu'elle soit patiente et qu'elle attende que Griff se décourage de lui-même. Son père ne resterait pas indéfiniment dans les bois. Il aurait bientôt envie d'une bière ; envie de retrouver Roger à leur partie de pêche. Le pantalon couleur olive de l'uniforme du garde forestier apparut brièvement sur le chemin, et Calli résista à la tentation de bondir hors de son antre de branchages et de se raccrocher à la sécurité qu'il représentait. Aussi rapide-ment qu'il était apparu, le ranger disparut entre les fougères dentelées, marchant sans bruit sur le sol spongieux. Calli se cala en position assise, le menton sur les genoux, les bras repliés sur la tête. Elle s'imagina que si elle ne pouvait pas voir son père, il ne la verrait sûrement pas non plus.

Martin

Je m'arrête devant chez moi et trouve Fielda debout dans l'encadrement de la porte, ses cheveux noirs frisés tirés en arrière, ses lunettes de travers sur le nez. Elle me jette un regard interrogateur, je fais non de la tête et son visage se décompose.

— Et maintenant ? demande-t-elle pitoyablement.

— Le shérif adjoint nous conseille d'appeler autant de personnes que possible au téléphone. Il s'agit de les prévenir que les filles ont disparu et de leur demander d'ouvrir l'œil. Il dit aussi que la meilleure chose à faire est de trouver une bonne photo et de coller des affichettes partout. Je vais aller au bureau de police pour leur porter un cliché où on voit Petra et Calli ensemble. Ils se chargent du tirage. Pendant ce temps, j'essaierai de recruter des volontaires pour les distribuer.

Fielda se cramponne à moi, les bras serrés autour de ma taille.

— Qu'allons-nous faire ? demande-t-elle dans un sanglot.

— Nous la retrouverons, Fielda. Nous retrouverons Petra et nous la ramènerons à la maison. Je te le promets.

Nous restons enlacés ainsi un moment et laissons le poids de ma promesse infuser en nous — de peau à peau. C'est Fielda qui, la première, fait un pas en arrière.

— Va chercher tes affiches, me dit-elle fermement. Pendant ce temps, je me charge de téléphoner à tous nos contacts. Je commencerai par la lettre A et je passerai tout l'alphabet en revue.

Elle prend congé d'un baiser, et je serre un instant sa main dans la mienne avant de fermer la porte derrière moi. Alors que je roule dans les rues de la ville, je scrute inlassablement les trottoirs. Partout, je cherche Petra des yeux. J'essaie de regarder par les fenêtres et je me dévisse le cou pour tenter de jeter un coup d'œil dans les jardins derrière les maisons. A plusieurs reprises, je fais des écarts et je manque de quitter la route. Lorsque j'arrive devant le bureau du shérif, j'ai les jambes qui tremblent et mes genoux se dérobent quand je franchis la porte. Je me présente au policier de service. Lorsque nos regards se croisent, je sonde le sien pour tenter de saisir ce qu'il pense de moi. Me suspecte-t-il ? A-t-il pitié de moi ? Il m'est difficile de me faire une opinion.

— Je vais vous préparer ces affiches tout de suite, monsieur Gregory.

Et il disparaît en me laissant seul.

Et maintenant, dans le sanctuaire de mon bureau à Saint-Gall, chaque scène, chaque épisode de cette matinée insoutenable revient poignarder mes pensées. Il m'est impossible de me concentrer. Assis devant ma table de travail, sur le campus, avec une pile de mémoires devant moi, c'est le beau visage de ma fille que je vois me regarder à travers eux. C'est presque comme si je sentais la présence de Petra dans la pièce. Elle adore se faire une cabane sous mon grand bureau en noyer pour y jouer avec ses poupées ; elle les transporte dans un grand sac en toile avec son prénom peint dessus en grandes lettres. Pendant que je prépare mes cours, j'assiste aux conversations tortueuses que les poupées tiennent entre elles. Cette pensée me fait sourire. Petra est passionnée par tout ce qui concerne l'histoire mystérieuse de la faculté. Elle déambule avec moi dans les bâtiments anciens, et le soleil filtre à travers les vitraux aux couleurs de pierres précieuses qui dépeignent la vie des saints et des martyrs de l'Eglise catholique. Souvent, elle me demande de m'arrêter devant les panneaux représentant saint Gall — celui qui a donné son nom à l'université. Avec des nuances vives de safran, de lapis-lazuli, de cuivre et de jade, l'artiste retrace la vie du saint, un vieil homme en robe de bure marron tenant un manuscrit à la main. On le voit flanqué d'un ours et entouré d'une nuée de merles. Petra aime que je lui parle de saint Gall, également appelé saint Gilianus ou saint Callo, un moine né en Irlande quelque part au VIe siècle de notre ère. La légende dit que l'ermite nommé Gall ordonna à un ours de la forêt, dans la contrée où il vivait, d'apporter du bois pour sa communauté isolée et que l'ours obéit. J'explique aussi à Petra comment le roi Sigebert d'Austrasie — le royaume franc qui correspond maintenant au nord-est de la France et l'ouest de l'Allemagne — a imploré le saint d'exorciser sa promise. Gall a accepté et délivré la malheureuse des démons dont elle était possédée. On dit qu'ils se sont envolés sous la forme d'une volée de merles. Petra frissonne toujours de délice lorsque je lui fais ce récit, et elle frotte nerveusement le porte-bonheur en forme de note de musique qu'elle porte à son cou.

Mes collègues viennent me rendre des visites impromptues lorsqu'ils savent que Petra m'accompagne. Ils la questionnent sur son école, sur ses amis, et Petra leur fait des dessins pour qu'ils les accrochent aux murs de leurs bureaux. Même mes étudiants s'entichent de Petra ; elle mémorise le nom de chaque personne que le hasard met sur son chemin. L'hiver dernier, un étudiant de premier cycle est entré à l'improviste alors que Petra jouait gaiement sous ma table de travail. Le jeune homme, normalement charmeur et sûr de lui, était au bord des larmes et craignait d'échouer à ses examens. Il avait les plus grandes peines à se concentrer et il avait besoin de trouver un autre emploi à temps partiel pour payer ses cours et son loyer.

— Lucky, dis-je à l'étudiant, tu as trop de soucis en tête

en ce moment. C'est normal que tu aies des difficultés de concentration.

Je me hâte d'attirer Petra de sous mon bureau et je la présente à l'étudiant avant qu'il ne s'effondre complètement en sa présence.

— Voici ma fille, Petra. Elle m'accompagne souvent ici, le week-end, pour m'aider dans mon travail. Petra, je te présente Lucky Thompson, qui est un de mes étudiants.

Petra examine le jeune homme d'un œil critique et note les cheveux hirsutes, le jean et le sweat-shirt trop grands.

— C'est ton vrai nom, Lucky ? demande-t-elle avec aplomb.

— Non, je m'appelle Lynton, en fait. Mais tout le monde utilise mon surnom.

Petra hoche la tête.

— Bon plan. Et de la chance, tu en as ?

— D'habitude, oui, je crois.

— Tu as un animal ? poursuit-elle.

— Oui, j'ai un chien, répond-il, amusé.

— Parce qu'on dit qu'un animal, ça aide à soulager le stress, explique-t-elle gravement. Il s'appelle comment, ton chien ?

— Sergent. C'est un golden retriever.

— Cool ! Papa ? Elle a besoin de quelqu'un, mamie, au café ? Peut-être que Lucky pourrait travailler là-bas ?

Un coup de fil passé à ma belle-mère me confirme qu'elle cherchait effectivement un serveur d'appoint. J'arrange un rendez-vous pour Lucky.

— Tu es cool, comme fille, Petra.

Lucky sourit, lui tapote la joue et lui frotte la tête.

C'est ainsi que sans effort, à sa façon magique, Petra a remis tout le monde en joie. Le jeune homme est reparti avec le moral regonflé et une piste pour un travail au Mourning Glory Café.

Je me lève et mes articulations craquent sous l'effort. Je sens très fortement mon âge, aujourd'hui. Je prends le tas d'affichettes et un rouleau de ruban adhésif, je ferme mon bureau à clé et je me lance dans l'affreuse tâche qui consiste à placarder le portrait de son enfant un peu partout, au hasard des vitrines, des panneaux, des poteaux...

Antonia

J'ai l'oreille douloureuse, après tous les coups de téléphone que j'ai passés pour essayer de retrouver Calli et Petra. J'ai appelé absolument tout le monde : les voisins, les camarades de classe des filles, et même les enseignants. Personne ne les a vues. Je perçois, dans le court silence qui tombe sur la ligne, un jugement muet. J'ai laissé se perdre ce que j'ai de plus précieux au monde, j'ai laissé mon enfant s'éloigner de moi. Je sais ce qu'ils pensent, tous : que je n'ai pas su empêcher, pour commencer, qu'on vole la voix de ma fille, et maintenant, c'est Calli qui a disparu tout entière. « Quel genre de mère est-elle donc ? » Voilà la question que j'entends dans leur silence. Mais ils ne me la posent pas à voix haute ; ils me souhaitent bonne chance, au contraire, et m'assurent qu'ils vont se mettre à la recherche des filles et qu'ils feront passer le message. Ils font preuve d'une grande gentillesse.

Je me dis que j'aurais dû placarder des affiches le jour où Calli a perdu la voix. « RECHERCHE la belle voix de Calli, âgée de quatre ans, mais qui paraît plus mûre ; vocabulaire déjà avancé. Entendue pour la dernière fois le 19 décembre, juste après la chute de sa mère dans l'escalier. Prière d'appeler à ce numéro si vous avez vu ou entendu quelque chose. RÉCOMPENSE. »

C'est stupide, je sais, surtout que je me suis si peu battue pour aider Calli à retrouver sa voix. Oh, je me suis bien acquittée des démarches requises… Je l'ai emmenée chez le médecin et même chez un psychologue familial. Mais rien n'a changé. Pas un mot n'a été prononcé par ma fille. Je me suis appliquée de toutes mes forces à oublier le jour où j'ai perdu mon bébé, mais des fragments de souvenirs resurgissent aux moments où je m'y attends le moins. Quand je désherbe le potager, il me revient soudain à la mémoire que je l'appelle « ma Caro », quand je pense à elle. Je n'aurais pas pu la baptiser Macaron Cookie Petit Beurre, mais Caro aurait été un joli prénom. Elle avait de si beaux cheveux… Elle m'a fait penser à une fleur aux pétales rouges fanés, lorsqu'ils me l'ont apportée pour que je lui dise au revoir. Ils ont tout essayé pour la ramener à la vie, m'ont-ils dit. Mais il ne lui a même pas été donné de cueillir un souffle d'air, dans ce monde.

Je peux me trouver debout devant l'évier, à frotter une casserole, et me mettre à penser tout à coup au jour où Griff m'a guidée jusqu'au canapé. Je le revois prendre Calli avec lui pour l'asseoir dans la cuisine et lui chuchoter quelque chose à l'oreille. Je me souviens d'avoir pensé : « Il cherche à la calmer, la rassurer ; il lui murmure des paroles de réconfort. » Mais après ce jour-là, elle n'a plus ouvert la bouche. Plus prononcé un seul mot. Je n'ai jamais demandé à Griff ce qu'il a dit à notre fille. Pire encore : je n'ai pas posé non plus la question à Calli.

Je vais dehors et la température caniculaire me prend d'emblée à la gorge. La chaleur monte de la rue, l'air épais tremble et la scie des cigales est presque assourdissante. Ben sort à pas lents de la forêt. Il a les épaules affaissées, les mains enfoncées dans ses poches de devant, et il est couvert de sueur. Là, fugitivement, je vois de nouveau en lui le petit garçon qu'il a été, toujours bonne pâte et un peu timide, voulant à tout prix faire partie de la bande des durs, mais ne sachant trop comment s'y prendre. Il est très grand pour son âge et ses camarades de classe, impressionnés par sa taille, le regardent avec admiration, mais ils sont toujours un peu déconcertés par sa gentillesse. « Pardon », disait-il toujours, s'il renversait un adversaire pendant un match de basket ; et il s'arrêtait de jouer le temps de s'assurer que l'autre joueur se relevait sans dommage.

— Désolé, m'man, murmure Ben en passant à côté de moi pour regagner la maison.

Je lui emboîte le pas et le trouve appuyé contre le bar de la cuisine. Bras levé, j'attrape un verre dans le placard, je le remplis de glaçons et de citronnade, et je le lui tends.

— Merci d'avoir essayé, Ben. Je sais que tu as fait ce que tu as pu. Personne, ici, ne connaît la forêt mieux que toi. Si elles avaient été dans les bois, je sais que tu les aurais retrouvées.

Il prend une grande gorgée de citronnade et son visage se crispe un instant à cause de l'acidité.

— J'y retourne, là. Je vais appeler mes copains pour qu'on s'y mette à plusieurs. Il faut qu'on s'enfonce un peu plus loin dans la forêt. Elle aime bien explorer des nouveaux coins, des fois.

— C'est une bonne idée. Je vais chercher aussi dans les bois de mon côté. Il suffit que j'appelle Mme Norland. Elle attendra ici pour qu'il y ait quelqu'un, au cas où les filles reviendraient. Je vais préparer des bouteilles d'eau fraîche. Va appeler les autres.

Ben pose la main sur le combiné et juste à ce moment, le téléphone se met à sonner. Il sursaute, retire ses doigts d'un air choqué, le laisse sonner encore une fois, puis décroche. Il lance un « allô » interrogateur.

— Oui... Une seconde, s'il vous plaît.

Il me tend le combiné et me chuchote que c'est Louis. Je sens que les larmes montent.

— Lou ? Tu as du nouveau ?

— Pas encore, non. J'ai prévenu la police d'Etat de l'Iowa et ils nous envoient un de leurs agents. Il sera là dans une heure environ. Il aura sûrement des questions à te poser, à toi ainsi qu'à Ben et à M. et Mme Gregory.

Il marque une légère pause.

— Nous avons essayé de contacter Griff et Roger Hogan,

mais nous n'avons pas réussi à les joindre. La femme de Roger affirme qu'il avait prévu de prendre Griff ce matin vers 4 heures, et de se rendre en voiture jusqu'à Julien. J'ai appelé la police de Julien. Un de leurs gars doit faire un saut jusqu'au cabanon et informer Griff et Roger de ce qui se passe.

J'essaie de m'imaginer la réaction de Griff lorsqu'il apprendra que les filles ont disparu. S'affolera-t-il pour Calli et reviendra-t-il sur-le-champ ? Ou continuera-t-il à pêcher tranquillement en me laissant seule pour traverser ce cauchemar ? Comme je l'ai aimé, cet homme ! En fait, je l'aime toujours, je crois, à ma façon. Il y avait quelque chose d'excitant, chez lui, et il y a eu un temps, avant que l'alcool ne vienne me supplanter dans son affection, où il avait besoin de moi.

Je reporte mon attention sur l'homme avec qui j'ai grandi.

Sur l'homme que j'aurais dû épouser.

Mais s'il n'y avait pas eu Griff, il n'y aurait pas eu non plus Ben et Calli.

— Tu veux que nous nous déplacions jusqu'au bureau du shérif, Ben et moi ?

— Il vaut mieux que je t'appelle, plutôt, et nous ferons un saut jusque chez toi. Comme ça, si Calli revient, vous serez à la maison pour l'accueillir... Ah oui, je préfère te prévenir, Toni : ce type de la police de l'Etat, c'est son boulot quotidien, la recherche d'enfants disparus. Et il rencontre de tout, y compris les cas de figure les plus sordides. Il demandera certains trucs qui ne te plairont pas forcément.

— Quel genre de trucs ?

Alors même que je pose la question, la réponse s'impose.

— Il pensera que nous avons peut-être quelque chose à voir avec la disparition de Calli ? Oh, mon Dieu...

D'un seul coup, je me sens sale. Coupable.

— Je serai là avec toi, Toni. Ces flics de haut rang ont tendance à prendre les commandes d'office, mais c'est un type qui connaît son boulot. Il nous aidera à trouver Calli et Petra.

— D'accord, Lou. On vous attend ici, dis-je faiblement.

Un silence aussi pesant que la chaleur du jour reste en suspens entre nous.

— Toni, j'ai signalé la disparition de Calli et de Petra au NCIC.

Louis laisse tomber cette information comme en passant. Pour essayer de me donner l'impression qu'elle est sans grande conséquence, sans doute. Mais je ne suis pas dupe.

— C'est quoi, exactement, ce NCIC ?

— La base de données criminelles du FBI. Ils ont un fichier centralisé pour les personnes disparues. Ainsi, les différentes forces de police un peu partout sauront que nous cherchons deux petites filles. Et j'ai lancé un avertissement de recherche pour tout le pays. Partout aux Etats-Unis, le signalement sera diffusé.

J'ai la tête qui tourne.

— Ah… C'est une bonne idée. Et une alerte Amber ? Tu peux en lancer une aussi ?

— Ces alertes enlèvement ne concernent que les cas de kidnapping confirmés. Et pour l'instant rien n'indique que ce soit le cas.

Nous gardons le silence un moment.

— Toni, tout va s'arranger, je te le promets, finit par m'assurer Louis d'un ton résolu.

Je raccroche. Ben me regarde d'un air interrogateur, il attend que je lui dise ce qu'il doit faire.

— Tu devrais aller prendre ta douche, Ben. Un inspecteur de la police d'Etat va venir et…

— Mais on devait retourner chercher Calli dans la forêt ! coupe-t-il, contrarié.

— Ce sont les instructions de Louis. On fait ce qu'il nous dit. Allez, va prendre ta douche.

Je m'assois et je recommence à attendre.

Calli

Les muscles de Calli se tendirent lorsqu'elle entendit un bruit de feuilles froissées dans les sous-bois, suivi d'un craquement de brindilles brisées. Elle se tint aux aguets, les battements de son cœur montant sourdement jusqu'à ses tempes. Immobile, pétrifiée, elle guettait le son suivant, à moitié préparée à voir Griff penché au-dessus du tas de branchages derrière lequel elle se tenait dissimulée. Il y eut un faible son de ramilles piétinées, des pas trop légers pour appartenir à son père, et un cerf apparut dans son champ de vision. Un faon, plus exactement, avec sa livrée de taches claires sur son pelage d'un brun roux. Le jeune animal s'immobilisa lorsqu'il huma sa présence. Il avait des oreilles longues et fines qui rappelaient celles d'un lièvre, et ses yeux noirs, brillants, avaient la couleur des fragments de mica que Ben alignait sur sa commode.

L'animal et l'enfant se regardèrent quelques instants, puis le faon, curieux, fit quelques pas en direction de Calli. Il s'approcha si près que, si elle l'avait osé, elle aurait pu caresser sa truffe noire luisante. Retenant son souffle, Calli déplaça son centre de gravité de manière à se mettre à genoux. Le faon tressaillit, fit quelques pas en arrière, puis s'immobilisa. De nouveau, le jeune animal et la petite fille s'observèrent — esseulés, l'un et l'autre, avec des membres longs et fins, des genoux frêles et noueux. Le faon fit un pas prudent en direction de Calli et ses narines frémirent tandis qu'il s'aventurait à renifler l'air autour d'elle. Calli se risqua à son tour à sortir de son nid de branchages, et le jeune cerf esquissa un pas tremblant en arrière. De nouveau, ils se tinrent face à face, debout l'un et l'autre, cette fois, à se scruter mutuellement. Puis le faon fit deux bonds résolus en avant. Déconcertée, Calli se rejeta en arrière et heurta le tronc d'un bouleau dont l'écorce blanche, semblable à du papier, se détacha comme une peau friable sous ses doigts. Elle reprit son équilibre et s'avança à son tour vers le faon, une petite main sale tendue vers son museau. Encore et encore, leur valse-hésitation se poursuivit, danse muette et tendre sous le dôme d'ombres vertes avec, sous leurs pieds nus, un tapis d'humus. L'enfant et le faon, tout à leur pas de deux, chacun dans son espace, sans paroles émises, mais esquissant un dialogue murmuré à travers leur étrange petit menuet.

Louis

Assis à mon bureau, encombré par un horrible fatras qui me rappelle que deux petites filles ont disparu, j'attends l'agent de la police de l'Etat. Je viens de demander à Meg, notre dispatcher, d'envoyer un de nos réservistes, David Glass, pour qu'il relaie l'information entre les deux maisons. Tous les renseignements, toutes les pistes glanées durant l'enquête seront communiqués à David, qui exerce le métier de pharmacien dans sa vie de tous les jours.

Le portrait de Calli qui a été distribué à tous nos effectifs semble me regarder droit dans les yeux. Elle ressemble tant à sa mère, avec les mêmes cheveux châtains, les mêmes yeux bruns, la même queue-de-cheval en désordre que portait Toni quand elle était encore enfant.

Nous nous sommes connus, Toni et moi, lorsque nous avions sept ans, durant l'hiver de notre année de cours élémentaire. Ma mère, ma sœur, mon frère et moi, nous venions de quitter l'immensité urbaine de Chicago pour la ville minuscule qu'est Willow Creek. Un arrêt cardiaque avait brutalement emporté mon père l'année précédente, et par l'intermédiaire d'un ami, ma mère avait trouvé un emploi à l'université Saint-Gall. Ici, loin de la grande ville, le calme et l'espace me donnaient un sentiment de solitude, et j'avais la nostalgie du bruit de la circulation, du fond sonore familier fait des rires et des disputes des voisins. Je me souviens des longues heures passées allongé dans mon lit, dans la chambre que je n'avais plus à partager avec personne, et d'avoir regretté les ronflements légers de mon petit frère pendant les nuits trop longues où le grand silence de la nature m'empêchait de trouver le sommeil. Nos voisins les plus proches étaient à quelques centaines de mètres de chez nous. Et j'avais beau tendre l'oreille, je ne discernais aucun son, hormis quelques aboiements de chien et le sifflement solitaire du vent. Après des nuits et des nuits d'insomnie, ma mère a fini par m'acheter une petite radio portative à placer à côté de mon lit pour meubler le profond silence qui me tenait en éveil.

Voyant arriver sans grand enthousiasme ma première journée à l'école élémentaire de Willow Creek, j'ai feint d'être malade. Le matin de la rentrée de janvier, ma mère s'est assise sur le bord de mon lit et m'a regardé dans les yeux.

— Loras Michael Louis, a-t-elle dit gravement. Je sais mieux que personne qu'il est difficile de laisser ce qu'on connaît derrière soi pour aller vers l'inconnu. Ton père n'est plus là pour m'aider. Tu es l'aîné, et le regard des deux petits est rivé sur toi pour voir comment tu te comportes. Si tu restes au lit à faire la tête, ton frère et ta sœur calqueront leur attitude sur la tienne. Mais si tu te lèves du bon pied, prêt à affronter le monde entier, ils se lèveront aussi.

— Maman, Katie a trois mois. Elle n'affronte personne, ai-je protesté avec toute la mauvaise volonté du monde.

— Cela n'enlève rien au fait que tu es son grand frère. Et son modèle masculin de référence, désormais. C'est en t'observant qu'elle se fera une idée de ce qu'est un homme. Alors mets ça dans ta poche et ton mouchoir par-dessus, jeune homme ! Ouste, lève-toi.

— Ouais, bon, ça va, m'man.

Je me suis traîné hors de mon lit et me suis habillé en priant pour qu'au printemps il se trouve quelqu'un, dans ce trou perdu, capable de jouer une bonne partie de crosse.

Pour cette première journée d'école, maman nous a emmenés en voiture. Le ciel était d'un bleu turquoise, de la couleur d'un œuf de merle dans son nid, et il faisait si froid que nous voyions la buée de notre haleine, même si maman avait ouvert à fond le chauffage de notre vieille Plymouth Arrow. L'école était ancienne, en brique rouge, et se trouvait à la limite de la ville. A ma grande surprise, le bâtiment d'un étage était plus grand que celui que je fréquentais à Chicago, où j'étais inscrit dans une petite école de quartier. Mais pour le reste, les deux établissements se ressemblaient beaucoup, ce qui me parut rassurant. Je remarquai ensuite que des écoliers de tous âges couraient vers l'arrière du bâtiment, équipés de luges de bois ou en plastique.

— Allez, amène-toi, Dave, ai-je dit à mon frère qui entrait en grande section de maternelle. On y va.

J'ai attrapé mon sac à dos, marmonné un vague « salut » à l'intention de ma mère, et nous nous sommes précipités hors de la voiture.

— Hé! a-t-elle crié. Tu ne veux pas que je vous accompagne?

— Non, c'est bon. Merci!

J'ai accroché mon sac sur une épaule et nous avons contourné le bâtiment scolaire en suivant les empreintes creusées dans la neige durcie. A mes yeux d'enfant de sept ans, le spectacle était époustouflant. Derrière l'école, s'élevait une colline qui me parut haute comme une montagne. Ce monticule s'étirait sur toute la largeur de l'école et même au-delà. La pente était abrupte à certains endroits, plus douce à d'autres, et se terminait dans un pré immense, grand comme deux terrains de football. Les enfants faisaient la queue au sommet pour prendre leur tour sur les différentes pistes de luge; une organisation qui, de toute évidence, obéissait à une hiérarchie complexe. Les enfants les plus âgés, probablement des CM1 et des CM2, avaient monopolisé la partie de la colline où la descente était raide et entrecoupée de bosses aménagées, de façon à permettre aux luges de décoller. Les plus petits se contentaient du versant doux. J'observai les descentes enthousiastes, écoutai les éclats de rire, assistai aux cheminements résolus pour remonter la pente, avec les luges que chacun tirait derrière soi.

Une silhouette menue attira mon regard. L'enfant — qui me parut être un garçon de mon âge ou un peu plus jeune — était équipé d'un pantalon de ski noir, d'un manteau d'hiver trop grand du même ton et de bottes en caoutchouc — tout aussi noires, elles aussi. Seule touche de couleur : les moufles, une rouge et une verte, clairement désassorties. Une cagoule noire dissimulait presque entièrement son visage. Je le regardais tirer avec assurance sa luge plate en plastique couleur argent jusqu'au sommet de la colline, où se tenaient les grands, puis se placer dans la queue, derrière trois garçons qui le dominaient d'une bonne tête. Les grands se retournèrent, se mirent à rire et le repoussèrent sans autre forme de procès. Sans se laisser intimider, il se faufila de nouveau à sa place et resta solidement campé sur ses positions, indifférent aux railleries dont il faisait l'objet. Lorsque son tour arriva, il se plaça sur le disque en plastique et un garçon derrière lui le poussa de la pointe de sa chaussure de marche. Le lugeur dégringola la pente, tournant et rebondissant sur les bosses, décollant et retombant chaque fois juste à temps pour aborder la rampe glacée suivante. Je retenais mon souffle, persuadé que le malheureux allait se tuer sous nos yeux.

— Oh, la vache ! chuchota Dave à mon côté.

J'acquiesçai d'un hochement de tête. La descente paraissait ne jamais devoir se terminer, et je voyais la tête de l'enfant ballottée au rythme de la course, mais il tenait bon, ne manquant verser qu'une seule fois. A la fin, sa luge négocia le dernier dos-d'âne à une telle vitesse que la cagoule du lugeur s'envola, et une longue banderole couleur châtain s'éleva dans son dos. Une queue-de-cheval ! Le « il » était une « elle », découvris-je en sursaut. Le temps qu'elle glisse encore sur quelques dizaines de mètres avant l'arrêt définitif, et j'étais tombé irrémédiablement, irréversiblement amoureux. Je souris encore à la simple évocation de ce souvenir et je reste abasourdi par la rapidité avec laquelle Toni a su accaparer une place dans mon cœur. Et je suis encore plus surpris que cette place-là soit restée intacte jusqu'à aujourd'hui.

Je lève les yeux de mon bureau. Mon visiteur, je sais qui il est ; je me lève pour saluer l'inspecteur Fitzgerald, de la police d'Etat.

Ben

De la fenêtre de ma chambre, je vois le shérif adjoint se garer dans l'allée, devant chez les Gregory, et je me dévisse le cou pour essayer de voir qui est avec lui. J'ai une petite bouffée d'espoir, mais je m'aperçois très vite que ce n'est pas toi, Calli. Un homme de petite taille, en pantalon marron, chemise blanche et cravate rouge, descend de la voiture de patrouille. Je le vois examiner la maison des Gregory de haut en bas avant de se diriger vers la porte d'entrée avec le shérif adjoint Louis. Je suppose que c'est le gars de la police d'Etat dont parlait maman. Calli, tu as réussi à semer un bazar pas possible ; je suis bluffé que tu arrives à un tel résultat sans même ouvrir la bouche.

Ce soir, je devais aller dormir chez Raymond, mais j'ai l'impression que c'est cuit pour moi — du moins jusqu'à ce qu'on te retrouve. Tu n'as jamais aimé que je passe la nuit chez un copain. Chaque fois, tu t'asseyais rituellement sur le bord de mon lit pendant que je préparais mon sac à dos, et tu me regardais avec ta mine triste. J'étais obligé de te répéter je ne sais combien de fois : « Hé, Cal, ne fais pas cette tête. Je reviens demain ! » Mais j'avais beau essayer de te rassurer, tu gardais ton air désespéré. Au bout d'un moment, je finissais par t'autoriser à jouer avec mon jeu d'échecs, celui que papa m'avait acheté une fois pour Noël, et là, tu reprenais du poil de la bête.

Maman a presque autant de mal que toi à me voir partir la nuit. Oh, elle ne le dit pas, bien sûr, et prend son petit air courageux pour dire : « Bien sûr que tu peux aller dormir

95

chez ton copain. Nous les filles, nous allons très bien nous en sortir, pas vrai, Calli ? Et nous avons papa pour nous tenir compagnie. »

Le fait est que je ne pars dormir chez Raymond que quand papa est de passage dans le secteur. Ça ne me plairait pas trop de vous savoir toutes seules, toutes les deux. Mais quand papa est à la maison, j'aime autant qu'il ne m'ait pas trop dans les pattes.

Tu te souviens du soir où il nous a fait le coup du « cours de parole » ? L'automne dernier, tu étais entrée au CP et maman avait dû sortir. Je crois qu'elle avait un entretien avec ta maîtresse ou une réunion avec le psychologue scolaire, un truc comme ça. Et nous, on était restés à la maison avec papa. Il trouvait que c'était ridicule, tout ce « tralala » qu'on faisait à l'école parce que tu ne parles pas. Il a commencé, tout joyeux, par une proposition plutôt sympa.

— Calli, tu serais d'accord pour qu'on fasse une bonne surprise à ta maman, toi et moi ?

Toi, ravie, bien sûr, tu as fait oui de la tête. Papa t'a demandé de venir le rejoindre là où il était assis dans son fauteuil vert préféré, et il t'a prise sur ses genoux. Tu as levé les yeux vers lui et tu attendais qu'il te dise quelle belle surprise il avait prévue pour maman. Papa avait l'air tellement heureux que je me suis approché pour demander si je pouvais aider aussi.

— Merci, Ben. C'est gentil de vouloir participer. Mais c'est quelque chose que seule Calli peut faire pour sa maman. Cela la rendrait tellement heureuse. Et cela me ferait plaisir aussi.

D'un coup, ton visage est devenu tout triste parce que tu savais que papa te demandait l'impossible. Il a insisté, plutôt gentiment, au début.

— Allez, Calli, ce n'est pas bien difficile. Demande à ta bouche de faire les sons *ma-man*.

Tu as commencé à secouer la tête et à serrer très fort les paupières.

— Allez, Calli, dis-le avec moi : *ma... man*.

Il faisait bouger sa bouche en parlant, comme quelqu'un

qui essaie de convaincre un bébé de dire son premier mot. Toi, tu gardais les yeux fermés et tu pressais les lèvres l'une contre l'autre.

— Tu peux y arriver, Calli. Tu ne veux pas faire plaisir à ta maman ? *Maaaa-man.*

Toi, tu ne voulais rien savoir et tu te tortillais pour essayer de descendre des genoux de papa et t'enfuir.

— Ah non, pas question, tu ne te sauves pas. Allez, Calli. Je veux que tu le dises avec moi. Juste un petit effort.

Il avait élevé le ton et commençait à crier. Tout en maintenant ton bras d'une main, il attrapait ton visage de l'autre et essayait de forcer tes lèvres à remuer.

— Arrête, j'ai dit, à voix très, très basse.

Il a continué de plus belle, même si tu pleurais, sans émettre un son.

— Arrête ! ai-je répété plus fort.

Et là, il m'a entendu.

— Laisse-nous travailler tranquilles, Ben. Calli et moi, nous prenons un cours de parole. Allez, file.

Cette fois, je me suis mis à hurler.

— Mais fiche-lui la paix, je te dis ! Elle ne *peut* pas parler ! Si elle pouvait, elle l'aurait déjà fait. Je t'interdis de l'embêter.

Oui, je sais. Je n'en revenais pas moi-même d'avoir élevé la voix comme ça. Tu t'es arrêtée de pleurer et vous m'avez regardé, papa et toi, genre comme si des martiens venaient d'atterrir dans le jardin.

— Personne ne t'a demandé ton avis, Ben. Monte dans ta chambre.

Son ton était relativement mesuré, mais je savais qu'il ne plaisantait pas.

— Non, je ne monterai pas. Laisse-la tranquille. Elle ne peut pas !

Papa s'est levé si vite que tu t'es retrouvée propulsée par terre. Lorsque tu as atterri sur tes fesses, j'ai crié :

— Sauve-toi, Calli ! Vite !

Mais tu ne m'as pas écouté. Tu es restée assise sur le sol à nous regarder. Et papa s'est énervé.

— Super. J'ai une fille à moitié demeurée et un gros malin de fils qui croit qu'il a tout compris. Génial. Tiens, il y a peut-être un meilleur moyen de la faire parler. Lève-toi, Calli.

Tu as obéi. Sans traîner.

— Ton frère que voici se prend pour un grand savant. Il croit que tu n'es pas capable de parler. Eh bien, moi je sais qu'il se trompe, car je me rappelle t'avoir entendue. Et tu braillais tant que tu pouvais. Il te faut peut-être quelques encouragements supplémentaires pour te remettre les cordes vocales en route.

Là-dessus, il m'a balancé un coup que je me suis pris à l'arrière du crâne. Si fort que j'ai vu trente-six chandelles. Tu as couvert tes yeux de tes mains, mais papa a écarté tes doigts de force et t'a obligée à regarder. Puis il a recommencé à me filer des raclées, dans le ventre et sur le dos.

Et pendant ce temps, il continuait de t'observer.

— Allez, Calli. Tu n'as qu'un mot à dire et je m'arrête.

Voyant que tu ne cédais pas, il recommençait à me cogner de plus belle.

— Dis-moi stop et j'arrêterai de frapper ton frère. Allez, Calli, tu ne veux même pas faire un petit effort pour sortir ton grand frère de là ?

Je savais que tu en étais malade. Entre les coups, je te voyais essayer de remuer les lèvres, mais tu avais beau faire, les mots ne venaient pas. Je savais que si tu avais pu parler, tu l'aurais fait. Au bout d'un moment, papa s'est fatigué de son petit jeu et il a cessé les coups.

— Oh, et puis vous me cassez les pieds, tous les deux… Il n'y en a pas un pour racheter l'autre.

Il s'était rassis dans son fauteuil vert et il a regardé la télé jusqu'au retour de maman. Je n'ai jamais raconté à personne, même pas à maman, ce qui s'est passé ce soir-là. Il a juste fallu que je porte des manches longues pendant un mois. Je crois que cette fois-là, papa n'avait plus que quelques jours à passer à la maison et qu'il est reparti très vite travailler sur son pipeline. Toi, tu es montée dans ta chambre en courant et pendant les dix jours qui ont suivi, tu ne voulais même plus croiser mon regard. Mais je sais que tu en avais gros sur la patate. Pendant deux semaines, tous les soirs en me couchant, j'ai trouvé des Tootsie Rolls sous mon oreiller.

Martin

Fielda tient bon, mais de justesse. Elle est pâle et sa voix tremble, monte dans les aigus. Ses doigts tirent sans relâche sur les fils minuscules qui dépassent de son accoudoir. Elle fait des efforts méritoires pour rester attentive aux paroles de l'agent Fitzgerald, assis avec le shérif adjoint Louis sur le canapé en face de nous. Mais par moments, elle perd le fil.

— Pardon? murmure-t-elle d'un air contrit.

— Quand avez-vous vu Petra pour la dernière fois, madame Gregory?

L'agent Fitzgerald ne ressemble pas à l'homme que je me préparais à rencontrer. Je le pensais beaucoup plus âgé alors qu'il a l'air d'avoir tout juste la quarantaine. Il est petit, avec un menton de bouledogue et des mains fines, presque féminines. Son aspect ne m'inspire pas une confiance excessive. Je ressens une sourde irritation à l'endroit du shérif adjoint Louis, qui nous a présenté ce Fitzgerald comme une pointure dans le monde de la police.

— Hier soir, répond Fielda. A 8 heures et demie, je crois. Non, 9 heures, car elle est redescendue une fois pour nous demander de lui expliquer un mot dans le livre qu'elle est en train de lire.

— Quel mot? demande gentiment Fitzgerald.

— Quel mot? Mmm… c'était « incombustible ». Elle voulait savoir ce que cela voulait dire.

Mal à l'aise, je commence à m'agiter au côté de mon épouse. Je finis par observer poliment mais fermement :

— Quel rapport avec la disparition de Petra? Le shérif

adjoint Louis a déjà posé toutes ces questions. Je ne comprends pas à quoi cela nous avance d'y répondre une seconde fois. Il me semble que notre temps serait mieux employé si nous étions dehors à rechercher activement les filles.

— Je comprends votre inquiétude, monsieur Gregory, déclare Fitzgerald. Mais il est bon que je pose aussi mes questions et que j'entende personnellement vos réponses. Il se peut qu'un détail vous vienne à l'esprit, que vous n'avez pas encore mentionné au cours de votre discussion avec le shérif adjoint. Soyez patient, s'il vous plaît. Nous mettons tout en œuvre pour retrouver votre fille.

— Tout ce que je sais, c'est que Petra a disparu. Et sa meilleure amie aussi. Elle est sans doute perdue, quelque part, je ne sais où, en pyjama. Et moi, je suis là, confortablement assis, à vous écouter couper les cheveux en quatre! Pourquoi ne sommes-nous pas à sa *recherche*, bon sang?

Ma voix s'élève dangereusement. Fielda m'attrape le bras et commence à pleurer sans bruit, en oscillant d'avant en arrière. Aussitôt, je me ressaisis et je murmure :

— Chut, Fielda… Je suis désolé.

Fitzgerald se penche vers nous.

— Si nous essayons d'établir les faits avec le plus de précisions possible et si nous examinons chaque détail, même le plus anodin, nous aurons des chances accrues de retrouver Petra et Calli. Donc, je comprends que ce soit répétitif pour vous, mais je répète : c'est important.

Je hoche la tête.

— Je regrette. Poursuivez, je vous en prie.

— Pouvez-vous me donner une liste des personnes qui sont passées chez vous au cours du mois écoulé?

Fielda renifle et s'essuie les yeux du dos de la main.

— Calli, bien sûr, est venue régulièrement. Le frère de Calli, Ben, livre le journal le matin. Mon amie Martha…

— Précisez aussi les noms de famille, s'il vous plaît, intervient Fitzgerald tout en prenant des notes.

— Martha Franklin. Deux hommes qui travaillent pour

le magasin d'ameublement Bandleworths. Je ne pourrais pas vous dire leurs noms, en revanche. Ils ont livré une bibliothèque.

J'ajoute à mon tour :

— Nous avons reçu des collègues de l'université à dîner, il y a quinze jours. Walt et Jeanne Powers, et Sam et Mary Garfield.

— Nous employons souvent des étudiants pour des petits travaux, enchaîne Fielda.

Lorsque Fitzgerald la regarde d'un air d'attente, elle détaille :

— Mariah Burton a fait du baby-sitting pour nous à plusieurs reprises, ces deux dernières années. Chad Wagner venait tondre la pelouse cet été — il fait partie des étudiants de Martin en économie. Et puis il y a eu Lucky Thompson. Lucky vient nous rendre visite de temps en temps. Je crois que c'est à peu près tout, qu'en dis-tu, Martin ?

— Nous voyons régulièrement des promeneurs qui passent par ici, puisque nous habitons à la limite de la forêt. Le week-end, les habitants de la ville viennent randonner sur les chemins. Quasiment tous les gens que nous connaissons sont passés près d'ici à un moment ou à un autre.

— Lorsque nous serons partis, j'aimerais que vous établissiez une liste de toutes les personnes qui ont été en contact avec Petra au cours de l'année écoulée. Certains noms se recouperont avec ceux que vous nous avez déjà donnés, mais ce n'est pas un problème. Au contraire. Nous passerons toute la liste en revue dans nos bases de données, et nous verrons si quelque chose d'inhabituel se présente.

Fitzgerald s'interrompt pour fixer sur nous le regard déstabilisant de ses yeux bleus.

— Une de ces personnes a-t-elle porté une attention particulière à Petra alors qu'elle était en visite ici ? Pensez-vous à quelqu'un qui lui aurait parlé ou l'aurait regardée d'une façon qui vous a mis mal à l'aise ?

— Tout le monde aime Petra, rétorque Fielda. Sa simple

présence suffit à illuminer une pièce. Elle est capable de parler d'à peu près n'importe quoi avec n'importe qui.

Fitzgerald sourit.

— J'ai hâte de faire sa connaissance, moi aussi. Mais essayez de repasser vos souvenirs en revue. Quelqu'un qui aurait fait un détour par chez vous pour venir l'embrasser ou lui parler d'une façon qui vous aurait interpellés, même de manière fugitive ?

Fielda le regarde en clignant des yeux à plusieurs reprises et j'entends littéralement les connexions s'établir dans sa tête. Mais elle garde le silence.

— Je sais que ce ne sont pas des questions confortables pour vous, monsieur et madame Gregory, mais plus tôt nous aurons exploré les différents scénarios et plus tôt nous reverrons les filles à la maison. Nous avons envoyé plusieurs de nos hommes pour faire du porte-à-porte, et nous effectuons des vérifications pour tous les délinquants sexuels répertoriés dans le secteur.

— Vous ne pensez pas que Petra et Calli sont parties toutes seules, n'est-ce pas ? Vous croyez que quelqu'un les a emmenées ?

Fielda fixe un regard désespéré sur Fitzgerald. Face à son silence, elle finit par se tourner vers le shérif adjoint Louis.

— Il existe quelques similarités entre la disparition de Petra et de Calli et l'histoire de la petite McIntire. Rien de concret pour le moment, mais... mais comme le dit l'agent Fitzgerald, nous devons examiner toutes les possibilités, même si c'est difficile.

— Oh, mon Dieu... Oh, mon Dieu...

Fielda glisse lentement du canapé lisse en chintz, tombe à genoux, puis se recroqueville sur elle-même et reste roulée en boule sur le tapis, à gémir doucement.

— Oh, mon Dieu...

Je m'agenouille à côté d'elle et foudroie Louis et Fitzgerald du regard.

— Sortez de cette maison !

La rage dans ma voix me surprend moi-même. J'ajoute plus calmement :

— S'il vous plaît, laissez-nous seuls un moment et nous reparlerons ensuite. Allez-vous-en, s'il vous plaît.

Je vois les deux hommes se lever et se diriger sans hâte vers la porte, sortir dans la chaleur écrasante du dehors. Lorsque la moustiquaire retombe et s'enclenche avec un léger clic, je m'allonge à côté de Fielda sur le tapis, me moulant à son corps, ma poitrine pressée contre son dos, mes genoux calés dans le doux creux des siens. Je glisse mes bras autour de sa taille et, le visage enfoui dans ses cheveux, je respire son odeur émouvante, faite de talc et de parfum, qui restera toujours liée pour moi à un profond, profond chagrin. Les pleurs de Fielda ne se calment pas mais s'accusent, et mon propre corps se soulève et retombe au rythme de ses sanglots.

Louis

Fitzgerald et moi sortons dans le jardin devant la maison des Gregory. Le soleil est presque directement au-dessus de nos têtes, légèrement caché par un énorme érable — et je me dis que c'est le genre d'arbre dans lequel Toni aurait aimé grimper.

— Putain, mais ce n'est pas possible! lâche Fitzgerald d'une voix exaspérée.

Je m'arme de courage, prêt à endurer ses critiques sur la façon dont je m'y suis pris avec les Gregory, au cours des trois dernières minutes.

— Comment faites-vous pour supporter ce boucan, par ici? demande Fitzgerald d'un air dégoûté.

— Quel boucan?

— Ces bestioles, là. On dirait que des millions d'insectes sont en train de mâchonner Dieu sait quoi. J'en ai la chair qui se hérisse.

Fitzgerald tire ses cigarettes de sa poche, donne un petit coup sec sur le fond du paquet pour en extraire une et la tient entre ses doigts minces.

— Ce sont des cigales, dis-je. Le son qu'elles émettent est une vibration, en fait. Parce que leur peau est tendue sur leur corps.

— Vibrations ou pas, ça me tape sur les nerfs. Comment faites-vous pour supporter ça toute la journée?

— J'imagine qu'on s'y habitue, comme vous vous habituez au vacarme d'une grande ville. C'est un son qui se fond dans le silence, au bout d'un moment — on n'y fait plus attention.

Fitzgerald hoche la tête et allume sa cigarette.

— Vous permettez ? demande-t-il une fois l'acte accompli.

— Pas de souci. Allez-y.

Nous restons là, debout tous les deux, à écouter les stridulations des cigales.

— Vous n'êtes pas content de vous, observe Fitzgerald.

J'admets platement que non. Lui hausse les épaules.

— Il fallait que ce soit dit, au sujet de la petite McIntire. Il est important qu'ils sachent que la possibilité existe. Laissons-leur quelques minutes afin que l'idée fasse son chemin et ils reviendront, plus combatifs que jamais. Il sera hors de question pour eux d'accepter que leur fille a pu être attirée hors de chez eux, puis violée et assassinée. Mais la possibilité sera là. Et dans quelques minutes, nous allons les voir surgir, prêts à se battre jusqu'à leur dernier souffle pour la retrouver.

— Il faudrait des chiens de pistage afin d'organiser de vraies recherches, lui dis-je, sachant que la pensée lui a forcément déjà traversé l'esprit.

Fitzgerald tire une longue bouffée sur sa cigarette.

— Je suis d'accord. Nous pouvons faire venir un maître-chien de Madison ou même de Des Moines. Il devrait être là en fin d'après-midi au plus tard.

— Les familles ne voudront jamais entendre parler de chiens de police. Cela donne un peu trop l'impression que ce sont des corps que nous recherchons.

Je ne suis pas spécialement ravi à l'idée d'avoir à annoncer ce genre de décision aux Gregory et à Toni.

— Quel est votre sentiment sur cette affaire, Louis ? demande Fitzgerald en s'adossant contre le tronc d'un vieux chêne. Comme ça, juste une intuition ?

Je hausse les épaules.

— Je ne sais pas trop. Mais entre nous, j'irais voir d'un peu plus près du côté du mari de Toni. C'est un personnage pas très net. Un alcoolique. Et le bruit court qu'il peut être violent.

— Violent de quelle manière ?

— Comme je viens de le dire, ce n'est qu'une rumeur. Toni n'en parle pas et n'a jamais porté plainte pour violences domestiques. Il y a eu quelques interpellations pour ébriété sur la voie publique, trouble de l'ordre public. Et une arrestation pour conduite en état d'ivresse. Il faudrait juste garder ça à l'esprit pendant le déroulement de l'enquête.

Fitzgerald jette un coup d'œil en direction de la maison de Toni.

— C'est bon à savoir, en effet.

Je regarde sa cigarette du coin de l'œil.

— Il y a des journées comme ça où je regrette de ne pas être fumeur.

— Et il y a des journées comme ça où je regrette d'en être un, rétorque Fitzgerald au moment où Martin Gregory sort de chez lui.

Le père de Petra s'avance vers nous.

— Je suis désolé. Nous sommes prêts à poursuivre, à vous dire tout ce que vous voudrez savoir. Je vous en prie... Entrez, maintenant.

Calli

Calli s'était enfoncée plus profondément dans la forêt, bien au-delà des zones où elle se risquait d'ordinaire. Elle était perdue, et le faon avait depuis longtemps retrouvé sa maman. Elle progressait au jugé, cherchant des points de repère. Les arbres étaient plus épais et la protégeaient des rayons du soleil mais, même à l'ombre, l'air restait brûlant, épais, alourdi par l'humidité. Une piste devant elle s'élevait en pente raide, un sentier tortueux, caillouteux, qui disparaissait un peu plus loin dans un bouquet de grands conifères. Un autre chemin partait vers le bas et menait, supposait-elle, à la rivière. Sa langue était sèche et semblait tenir plus de place qu'à l'ordinaire ; elle avait soif. Calli envisagea un instant de revenir sur ses pas mais rejeta cette possibilité, sachant que Griff devait toujours tourner quelque part dans le secteur. Les muscles de ses cuisses tremblaient, ses jambes étaient fatiguées d'avoir tant couru et la faim lui tiraillait le ventre. Elle scruta la forêt alentour et vit les jolies baies toutes rondes, jaunes et rouges, autour desquelles voletaient les cardinaux, mais elle savait qu'il ne fallait pas les manger. Elle essaya de se remémorer ce que sa mère et Ben lui avaient appris au sujet des fruits que l'on trouvait dans les bois — ceux qui étaient comestibles et ceux auxquels il ne fallait pas toucher. Elle connaissait les longs fruits blancs du mûrier, doux, sucrés et débordant de jus, qui pendaient lourdement aux branches. Ceux-là, elle savait qu'elle pouvait les manger sans crainte, contrairement aux baies rouges tirant sur le brun qui, si on les avalait, vous anesthésiaient la bouche. Calli se traîna vers le haut du chemin, les yeux rivés sur chaque buisson, chaque plante grimpante.

Son regard finit par se poser sur un amas de broussailles où on entrevoyait des fruits grenus sur de minces tiges blanches. Des framboises noires. La faim au ventre, Calli commença à cueillir les fruits, si mûrs qu'ils éclataient sous ses doigts et que leur jus se répandait sur ses mains. Leur douceur lui remplissait la bouche et elle continua de se nourrir, repoussant d'une main les moustiques qui tournoyaient autour de sa trouvaille. Sa mère leur avait appris où récolter les framboises noires dans les bois, et Ben et elle partaient chaque année à la cueillette, équipés chacun d'un petit seau, tâchant de ne pas trop en manger pendant qu'ils ramassaient. Lorsque les récipients étaient pleins, ils ramenaient leur récolte à la maison, et leur mère lavait les fruits avec soin avant de confectionner des tartes qu'elle servait avec de la glace maison. Calli adorait participer à la fabrication de la glace et s'intéressait par-dessus tout aux ingrédients requis pour sa confection. Dès que sa mère lui donnait le feu vert, elle descendait elle-même à la cave, où ils rangeaient la vieille machine à glace manuelle. Et c'était chaque fois comme un petit miracle qu'un simple mélange d'œufs, de vanille, de lait, de sucre et de sel gemme suffise à créer quelque chose d'aussi extraordinaire qu'une crème glacée. Et tant pis si elle attrapait des crampes au bras à force de tourner la manivelle. Quand elle se trouvait réellement à bout de forces, Ben prenait la relève. La première chose qu'elle ferait en arrivant à la maison, ce serait de tirer cette vieille machine de la cave. Et ils se lanceraient dans la préparation d'un litre de glace.

Une fois avalées toutes les framboises à sa portée, elle essuya ses doigts noircis sur sa chemise de nuit et passa le revers de sa main sur ses lèvres ; le dessin de sa bouche apparut sur la peau, comme lorsqu'on mettait du rouge à lèvres. Rassasiée pour un temps, elle fit le projet de poursuivre vers le haut pour atteindre le point le plus élevé de l'escarpement. De là-haut, peut-être, elle pourrait se repérer et trouver la direction du retour. Mais la chaleur était lourde et le manque de sommeil pesait sur ses paupières. Si seulement elle avait pu s'allonger un moment, prendre un peu de repos. Elle trouva un bouquet de feuillus offrant une ombre généreuse, à bonne distance du chemin, dégagea les rameaux pointus au pied d'un tronc, puis, se servant de ses bras comme d'un oreiller, elle ferma les yeux et dormit.

Ben

Ça va faire un siècle qu'on attend que le shérif adjoint Louis et l'autre gars arrivent par ici. Maman m'a fait mettre un short neuf et une chemise avec un col pour le moment où ils viendront nous parler. Je meurs de faim, mais ça me ferait vraiment bizarre de me préparer un sandwich ou un truc comme ça alors que tu es toute seule quelque part et que tu n'as peut-être rien à manger. Je rafle un paquet de crackers et je monte lui faire un sort dans ma chambre. En passant devant ta porte, je vois un bout de ruban jaune pour scène de crime tendu d'un bord à l'autre de l'encadrement. Je me dis que c'est nul que des gens viennent fouiller dans tes affaires, ici, alors qu'on devrait s'y mettre tous pour te chercher dans la forêt.

Je vois maman assise par terre dans sa chambre en train de sortir des trucs de ta boîte à trésors. En fait, c'est juste un vieux carton à chapeaux rempli de cochonneries. J'en ai un, moi aussi. Maman les appelle « boîtes à trésors » parce qu'elle veut qu'on y mette tout ce qui est important pour nous, dans notre vie. Et quand on sera vieux et grisonnants, comme elle dit, on pourra farfouiller parmi les objets qui auront eu une grande valeur pour nous. Moi, j'en suis même à ma seconde boîte, car la première est déjà pleine. Maman ne remarque pas que je suis là, debout, à la regarder ; alors je reste immobile, sans faire trop de bruit avec ma respiration. Autour d'elle, je vois tes cahiers d'école et tes dessins et projets d'art, en classe. Elle touche tous ces papiers avec beaucoup de précaution, comme si au moindre mouvement

111

brusque de sa part, tout risquait de partir en poussière. De nouveau, elle plonge la main dans ta boîte et en ressort quelque chose que je n'arrive pas à identifier. Elle non plus, d'ailleurs, car elle regarde fixement l'objet pendant un bon moment en le faisant tourner entre ses doigts. C'est une espèce de boule grisâtre tirant sur le blanc, d'environ sept centimètres. Maman m'entend derrière elle et se retourne pour me la montrer.

— Qu'est-ce que c'est, à ton avis?

Avec un haussement d'épaules, je lui prends la boule des mains. Elle est hérissée de trucs gris qui ressemblent à des bouts de duvet ou de plumes.

— Je crois que c'est une pelote de réjection de chouette. Regarde, on voit des morceaux d'os qui dépassent.

Maman regarde et me reprend la boulette grise des mains. C'est ce que j'aime le plus chez elle. La plupart des mères seraient dégoûtées de manipuler des résidus vomis par une chouette. Mais elle, non.

— Tu as raison, ça doit être une pelote de réjection. Mais pourquoi Calli l'a-t-elle placée dans sa boîte à trésors?

Je hausse une seconde fois les épaules.

— C'est un peu comme moi, quand je collectionne des carapaces de cigales périodiques.

Mon explication la fait rire et je suis content. Maman ne rit plus très souvent, ces derniers temps. Elle repose avec précaution la pelote de réjection dans la boîte et en sort une masse duveteuse qui ressemble à de la ouate.

— Ah ça, je reconnais! s'exclame-t-elle. Plein de duvets de pissenlit agglutinés.

— Ouais, ça a l'air d'être ça. La pelote de réjection, je vois à peu près pourquoi elle veut la garder dans sa boîte à trésors. Mais des duvets de pissenlit, franchement, je ne comprends pas trop l'intérêt.

— Tu ne te souviens pas, Ben? « Lorsque les fées dansent sur l'air, tends doucement la main et attrapes-en une entière. Fais un vœu et tiens-la serré, puis libère-la dans la nuit d'été. »

Je reste un instant pensif.

— Je me demande quel vœu elle a pu faire ?

— Aucun, peut-être. Puisqu'elle a gardé les duvets.

— Ou alors elle les collectionne pour quand elle aura un vœu vraiment important. Et là, elle laissera partir tout le duvet d'un coup.

Là, c'est au tour de maman de hausser les épaules. Elle replace la boule de duvet dans le carton à chapeaux, remet le couvercle et pousse le tout sous son lit.

— Allez, viens, Ben. Je vais te faire un sandwich. Louis ne devrait pas tarder à arriver.

J'ai une idée, moi, des vœux que tu pourrais faire, car tes rêves secrets ressemblent aux miens. Le premier vœu de ta liste : retrouver la parole. Le deuxième : avoir un chien. Numéro trois : que papa reparte en Alaska et qu'il ne revienne plus jamais. Ça, tu ne le dirais jamais à voix haute, même si tu pouvais parler. Et moi non plus. Mais ce serait tes trois plus grands vœux. Je le sais.

Antonia

Pendant que je prépare un sandwich au jambon et que je coupe une pomme en deux pour Ben, je pense à la boîte à trésors de Calli. Le duvet de pissenlit me fait penser à Louis, quand lui et moi étions encore enfants.

L'été qui a suivi l'arrivée de Louis à Willow Creek, nous l'avons passé en grande partie dans le pré derrière ma maison — la même maison dans laquelle je vis encore aujourd'hui. Le jardin était envahi par les pissenlits, et ma mère nous payait un cent pour chaque plant que nous parvenions à extraire avec la racine. Un exploit qui ne s'accomplissait pas sans effort. Muni chacun d'une vieille cuillère, nous creusions aussi profondément que possible sous les racines torsadées pour les dégager et les jeter dans un seau. Nous parvenions à en arracher environ une centaine par jour, après quoi ma mère nous remettait un dollar chacun, une belle pièce brillante posée au creux de nos paumes crasseuses. Nous sautions aussitôt sur nos vélos et nous filions jusqu'au Mourning Glory Café, où nous mettions nos gains en commun. Je nous achetais un cherry Coke — pas un de ceux qu'on trouve tout faits dans une canette, aujourd'hui, mais des vrais, qui sortaient tout droit d'une fontaine à soda, avec une giclée de jus de cerise ajoutée. Mme Mourning nous mettait toujours deux pailles et deux cerises, une pour Louis, et une pour moi. Quant à Louis, il nous commandait une barquette de frites, brûlantes, dorées et salées à point. Avec le flacon gicleur de ketchup, il écrivait d'abord mon nom sur les frites, puis le sien juste en dessous. Les frites marquées « Toni » étaient pour moi, et les autres, avec « Louis » dessus, lui revenaient. D'autres fois, nous nous achetions chacun une barre chocolatée, lui un Snickers et moi une Baby Ruth. Déjà à cette époque, la maman de Petra, Fielda, passait beaucoup de temps au café avec sa mère. Amicale et douce, Fielda se tenait en silence derrière le comptoir et ne nous quittait pas des yeux en nous resservant du soda. Avec le recul, je m'aperçois que Fielda aurait aimé être mon amie. Mais j'avais Louis, à l'époque, et il était tout ce dont j'avais besoin, tout ce que je désirais au monde. Des années plus tard, lorsque nous sommes devenues voisines et qu'elle et moi avons fini par tomber enceintes en même temps, Fielda a tenté de nouveau quelques ouvertures. Elle m'invitait à boire un café, me proposait d'aller marcher ensemble. Là encore, je suis restée très distante, mais pour de tout autres raisons, cette fois. J'avais peur. Peur qu'elle entrevoie le désastre de mon mariage, peur qu'elle me surprenne avec mon mari dans un moment difficile, qu'elle repère les traces de coups. Au bout d'un moment, elle a renoncé et m'a laissée tranquille, exactement comme elle avait fini par se détourner quand nous étions enfants.

Nos désherbages de dents-de-lion se poursuivaient sur dix jours environ. Arrivés à ce stade, nous nous lassions de la tâche et nous avions notre compte pour la saison de frites et sodas cerise. Quant aux pissenlits, ils prospéraient toujours, et nos dix jours d'arrachage faisaient à peine une différence. Le jaune disparaissait petit à petit, les graines se formaient, et les petites aigrettes blanches commençaient à voleter dans l'air au-dessus de nous, prêtes à se ressemer à tout-va.

— Tu savais que c'étaient des fées, en vrai ? me glissa un jour Louis.

L'idée me laissa dubitative.

— Ouais, d'accord. C'est ça !

— Je te jure que je ne te raconte pas des craques. C'est mon père qui me l'a dit : les petits duvets des dents-de-lion sont des fées magiques. Si tu arrives à en attraper un avant qu'il ne touche terre, la fée te sera reconnaissante et elle t'accordera un vœu lorsque tu la libéreras.

Je me suis redressée et j'ai reposé ma cuillère toute tordue et terreuse. Ma curiosité était éveillée. Louis ne parlait jamais de son père.

— Je croyais que ça n'existait pas, les fleurs, là-bas, à Chicago.

— Mais si, on en avait, des fleurs ! Et même de l'herbe et tout ça, avait-il protesté avec indignation. Il y en a juste un peu moins qu'ici. Mon père, il disait : « Lorsque les fées dansent sur l'air, tends doucement la main et attrapes-en une entière. Fais un vœu et tiens-la serré, puis libère-la dans la nuit d'été. » C'est la mamie irlandaise de mon père qui lui avait appris ça. Et il paraît que les vœux, ils se réalisent pour de bon. Tous les ans, en été, quand on voyait voler le duvet des pissenlits avec papa, on essayait d'en attraper un, de faire un vœu puis de souffler dessus pour que la fée s'envole.

— Et c'était quoi, ton vœu ? lui ai-je demandé.

— Bof… Des machins…

Soudain embarrassé, Louis avait lâché sa cuillère et couru en direction des bois, en attrapant des aigrettes volantes au passage.

— Quel genre de machins ? ai-je crié en m'élançant à sa suite.

— Que les Cubs de Chicago remportent le championnat. Des trucs comme ça, quoi.

Louis évitait de me regarder. Je l'interrogeai à voix basse :

— Et ton papa ? Des fois tu fais des vœux pour lui ?

Je l'ai vu baisser la tête, les épaules rentrées, et j'ai cru qu'il allait encore repartir en courant.

— Non, ça sert à rien. Quand t'es mort, t'es mort. Ça ne marche pas pour faire revivre les gens. Il faut demander plutôt des trucs comme devenir riche. Ou une vedette de cinéma.

Il a fait glisser dans ma main un minuscule duvet blanc.

— Tiens. Vas-y, toi. Demande quelque chose.

J'ai réfléchi un moment, puis j'ai soufflé doucement sur ma paume et la petite aigrette duveteuse est partie en virevoltant.

— Alors ? C'était quoi, ton vœu ? a-t-il voulu savoir.

— Que les Cubs remportent le championnat, bien sûr.

Il a ri et nous sommes partis en courant jouer au bord de la rivière.

Mais ce n'était pas mon vrai vœu. J'avais demandé qu'il retrouve son père — juste au cas où ça marcherait.

Huit étés plus loin, à seize ans, nous étions de nouveau ensemble au bord de la rivière. Nous venions de faire l'amour pour la première fois et je pleurais. Pas moyen de traduire en mots ce que je ressentais. Je savais que je l'aimais, je savais que ce qui venait de se passer n'était pas une erreur, et pourtant j'étais devenue une fontaine de larmes. Louis essayait de me faire sourire, en me chatouillant et en faisant des mimiques absurdes, mais les larmes coulaient, coulaient sans relâche, malgré tous ses efforts. Finalement — en désespoir de cause, je suppose —, il s'est éloigné en courant. Je suis restée assise là, anéantie, à renfiler mes vêtements et à essuyer mon nez qui coulait. J'avais perdu Louis, mon meilleur ami. Il est revenu quelques instants plus tard, pourtant. Les deux mains tendues devant lui, les poings fermés.

— Choisis une main, a-t-il dit.

Et j'ai pris la gauche. Lorsqu'il a ouvert la paume, trois graines duveteuses de dent-de-lion reposaient à l'intérieur.

— Trois vœux, Toni. Trois pour toi, trois pour moi, a-t-il précisé en desserrant aussi sa main droite, qui contenait le même nombre d'akènes.

J'ai enfin souri à travers mes larmes.

— Toi d'abord.

— Que les Cubs remportent le championnat.

Il a souri et je me suis mise à rire.

— Que j'entre dans la police.

Puis son visage de jeune homme est devenu sérieux.

— Et que tu continues de m'aimer toujours... A toi, maintenant, s'est-il hâté d'enchaîner.

Je me suis donné un court temps de réflexion.

— Un : de vivre dans une maison jaune.

J'ai scruté attentivement le visage de Louis pour voir s'il se moquait de moi. Mais il ne riait pas.

— Deux, de voir l'océan, ai-je ajouté. Et puis…

Là, les larmes sont revenues de plus belle. De grosses larmes toutes dégoulinantes.

— … trois : que tu continues de m'aimer toujours.

Trois ans plus tard, Louis est parti faire ses études loin de Willow Creek et j'ai épousé Griff.

Saleté de fées, me dis-je maintenant. Je ne vis pas dans une maison jaune, je n'ai jamais vu l'océan et Louis n'a pas continué de m'aimer toujours. Et maintenant, ma Calli, mon cher cœur, a disparu. Tout ce que je touche s'abîme ou bien se perd.

Louis

Et une fois de plus je me trouve assis à la table de cuisine de Toni avec, devant moi, un verre de thé glacé transpirant d'humidité. Mais c'est l'agent Fitzgerald, au lieu de Martin, qui occupe la chaise voisine de la mienne. Je crains que Martin ne m'adresse plus jamais la parole lorsque cette histoire sera terminée. Et j'ai la même peur en ce qui concerne Toni. Je la sens désarçonnée face à Fitzgerald et à ses questions sèches, précises, posées d'une voix impassible. Elle se demande s'il porte un jugement — sur elle ou sur sa façon d'être mère. Je remarque qu'elle soupèse chaque question, la tourne dans tous les sens pour voir si elle cache un piège ou comporte une intention cachée. Je suppose que c'est parce qu'elle est habituée à l'attitude manipulatrice de Griff.

En trouvant Toni recroquevillée sur son canapé après avoir accouché prématurément d'une petite fille mort-née, il y a trois ans, j'ai cru qu'elle se ressaisirait enfin et qu'elle se débarrasserait de Griff pour de bon. Bon, d'accord, je n'ai jamais vraiment su ce qui s'était passé ce soir-là. Juste que Ben, en rentrant, avait trouvé sa mère couverte d'un plaid sur le divan, avec Calli serrée contre elle qui lui caressait l'épaule. J'ai essayé de poser quelques questions à Calli, mais je n'ai pas réussi à lui tirer un mot. Elle me regardait simplement avec ses grands yeux bruns écarquillés ; elle est restée assise en silence lorsque l'ambulance a emporté Toni.

J'ai demandé à Ben où était son père et il n'a pas vraiment su me répondre, mais j'ai imaginé que Griff était probablement allé boire chez Behnke, un bar du centre-ville. J'ai hésité à

119

appeler au téléphone et à demander à lui parler. Mais j'ai pensé finalement qu'une conversation en tête à tête serait plus efficace. J'ai demandé à une voisine de venir garder les enfants et j'ai fait le trajet jusque chez Behnke.

J'ai repéré Griff à travers un nuage de fumée, accoudé au zinc avec quelques-uns de ses anciens copains de classe. Ses amis riaient et parlaient, évoquant, je suis sûr, le bon vieux temps de l'école, car ces années-là étaient à peu près tout ce dont cette petite bande pouvait se glorifier. Griff était nettement plus silencieux qu'à son habitude, buvant bière sur bière, hochant la tête et souriant de temps en temps à une remarque. Je me dirigeai vers lui et il leva la tête, sans paraître surpris de me voir. Tous les regards dans la salle avaient convergé sur moi. Pas un client, chez Behnke, qui ne fût curieux d'assister à ce qui allait suivre ; mon passé avec Toni n'était un secret pour personne, à Willow Creek.

Je me préparais à entendre le salut sarcastique habituel de cette grande gueule de Griff. « Monsieur le shérif adjoint », lançait-il généralement d'une voix pompeuse, comme s'il s'adressait à un roi ou à un chef d'Etat.

Mais ce soir-là, il se contenta de me regarder d'un air d'expectative. Et un silence tomba parmi ses camarades les plus proches.

— Tu peux venir dehors une minute, Griff ? lui demandai-je poliment.

Son grand ami Roger, qui a le QI d'une huître, éclata d'un rire hystérique.

— Vous avez un mandat d'arrêt, monsieur le shérif adjoint ?

— Tu peux me parler ici, Louis, intervint Griff d'un ton inhabituellement modéré.

Il vida son verre d'un trait.

— Je peux t'offrir un coup à boire ?

— Non merci. Je suis en service.

Pour une raison mal définie, ses copains trouvèrent cette affirmation hilarante et tous s'effondrèrent de rire.

Je me penchai vers Griff.

— C'est au sujet de Toni, dis-je à voix basse pour ne pas être entendu de cette bande de farceurs.

Griff se leva. Je mesure dix bons centimètres de plus que lui, mais il est compact et bâti comme un haltérophile. Je savais sans l'ombre d'un doute qu'il pouvait me casser la figure si l'idée lui en prenait. Il ne s'en était d'ailleurs pas privé le jour où, à dix-neuf ans, j'étais revenu de l'université pour essayer de convaincre Toni de repartir avec moi. En arrivant à Willow Creek, j'avais roulé directement jusque chez elle, dans la maison où elle vivait encore avec son père, qui semblait avoir vieilli de plusieurs décennies depuis le décès de sa femme. Il m'a suffi de voir l'expression de Toni pour comprendre que quelque chose était irrémédiablement brisé entre nous. Plus jamais nous ne pourrions revenir aux jours d'avant. A l'époque, je ne voulais pas rester à Willow Creek et Toni refusait mordicus d'en partir. Ma mère s'était remariée cette année-là et vivait de nouveau à Chicago avec mon frère et ma sœur. J'aimais l'université, j'aimais Iowa City où je faisais mes études, et je voulais que Toni accepte de m'y suivre. J'estimais qu'il n'y avait plus grand-chose qui la retenait à Willow Creek. Mais elle m'a dit non — à regret, je crois. M'a expliqué qu'elle fréquentait Griff Clark et que sa vie était à Willow Creek. Qu'elle ne pouvait pas laisser son père seul, qu'il était âgé désormais et qu'il avait déjà tant perdu. Puis elle avait croisé les bras sur la poitrine, comme elle le faisait toujours lorsqu'elle prenait une décision sur laquelle elle n'entendait pas revenir. Je me suis penché pour lui donner un baiser d'adieu, mais elle a baissé la tête au dernier moment et mes lèvres ont atterri sur son nez.

Griff a attendu que je m'éloigne. Il a attendu que je roule d'abord sur une centaine de kilomètres et que je m'arrête pour prendre de l'essence. Il a attendu que je sois prêt à remonter en voiture après avoir réglé à la caisse, puis il est sorti de l'ombre où il se tenait tapi et m'a frappé en traître — un grand coup dans le ventre. Et comme je me pliais en deux de douleur, je me suis pris son pied dans les testicules.

— Que je ne te voie plus jamais tourner autour de Toni, connard, a-t-il intimé d'une voix sifflante.

Et j'ai senti l'alcool dans son haleine.

— On va se marier, elle et moi, a-t-il marmonné encore, juste avant qu'un poing gros comme une meule ne vienne m'aplatir le visage.

Son annonce m'a fait plus de mal que le coup. Quelque temps plus tard, j'apprenais via un ami que Toni avait bel et bien épousé Griff Clark. Et lorsqu'on m'a signalé la naissance de Ben, il ne s'était pas écoulé tant de temps que cela depuis le mariage. Pas besoin d'être grand mathématicien pour faire le décompte.

J'aurais dû me démener plus activement pour la convaincre ; jamais je n'aurais dû la laisser me filer entre les doigts.

L'odeur maltée de bière qui imprégnait Griff me ramena chez Behnke. Il se leva.

— Allons-y.

Je le suivis hors du bar. Le froid sur le parking me parut presque accueillant au sortir du nuage de nicotine rance.

— C'est quoi, alors, le problème ? me demanda Griff innocemment. Toni est O.K. ?

— Elle est à l'hôpital de la Piété.

J'avais beau haïr ce type, je n'avais pas le cœur de lui assener de but en blanc que son bébé était mort.

— Qu'est-ce qui s'est passé ? Qu'est-ce qu'elle a dit ?

— Elle ne dit pas grand-chose, en ce moment, éludai-je. Ben a téléphoné pour demander de l'aide.

Je ne précisai pas que Ben m'avait appelé à mon domicile privé, sachant que cela provoquerait des drames plus tard.

Griff s'immobilisa devant son pick-up, ses clés de voiture à la main, et se tourna vers moi.

— Il vaut peut-être mieux que j'évite de prendre le volant, hein ?

— Ça ne me paraît pas recommandé, en effet.

Nous nous sommes regardés un moment.

— Allez, monte, ai-je dit. Je te conduis à l'hôpital.

Nous avons grimpé à bord de ma voiture de patrouille. Silence total à part le bruit du chauffage qui brassait vainement l'air glacial. Au bout d'un moment, Griff s'est raclé la gorge et m'a demandé sans me regarder :

— Qu'est-ce qu'elle a dit, Calli ?

— A ton avis ? rétorquai-je tout en sachant pertinemment que sa fille n'avait pas émis un son.

Pas depuis mon arrivée chez eux, en tout cas. Griff s'éclaircit de nouveau la voix.

— Toni est tombée mais elle n'avait rien de cassé. Elle a pu se relever tout de suite et elle m'a dit qu'elle n'avait rien. Elle s'est couchée sur le canapé. Tout allait bien quand je suis parti.

— Elle n'allait pas très fort quand je l'ai vue.

Je me garai sur le parking de l'hôpital, puis je coupai le moteur et me tournai vers Griff.

— Griff, si j'apprends que tu es responsable en quoi que ce soit de l'état où elle se trouve en ce moment, je te poursuis, je t'arrête et je te colle en garde à vue. Et un soir, quand il n'y aura personne dans le secteur, je te fracasserai la gueule dans ta cellule.

Griff s'est mis à rire et a ouvert sa portière.

— Non, tu ne le feras pas, *monsieur* le shérif adjoint.

Il avait retrouvé sa morgue exécrable.

— Tu ne le feras pas, parce que t'es trop réglo, comme gars. Au fait, merci de m'avoir conduit ici.

La portière claqua et je restai là, avec la buée couleur de givre de mon haleine s'enroulant autour de moi comme des tentacules de glace.

Et le pire, c'est qu'il avait raison.

Ben

Quand j'avais sept ans, maman m'a inscrit à un stage de football européen pendant l'été. Elle pensait qu'une activité d'extérieur me ferait du bien et que j'aurais de nouveaux amis. J'étais costaud mais pas franchement du type sportif. Mes pieds paraissaient toujours trop grands, et je finissais en général par m'emmêler dedans et me ridiculiser. Après m'avoir vu écrabouiller les orteils de trois joueurs de l'équipe adverse ainsi que ceux d'un de mes coéquipiers, l'entraîneur m'a collé dans les cages. Gardien de but, je pouvais le faire. Je mesurais à peu près le double de la taille des autres gamins, donc j'avais de meilleures chances d'arrêter les buts. Je rattrapais les ballons en les bloquant de mon corps. Sur quatre matchs d'affilée, personne ne réussit à marquer pendant que je tenais ma cage. Je vous voyais, toutes les deux, maman et toi, qui criiez sur les lignes de touche pour m'encourager. Tu devais avoir deux ans, je crois. Parfois, tu t'échappais et tu te précipitais sur le terrain pour venir me rejoindre, et l'arbitre sifflait pour arrêter le match. Maman se précipitait pour te rattraper et t'emporter dans ses bras en répétant : « Désolée, désolée… » à tous ceux qui se trouvaient là.

Un jour, papa était dans le secteur et il est venu me voir jouer. Une averse était tombée plus tôt dans la journée, et l'herbe glissait sous les pieds. Papa est arrivé un peu en retard et le match avait déjà commencé. J'étais campé dans ma cage, je portais mon maillot bleu de foot marqué 4 dans le dos et j'avais mes gants de gardien de but. Je les trouvais tellement classe, ces gants. Ils étaient comme les vrais, que portent les pros, rembourrés avec des petits picots à l'intérieur qui permettent de mieux freiner le cuir. Maman et toi, vous étiez assises sur une vieille couverture dans l'herbe mais papa arpentait les lignes de touche. Je n'arrêtais pas de le regarder — cette façon qu'il avait de marcher, marcher comme un lion enfermé dans une cage. Il criait :

— Allez, les gars ! Reprenez-moi ce ballon ! Faites-le remonter ! Allez, courez !

Lorsque le ballon est arrivé sur moi, j'ai dû me forcer pour détacher les yeux de papa et essayer de me concentrer. J'avais les mains ouvertes devant moi, les genoux fléchis, les jambes écartées, et j'essayais d'occuper le plus d'espace possible dans la cage, comme l'entraîneur me l'avait expliqué.

— Allez, Ben ! a-t-il hurlé. Tu peux le faire, arrête ce ballon ! Attrape-le ! Attrape-le !

Je revois encore le ballon volant vers moi, tournant si vite que les hexagones noirs et blancs paraissaient gris. Il est passé à côté de moi et je n'ai même pas réussi à l'effleurer. Droit dans la cage. Je m'attendais à entendre papa hurler et s'énerver contre moi, et maman essayer de le calmer. Mais lorsque j'ai risqué un œil sur les lignes de touche où il faisait les cent pas, papa avait disparu. J'ai fouillé la foule du regard et j'ai fini par le repérer qui marchait en direction de son camion.

Nous avons remporté le match quatre à un. Pour fêter ça, maman nous a emmenés manger des glaces, toi et moi. Mais je n'avais pas trop d'appétit. Papa n'a fait aucun commentaire sur ce qui s'était passé quand nous sommes revenus à la maison.

Et dans un sens, c'était encore pire.

Antonia

Je m'avance jusqu'à la porte d'entrée pour accueillir Louis et l'autre policier. De la fenêtre du séjour, j'avais vu la voiture rouler dans notre allée. L'homme qui accompagne Louis est râblé, bien vêtu, mais avec décontraction. Il porte des chaussures d'aspect coûteux et il tient un porte-documents en cuir.

Je les invite à entrer et nous nous installons à la table de la cuisine. Louis a l'air malheureux et l'homme se présente : Kent Fitzgerald, agent de la police d'Etat. Je retiens un rire nerveux. Il le dit comme s'il était un super-héros ou un personnage de ce genre.

— De la division des enfants disparus ou maltraités, précise-t-il.

Et il n'en faut pas plus pour me calmer. Je dois avoir l'air perplexe car il explique :

— Nous prenons la disparition d'enfants — n'importe quelle disparition d'enfants — très au sérieux.

Je proteste maladroitement.

— Nous ne sommes pas sûrs qu'elles aient *disparu*... Enfin, je veux dire : elles sont introuvables pour le moment, d'accord, mais qu'en pensez-vous ? Savez-vous quelque chose ?

Je cherche le regard de Louis mais il a les yeux ailleurs.

— Nous en savons autant que vous, madame Clark. Je suis ici pour aider le shérif adjoint Louis et son équipe à ramener vos filles à la maison. A quelle heure avez-vous vu Calli pour la dernière fois ?

— Hier soir, vers 10 heures. Nous avons regardé un film

ensemble en mangeant du pop-corn. Puis je l'ai aidée à se préparer pour se coucher.

— Qui d'autre était à la maison hier soir ?

— Mon fils, Ben. Il a douze ans. Il n'a pas regardé le film avec nous en entier et il est monté dans sa chambre. Vers 9 heures, je crois. Et puis, il y avait Griff, mon mari. Il est rentré hier soir vers minuit ou à peu près…

Fitzgerald hoche la tête.

— L'adjoint Louis me dit que votre mari, Griff… C'est son vrai prénom ?

— Non, non. C'est un diminutif. Son vrai prénom est Griffith. Mais tout le monde l'appelle Griff.

— Griff, donc, m'a expliqué l'adjoint Louis, est parti tôt ce matin pour une expédition de pêche.

Je fais oui de la tête et attends la question suivante. Comme elle ne vient pas, je poursuis :

— Je ne sais pas exactement à quelle heure il a quitté la maison ce matin, mais quand j'ai eu la femme de Roger au téléphone, elle m'a dit qu'il avait démarré très tôt, avec l'idée de récupérer Griff vers 4 heures et demie. J'ai entendu un pick-up s'arrêter dans l'allée, cette nuit. J'ai pensé que c'était celui de Roger.

— Quel est le nom de famille de Roger, déjà ?

— Hogan. Roger Hogan.

Je sens que mes paumes deviennent moites et j'ai des élancements dans la tête.

— Avez-vous réussi à joindre votre mari ou M. Hogan depuis leur départ ce matin ?

— Laura Hogan a tenté d'appeler sur le portable de Roger mais, apparemment, il n'y a pas de réseau. Griff n'a pas ouvert son téléphone et je tombe sur son message vocal chaque fois que j'essaie de le joindre. Je suis désolée, monsieur Fitzgerald, mais…

— Agent Fitzgerald, rectifie-t-il.

— Je suis désolée, monsieur l'agent Fitzgerald, mais

pourquoi vous intéressez-vous à Griff et à Roger ? Je ne comprends pas le rapport.

— Nous n'orientons pas l'enquête dans une direction déterminée, pour le moment. Nous établissons juste la chronologie.

Il sourit brièvement. Ses dents sont petites et blanches, et il a un problème d'occlusion qui lui allonge la mâchoire vers l'avant.

— Nous avons demandé à la police de Julien de faire un saut jusqu'au bungalow où séjourne votre mari. Le policier dit avoir trouvé le pick-up de Roger Hogan garé sur place. Mais le bungalow était vide et il n'y avait plus de bateau amarré au ponton. Les deux hommes sont manifestement sortis pêcher sur le fleuve. Le policier attend leur retour.

Je le sais, mais je ne le dis pas : Griff n'a rien à voir dans cette histoire de disparition d'enfants.

— Que portait Calli hier soir ? demande l'agent Fitzgerald.

— Une chemise de nuit rose à manches courtes qui lui descend juste en dessous du genou.

— Des chaussures ?

— Elle n'en a pas sur elle.

L'agent Fitzgerald garde le silence un moment, il tient un stylo entre ses doigts et fouille dans son porte-documents.

— Calli a-t-elle annoncé son intention de se rendre quelque part aujourd'hui ? demande-t-il sans lever les yeux de son minuscule ordinateur portable.

Je me tourne vers Louis.

— Tu ne lui as rien dit ?

Il secoue la tête. Louis est resté mutique depuis le début et son silence me porte sur les nerfs. Je reporte mon attention sur Fitzgerald.

— Calli ne parle pas.

Comme son expression reste neutre, je précise :

— Elle n'a pas prononcé un mot depuis l'âge de quatre ans.

— Est-ce l'effet d'une maladie ?

Je soutiens le regard qu'il plonge dans le mien.

— Non. Et je ne vois pas le rapport avec sa disparition.

Je décroise les jambes et replie les bras sur ma poitrine.

— Calli a vu sa mère chuter du haut d'un escalier et perdre son bébé. Cet épisode a été hautement traumatisant pour elle, précise Louis à voix basse.

Je lui jette un regard noir. Maintenant, comme par hasard, il parle. L'agent Fitzgerald se redresse sur sa chaise et se montre très attentif, à présent.

— Comment communiquez-vous avec elle ?

— Elle fait oui ou non de la tête. Elle désigne par gestes. Et elle connaît quelques mots de la langue des signes.

— Et que disent ses médecins ?

— Qu'elle parlera lorsqu'elle sera prête, qu'il ne faut pas la brusquer.

Je me lève et me place devant la fenêtre de la cuisine.

— Voit-elle quelqu'un ?

— Comme un psy, par exemple ?

J'entends la colère vibrer dans ma voix.

— Une seconde, Fitzgerald… Puis-je parler quelques instants en tête à tête avec Mme Clark ?

La voix de Louis est tendue. Son « Mme Clark » sonne bizarrement à mes oreilles. Il ne s'est encore jamais adressé à moi de cette façon.

— Pas de problème.

L'agent Fitzgerald referme son porte-documents, glisse son stylo derrière une oreille et se lève. Louis et moi, nous le suivons des yeux jusqu'à ce qu'il sorte de la maison. Louis m'examine en silence.

— Quoi ? finis-je par demander.

— Toni, ce n'est pas un jeu.

— Mais qu'est-ce que tu t'imagines, merde ? Que je ne le sais pas ? Ma fille a disparu et tu penses que je m'amuse ?

Je me mets à crier.

— De quel droit viens-tu chez moi me faire la morale ?

Là, je pleure, et je déteste pleurer en public. Devant Louis plus encore que devant quiconque.

Il fait un pas vers moi.

— Toni... Je suis désolé, je ne voulais pas dire que... Je regrette.

Il prend mes mains dans les siennes.

— Regarde-moi, Toni.

J'obéis.

— Nous retrouverons Calli, je te le promets. Mais il faut que tu parles ouvertement à Fitzgerald. Plus vite tu répondras à ses questions, plus vite nous pourrons passer aux recherches effectives.

Ma voix se fait murmure.

— J'ai commis tant d'erreurs... Je ne pourrais pas supporter de perdre un autre enfant. Ce serait au-dessus de mes forces, Lou.

— Tu ne perdras pas Calli, je te le jure. Va chercher Ben, maintenant, et je vais dire à Fitzgerald qu'il peut revenir. Finissons-en au plus vite avec les questions préliminaires.

Il serre une dernière fois mes mains entre les siennes, puis il les lâche et je monte à l'étage pour dire à Ben de descendre.

Petra

Je suis perdue. Par moments, ils sont là, puis, de nouveau, ils s'éloignent. J'entends des bruits étranges dans les sous-bois et un serpent vient de glisser sur ma tennis gauche. Je suis perdue et je ne sais plus où aller, alors je m'assois sur un arbre mort et je me repose.

Calli, elle, saurait ce qu'il faut faire. Tout le monde pense que c'est moi la plus forte, la plus maligne. Mais ce n'est pas vrai, pas vraiment. Calli, je ne la connaissais même pas quand on était en maternelle. Je savais que c'était ma voisine et tout ça. Mais on ne jouait pas ensemble. C'est Lena Hill qui m'a dit un jour que Calli Clark ne parlait pas pour de bon. Je ne voulais pas croire Lena, mais elle a expliqué que Calli et elle étaient dans la même classe en grande section de maternelle, et qu'elle ne prononçait jamais, jamais un mot, même quand le principal lui posait une question. J'ai demandé à Lena si Calli était dans une classe spéciale pour les enfants qui n'apprennent pas bien à l'école. Elle m'a dit que non mais que Calli devait aller voir M. Wilson, le nouveau psychologue scolaire, une fois par semaine. J'ai trouvé ça plutôt classe. Il est cool, M. Wilson.

A l'heure du déjeuner, alors qu'on était en première semaine de CP, j'ai fait dégager Jake Moon pour m'asseoir à côté de Calli. Lui, ça ne le dérangeait pas trop. Et je voulais voir si c'était pour de vrai qu'elle ne parlait pas. Il y a plein d'enfants qui ne disent jamais un mot dans la salle de classe, mais tout le monde parle pendant les récréations. Sauf Calli, qui continuait à se taire. Elle était juste assise là, à manger le repas préparé par sa mère.

— Il est à quoi, ton sandwich ? je lui ai demandé.

Elle n'a rien dit, mais elle a soulevé la tranche de pain du dessus pour me montrer le beurre de cacahuètes sous une couche de produit blanc et crémeux.

— Berk… C'est pas de la mayonnaise, au moins ? C'est trop dégueu, le beurre de cacahuètes avec la mayo !

Calli a froncé les narines et tiré la langue pour me faire comprendre qu'elle trouve ça mauvais, elle aussi. Elle m'a tendu la moitié de son sandwich et j'ai mordu dedans pour goûter.

— De la pâte à tartiner au marshmallow ! Ouah ! Trop classe ! J'en ai jamais, moi, des bons sandwichs comme ça. Ma mère, elle met toujours tout sur du pain complet.

Calli a secoué la tête comme si elle compatissait à mon sort. On est sorties ensemble dans la cour de récré. J'ai repéré le petit groupe de filles avec qui je jouais d'habitude et je lui ai dit : « Viens. » Elle m'a suivie à l'endroit où les enfants sautaient à la corde. Et on a pris place dans la queue.

— J'aime le fer, j'aime le bois, je veux que Petra saute avec moi ! a crié Bree.

Je me suis placée devant la corde que deux autres filles faisaient tourner et j'ai attendu. Il fallait que je calcule juste pour entrer dans le jeu au bon moment. Je me suis lancée d'un coup, et Bree et moi on bondissait, bondissait, bondissait jusqu'au moment où elle est sortie et où je suis restée seule à sauter.

— J'aime le houx, j'aime le gui, je veux sauter avec Calli.

Et Calli a bondi à l'intérieur du cercle avec moi. La corde tournait, tournait, sifflant dans l'air et sur le ciment. Et on échangeait un sourire en nous élançant en l'air d'un même mouvement. C'était la même dent de devant qui nous manquait à l'une et à l'autre. Puis je suis sortie du jeu, parce que c'était la règle, et Calli est restée seule et elle a continué à sauter et à sauter, sans crier qu'elle aimait ceci ou cela et qu'une telle devait sauter avec elle.

Tout le monde a commencé à s'énerver.

— Allez, Calli, appelle quelqu'un! Les autres aussi veulent leur tour!

Finalement, les tourneuses ont tout lâché et la corde est restée en tas sur le sol. La sonnerie annonçant la fin de la récréation a retenti et on a couru pour se mettre dans le rang. Dans la queue, Nathan était derrière moi et il a commencé à crier :

— Je veux pas être à côté de la frisée! Qui veut changer de place avec moi? Qui échange sa place?

Personne ne s'est présenté. Même Lena et Kelli qui sont mes amies n'ont pas voulu se mettre avec moi. J'avais le cœur tout serré, comme si on le pinçait de l'intérieur. Puis, sans crier gare, Calli est arrivée et elle a bousculé Nathan pour passer devant lui et venir à côté de moi. Mais, le mieux, c'est qu'elle a réussi à lui faire baisser les yeux. Elle l'a fixé jusqu'à ce qu'il hausse les épaules en marmonnant :

— Les deux dingos, elles vont bien ensemble.

Le lendemain, je me suis encore assise à côté de Calli pour le déjeuner; elle avait un sandwich au beurre de cacahuètes et à la sauce bolognaise, cette fois.

— Non merci, ai-je répondu lorsqu'elle a voulu m'en donner la moitié.

Quand on est sorties en récré, je lui ai pris la main et l'ai entraînée de nouveau vers la corde à sauter. Elle n'avait pas l'air trop contente et les autres filles tiraient une drôle de tête aussi. Lorsque mon tour est arrivé, j'ai lancé :

— J'aime la pastèque, j'aime le chocolat, je veux que Calli saute avec moi.

Et on a sauté, sauté, jusqu'au moment où je suis sortie du jeu. Calli est restée seule avec la corde qui tournait. Mais avant que les autres commencent à s'énerver, j'ai crié :

— Calli aime la soie, Calli m'aime moi, Calli veut sauter avec Lena.

Je sais que la rime n'était pas très réussie, mais ça a marché. Lena est entrée dans le jeu avec Calli, elles ont sauté à la corde ensemble un moment, puis Calli est sortie.

Je voudrais que Calli soit ici, avec moi. Elle m'aiderait à retrouver mon chemin. Ou au moins, on serait perdues ensemble.

J'ai soif. Tellement soif.

Louis

Ben descend lentement l'escalier. Sa ressemblance avec son père me saute aux yeux et je sens un pincement de jalousie. Mon fils, Tanner, tient du côté de sa mère ; il est petit et brun avec des yeux bleu-gris. Ben semble nerveux mais il a toujours été d'un naturel anxieux — un garçon qui sursaute pour un rien, mais gentil, poli.

— Ben, dis-je, je te présente l'agent Fitzgerald. Il est ici pour nous aider à trouver Calli et Petra.

Fitzgerald tend la main et Ben la serre. Nous nous installons tous les quatre autour de la table de cuisine. Toni prend la place juste à côté de Ben ; Fitzgerald et moi, nous nous asseyons en face. Fitzgerald fixe son regard sur Toni.

— Madame Clark, nous préférons interroger chaque membre d'une famille séparément. Cela permet parfois à chacun de s'exprimer avec plus de liberté.

— Je préfère quand même rester ici avec Ben, déclare Toni fermement.

Je m'interpose pour tenter de la rassurer.

— Toni, je serai là. Tout se passera bien.

Elle se lève à contrecœur et quitte la pièce. Aussitôt, Fitzgerald commence.

— Quel âge as-tu, Ben ?

— Douze ans, répond-il doucement.

Fitzgerald continue de lui poser des questions simples, sur un mode léger. Je sais qu'il le fait pour mettre Ben à l'aise.

— Parle-moi de ta sœur, Ben.

— Ça va, elle est tranquille. Elle ne touche pas à mes affaires, elle fait ce que je lui dis et…

— Qu'est-ce que tu lui ordonnes de faire? l'interrompt Fitzgerald.

Ben hausse les épaules.

— Eh ben… des trucs, quoi… Elle m'aide à sortir les poubelles, à ranger la vaisselle.

— Vous vous disputez parfois, tous les deux?

— Pas trop, non. C'est dur de se disputer avec quelqu'un qui ne répond pas.

Fitzgerald rit doucement à sa remarque.

— Elle refuse parfois de faire ce que tu lui demandes, Ben?

— Ça n'arrive pas trop, non. Elle aime bien se rendre utile.

— Vous vous entendez bien, tous les deux, alors?

— On fait des trucs ensemble.

— Ce n'est pas un peu inhabituel, pour un garçon de ton âge, de traîner avec une petite sœur de sept ans?

Ben relève les épaules puis les laisse retomber.

— Calli n'a pas beaucoup d'amies. Alors, je joue avec elle.

— Et Petra Gregory? Je croyais que Calli et elle étaient copines?

— Oui, elles sont super-copines. Mais Petra n'est pas là tout le temps.

Fitzgerald paraît satisfait par ses réponses. Mais très vite, il modifie son angle d'approche.

— Ben, j'ai entendu beaucoup d'appréciations positives à ton sujet, observe-t-il d'une voix aimable. Tes enseignants, tes voisins, tout le monde pense de toi que tu es un gentil garçon.

Je crois savoir où Fitzgerald veut en venir. Il m'a déjà questionné au sujet de cet incident tout à l'heure, alors que nous examinions les dossiers. Je lui ai dit que cela n'avait rien à voir et qu'il fallait laisser tomber. Mais il y va tout droit, au contraire.

— Il y a juste les parents de Jason Meechum qui sont un peu inquiets au sujet d'un petit problème que tu as eu avec leur fils. Tu pourrais me parler de ce qui s'est passé avec Jason ?

— Jason Meechum est un petit con et un menteur, répond Ben en se raidissant.

— Raconte-moi, Ben.

— Je ne suis pas obligé de vous en parler, riposte Ben, tout raide et sur la défensive.

— Tu n'es pas obligé, non, admet Fitzgerald d'une voix lisse. Mais ce serait mieux si tu disais les choses. Tu veux aider Calli, n'est-ce pas ?

— Ouais, ben justement, je veux l'aider, ma sœur. Et ce n'est pas en restant assis ici à répondre à vos questions à la con qu'on va y arriver !

Ben est debout à présent et il crie :

— La seule façon de la retrouver, c'est d'aller la chercher. Elle est dans la forêt, je vous dis !

— Et comment sais-tu ça ? demande Fitzgerald doucement.

— Parce que c'est toujours dans les bois qu'elle va ! Lorsqu'elle a besoin d'être seule ou qu'elle n'a pas envie d'être à la maison, c'est là qu'elle choisit de se réfugier ! hurle Ben.

Lorsque Fitzgerald lui répond, sa voix s'élève à peine au-dessus du murmure.

— Et si elle n'avait pas eu le choix ?

Là, Ben sort en courant.

Antonia

J'entends que le ton monte dans la cuisine et que le nom de Jason Meechum tombe dans la conversation. Furieuse, je fais irruption dans la pièce.

— Que se passe-t-il ici, à la fin ? Que lui avez-vous dit ? Vous croyez réellement que Ben a quelque chose à voir dans cette histoire ? Il essaie de se rendre utile, bon sang !

Je suis folle de colère. Cet étranger vient de chasser mon fils de sa propre maison, et Louis a assisté à la scène sans broncher. Il regarde ses doigts, en ce moment. Une habitude qu'il a depuis l'âge de sept ans chaque fois qu'il se sait en mauvaise posture. L'agent Fitzgerald n'a pas l'air troublé le moins du monde. Et pourquoi s'en ferait-il, d'ailleurs ? Il débarque comme une fleur chez les gens, il fiche un bazar de tous les diables, puis il ramasse ses billes et repart. Je le lui fais remarquer.

— Je vais aller chercher Ben, propose Louis.

Mais je secoue la tête.

— Ça ira, pour Ben. Je sais exactement où il va et j'ai l'intention de le suivre. Et pendant que j'y suis, je me mettrai à la recherche de Calli. Personne d'autre ne bouge le petit doigt, apparemment, sauf pour insulter la famille frappée par une disparition d'enfant.

— Je ne crois pas que ce soit une bonne idée que vous partiez vous-même à la recherche de votre fille, madame Clark, déclare Fitzgerald. Cela ferait du tort à l'enquête.

— Et Ben ? Cela ne vous gêne pas de lui faire du tort ? Et pourquoi toutes ces bêtises au sujet de Jason Meechum ? Cet incident n'a aucun rapport avec Calli, et je ne comprends pas que vous abordiez ce sujet maintenant.

Ma voix est stridente et je m'en veux d'en perdre le contrôle. Je poursuis d'un ton plus modéré :

— Monsieur le shérif adjoint, je suis surprise que vous ayez jugé utile de faire part de cette histoire à l'agent Fitzgerald.

Je m'adresse ensuite sèchement à Fitzgerald en croisant les bras sur ma poitrine.

— Dites-moi, alors, ce que vous pensez que je devrais faire. Puis vous m'expliquerez ce que vous avez l'intention d'entreprendre afin de retrouver ma fille.

L'inspecteur Fitzgerald se lève et adopte une attitude en miroir de la mienne. Je me demande si c'est un truc qu'on leur apprend dans leur école de flics pour mettre les gens plus à l'aise.

— Je suis désolé d'avoir contrarié votre fils. Cela étant, et au risque de me répéter, il importe d'examiner la situation sous tous les angles. Avez-vous songé que quelqu'un pourrait en vouloir à un membre de votre famille au point de s'en prendre à Calli ? Je n'affirme pas que ce soit le cas. Mais nous devons envisager toutes les hypothèses. Quant au shérif adjoint Louis, il ignorait que j'avais l'intention d'aborder le sujet Jason Meechum avec votre fils. Je vous prie donc de ne pas lui en faire le reproche.

Fitzgerald affiche un air dûment contrit.

Révoltée, je secoue la tête

— A quoi vous jouez, là ? Au jeu du « bon flic, mauvais flic » ? Je resterai ici. Allez faire ce qui vous paraît judicieux pour retrouver Calli. Mais je vous préviens que si elle n'a pas resurgi d'ici 18 heures, je ferai appel à tous les gens que je connais pour organiser les recherches et passer les alentours au peigne fin. Je sais qu'elle est quelque part dans cette forêt, et je ne la laisserai pas errer là-dedans indéfiniment sans lever le petit doigt.

— Je comprends que vous ressentiez le besoin d'agir, madame Clark. Mais je ne suis pas favorable à un projet où une équipe de volontaires non formés irait s'éparpiller dans les bois après la tombée de la nuit. Nous avons déjà, à l'heure où je vous parle, organisé des recherches. Le mot clé étant : « organisé ». Il ne serait pas bon que tout un chacun aille piétiner les sous-bois alentour. Il se peut que nous décidions de faire intervenir des chiens de pistage pour nous aider, et il ne s'agit pas de multiplier les odeurs et les traces, si nous voulons qu'ils soient efficaces. Nous avons déjà des officiers de police sur place qui cherchent dans la forêt. S'il nous faut plus d'effectifs, nous ferons venir des équipes supplémentaires. Chacun d'entre nous fait le maximum pour retrouver votre fille.

Il marque une pause.

— J'aurai également besoin de reparler avec votre fils. Se mettre en colère et prendre la fuite ne peut être d'aucun secours pour Calli.

Je rétorque entre mes dents serrées :

— Ben ferait n'importe quoi pour Calli.

— Je crois que c'est exact, madame Clark. A plus tard.

Je le rappelle lorsqu'il se détourne pour partir :

— Attendez! Qu'allez-vous faire, maintenant?

— Explorer quelques pistes, interroger les voisins ainsi que d'autres personnes et poursuivre les recherches.

— *Quelles* pistes? *Quelles* autres personnes? Vous savez quelque chose?

— Rien de concret que je puisse vous communiquer pour l'instant, madame Clark. Ah, oui, autre chose : il est fort probable que les médias tentent de vous contacter dans les heures qui viennent. Et cela peut être une très bonne chose. Je suggère que vous vous contentiez de leur dire que votre fille a disparu. Les photos de Calli et de Petra s'afficheront dans tous les foyers via les écrans de télévision. Et plus leurs visages seront connus du public, plus elles auront de chances d'être repérées facilement. Une équipe de techniciens de scène de crime viendra sous peu pour récolter des indices dans la maison. Evitez d'entrer dans la chambre de Calli, s'il vous plaît. Il s'agit de laisser les lieux aussi intacts que possible. Je suggère que vous séjourniez chez des amis ou une personne de votre famille pendant la durée de l'enquête. Veillez, s'il vous plaît, à informer le policier affecté à la surveillance de votre maison de votre destination. Nous reprendrons contact dès que possible, madame Clark. A tout à l'heure.

Ils s'en vont avant que j'aie pu leur dire que je n'ai aucune envie de quitter ma maison. Ben est parti, Calli est partie, et je suis toute seule chez moi, à l'exception du policier de garde. Et je hais cette situation. Je sors dans le jardin en me demandant chez qui je pourrais m'imposer en me présentant sur le pas de la porte à l'improviste. Qui souhaiterait se trouver mêlé à ce genre de drame ? Peut-être pourrais-je demander l'hospitalité à Mme Norland, notre voisine d'un certain âge. Parmi les rares relations qui me restent, c'est elle qui se rapprocherait le plus d'une amie, même si nos rapports se résument, pour l'essentiel, à des signes de main échangés de part et d'autre de nos jardins respectifs. Je regarde autour de moi et constate qu'un désherbage s'impose. Avant d'appeler Mme Norland, je décide de me donner encore un peu de temps. De quel droit un étranger me chasserait-il de ma propre maison ? Dans la cabane de jardin, je rassemble mes gants, mon grattoir et mon seau. Cela fait plusieurs jours, maintenant, que je n'ai pas arrosé, mais je sais que ce n'est pas le moment de sortir le jet. L'eau s'évaporerait immédiatement sous le soleil brûlant et les plantes n'auraient pas le temps de boire.

Dans le cabanon obscur — une construction noueuse et écaillée qui commence à pencher dangereusement — j'attrape mes outils et aperçois, entre les toiles d'araignée, quatre grands seaux de peinture jaune. Un jaune crème, très doux. Il y a des années déjà que mes frères ont quitté Willow Creek. Et mon père les a rejoints peu après. La maison, disait-il, était trop vide depuis la mort de ma mère. Quelques jours après mon mariage avec Griff, mon père m'a remis les clés de la maison de famille blanche et écaillée et m'a souhaité d'y vivre heureuse. J'avais dix-neuf ans.

J'avais toujours ce même rêve de vivre dans une maison jaune. Pendant des heures, j'ai traîné dans les rayons d'une grande surface de bricolage, à comparer des nuanciers de peinture, pour essayer de trouver la couleur idéale pour la façade. Une semaine après le mariage, j'arrivai chez nous avec mes quatre bidons de peinture ; Griff a souri et m'a promis qu'il allait s'y mettre tout de suite. Il n'a jamais touché un pinceau. J'avais dix-neuf ans, alors. J'en ai trente-deux, maintenant, et je n'ai toujours pas ma maison jaune.

En ressortant dans mon jardin aveuglé de soleil, je scrute mes plates-bandes. Où commencer ? Toutes ont été négligées après ces quelques semaines où il faisait trop chaud pour mettre le nez dehors. Mon potager regorge de courgettes et de tomates trop mûres. Le lierre terrestre a envahi mes massifs. Les fleurs sont à demi dévorées par les biches ; les tiges fanées se ratatinent. Mon regard tombe sur un carré de terre nue juste à côté de mes rangées de légumes. J'avais essayé d'y semer de l'herbe, au début de l'été, mais elle n'a jamais voulu pousser. Non seulement la terre est restée visible, mais le coin semble s'être étendu pour former une surface aride sur cinq pieds de long et trois pieds de large. J'enjambe un énorme plant de rhubarbe pour examiner la parcelle. Deux parfaites empreintes de pieds d'enfant sont imprimées dans la poussière. Chaque orteil est clairement défini. Des marques de boots masculines font face aux autres, plus menues. Si proches que les pointes de l'une touchent presque les doigts de pied de l'autre. Quelques pas plus loin, je ne vois plus que les empreintes de boots, partiellement effacées par deux traînées continues — comme si quelqu'un avait été tiré contre son gré. Mon ventre se remplit de peur. Je me raisonne et me dis que les empreintes sont peut-être anciennes, mais au fond de moi, je sais à quoi m'en tenir.

Je me penche, j'effleure la terre sèche et la frotte entre mes doigts. Puis je me redresse en hâte et je cours jusqu'à la maison pour signaler ma trouvaille au policier et appeler Louis.

Martin

Avant de partir, Fitzgerald et Louis nous encouragent à nous installer chez des amis ou à nous faire héberger par notre famille pendant la durée de l'enquête. Ils nous assurent que la présence de nos proches nous sera d'un grand réconfort. Mais que nous ne pouvons pas prendre le risque de détruire d'éventuels indices en conviant ces mêmes proches à venir chez nous.

— Et si Petra revient ? proteste Fielda. Je veux qu'elle trouve sa mère à la maison !

Ils lui promettent qu'une présence policière permanente sera assurée et qu'ils prendront contact régulièrement pour nous tenir au courant.

Je nous conduis, Fielda et moi, jusque chez sa mère. Mme Mourning nous accueille en larmes et papillonne nerveusement autour de sa fille. Fielda paraît souffrante et, à nous deux, nous la persuadons d'aller s'allonger.

Elle se plaint d'avoir mal à la tête et je fouille dans l'armoire à pharmacie, à la recherche de paracétamol. Je pense qu'il lui faudrait peut-être un tranquillisant, mais jamais je ne lui donnerais un sédatif de ma propre initiative. J'apporte les cachets avec un verre d'eau glacée dans la chambre où Fielda est roulée en boule, sous le couvre-lit en patchwork fabriqué par sa grand-mère. Elle paraît si frêle, presque âgée. Cela me surprend. Fielda en mouvement est solide et énergique, une force de la nature — jeune. Je ne suis pas accoutumé à cette situation. Pas accoutumé à prendre soin d'elle ; c'est toujours Fielda qui s'occupe de moi, d'ordinaire.

Etrange, je le sais, car mes longues années de célibat jusqu'à quarante-deux ans m'ont appris à être autonome.

J'entre dans la chambre et je ferme la porte derrière moi. La pièce est fraîche et calme. Fielda pose docilement les deux comprimés sur sa langue et boit à petites gorgées dans le verre que je lui tends. Je tire le drap autour de la courbe de ses épaules lorsqu'elle repose la tête sur l'oreiller.

— Juste une minute, alors, chuchote-t-elle.

Elle ne veut pas rester couchée, se demande comment elle pourrait songer au repos alors que notre petite fille est quelque part, perdue. Mais je me penche à son oreille et lui enjoins doucement de fermer les yeux quelques instants. Ses cheveux ondulés sont étalés autour d'elle et se détachent, sombres, sur la taie d'oreiller immaculée. J'aimerais tellement me pelotonner contre elle, avaler une poignée de cachets et laisser le sommeil descendre sur moi. Mais je ne peux pas. Je dois rester en éveil afin de contribuer aux recherches. Louis et Fitzgerald nous ont assuré qu'ils reprendraient contact avec nous dès qu'ils auraient fini de prendre les dépositions d'Antonia et de son fils.

Au moment où Fitzgerald et Louis ont quitté la maison après nous avoir questionnés, et qu'ils m'ont serré la main avant de remonter en voiture, je me trouvais aux prises avec un sentiment de souillure, voire de perversion. L'agent Fitzgerald n'a émis aucune accusation, bien sûr. Mais ils ne nous ont pas moins demandé, à Fielda et à moi, de passer au bureau de police pour prendre nos empreintes digitales. A de simples fins d'élimination, nous a assuré Fitzgerald. Mais je ne suis pas totalement naïf, même si j'admets que je peux être oublieux, par moments, des choses de ce monde. Je sais que les membres de la famille proche sont les premiers suspects dans les affaires de disparition d'enfants, et que dans la majorité des cas, leur culpabilité est établie. La pensée que la police, mes collègues, les gens de Willow Creek puissent me considérer comme capable de faire du mal à ces deux fillettes, à *ma fille*, me met hors de moi. Je sais que ni Fielda ni moi n'avons quoi que ce soit à voir dans cette disparition, et le fait que des minutes précieuses soient gaspillées à explorer cette possibilité me rend malade.

Je me souviens d'avoir ressenti le même sentiment d'indignité lorsque Fielda m'a quitté — la seconde des deux fois où nous avons été séparés : une sensation de panique, d'absence de contrôle, qui est partie des extrémités de mon corps pour courir dans mes veines jusqu'au cœur même de mon être, au point de compromettre physiquement mon équilibre. Depuis le premier jour de notre mariage, Fielda m'a parlé enfants. Il était question d'une maison pleine de bébés aux cheveux frisés et aux yeux sombres qui aimeraient les livres, comme moi, et la cuisine, comme leur mère. Pour être franc, j'étais tellement estomaqué d'avoir cette femme étonnante et belle à mon côté que le fait même d'être marié me paraissait magique, presque chimérique. Et ma vision des enfants était frappée du même sentiment d'irréalité. Il m'était impossible de m'imaginer en père.

Fielda passait des heures à feuilleter des revues destinées aux futurs parents et compulsait inlassablement des catalogues de vêtements pour bébés, tout en projetant et en planifiant tant et plus. Je hochais systématiquement la tête et marmonnais quelques syllabes indécises lorsqu'elle me montrait un article « intéressant » sur les soins prénatals ou l'alimentation biologique du nourrisson. Des mois passèrent ainsi, puis une année entière. Et toujours pas de bébé en route.

Maintenant, en y repensant, je me dis que j'aurais dû voir le changement chez Fielda — la façon dont ses épaules s'étaient affaissées au fil des mois, la courbe de ses lèvres qui tirait petit à petit vers le bas, le regard qu'elle posait sur les jeunes mamans que nous croisions à l'église ou dans les magasins — mais je ne remarquais rien.

Pendant deux années, puis trois, puis quatre, Fielda a continué à se plonger dans des manuels de parentalité. Elle ne parlait que de bébés : comment les concevoir, comment accoucher, comment les élever. Et je dois reconnaître, à ma grande honte, que j'ai perdu patience avec elle. Je ne suis pas d'un naturel bricoleur, mais il m'arrive, ici et là, de resserrer un tuyau ou de remplacer un fusible. Un jour, je suis descendu dans notre sous-sol, où je range ma boîte à outils, presque étincelante à force de sous-utilisation. J'avais l'intention d'essayer de changer le pommeau de douche dans notre salle de bains. Je ne sais pas pourquoi la boîte a attiré mon regard, mais le fait est que je l'ai vue aussitôt. C'était une grande boîte toute simple, en plastique transparent, avec un couvercle bleu et qui semblait remplie de vêtements. Peut-être est-ce le rose éclatant des étoffes contrastant avec le gris ciment du sous-sol qui a accroché mon attention. Je ne sais pas. Mais j'ai tiré la boîte de l'étagère et je l'ai ouverte, presque avec crainte, comme si je transgressais un interdit. A l'intérieur, j'ai trouvé des dizaines de tenues minuscules pour bébé, dans de délicats tons pastel, avec les étiquettes de prix toujours accrochées. Il y avait des robes pour des petites filles et des salopettes de petits garçons, des chaussettes si minuscules qu'elles me couvraient à peine le pouce, des bavettes affichant des : « La petite puce à son papa » ou « I Love Milk ». Ce n'était pas l'argent qui me préoccupait, même si cette extravagante montagne de layette avait dû coûter une petite fortune. Mais ces achats me paraissaient tellement tristes, d'une certaine façon. Pathétiques, en fait. Avec le recul, je me rends compte que c'était simplement de l'espoir. Que pour Fielda, acheter ces petits vêtements signifiait qu'elle allait concevoir et mettre au monde un enfant. Que cela ne pouvait qu'arriver, puisqu'elle avait déjà tout ce qu'il fallait pour l'accueillir. Ce ne fut pas ainsi que je vis les choses, cependant. J'attrapai une poignée de layette, semant derrière moi des T-shirts de lilliputiens et de minuscules chaussons tandis que je montais furieusement l'escalier.

— Fielda !

Elle a sursauté si fort en m'entendant lancer son nom qu'elle a lâché la casserole de spaghettis qu'elle portait à égoutter dans l'évier. Elle a fait un bond en arrière pour éviter de se faire asperger par l'eau bouillante, et de longues guirlandes de pâtes molles se sont répandues sur le carrelage.

— Mais enfin, Martin! a-t-elle riposté avec impatience. Qu'as-tu à hurler comme ça? Qu'est-ce qui t'arrive?

J'ai brandi les vêtements pour nouveau-né.

— Voilà ce qui m'arrive! Tu es folle?

Une accusation que j'ai regrettée aussitôt après l'avoir proférée, car j'ai lu sur son visage qu'elle s'était posé la même question à son propre sujet. Et pourtant, j'ai continué à me déchaîner :

— Fielda, il n'y a pas de bébé. Il se peut que nous n'en ayons jamais. Il serait peut-être temps que tu acceptes de regarder les choses en face.

— J'aurai un bébé, Martin, m'a-t-elle répondu, d'une voix basse, rauque, dangereuse. Il est impossible que je n'aie pas d'enfant. Ce bébé, il me le faut.

J'ai vu une lumière s'éteindre dans son regard. L'espace d'un instant, j'ai ressenti une peur panique, mais je l'ai chassée.

— Oh, arrête de dramatiser, s'il te plaît, ai-je lancé avec une parfaite cruauté. Je ne te laisserai pas indéfiniment jeter de l'argent par les fenêtres pour un bébé imaginaire.

J'aurais tout aussi bien pu la frapper. Aujourd'hui encore, le souvenir de la souffrance qui s'est inscrite sur son visage me coupe le souffle. Et le fait que ce soit moi qui l'aie provoquée continue de me faire rougir de honte.

Elle est sortie de la pièce à grands pas, en manquant glisser sur les spaghettis répandus. Et ne m'a plus adressé la parole pendant une bonne semaine. Même quand elle a recommencé à me parler, elle ne m'a pas autorisé à la toucher. Elle passait des heures dans la salle de bains et en ressortait avec des yeux rouges et gonflés, mais elle n'a jamais pleuré devant moi. Un jour, j'ai trouvé des somnifères dans notre armoire à pharmacie. « C'est bien, me suis-je dit. Ainsi, au moins, elle recommencera à dormir la nuit, au lieu de tourner en rond. » Si j'avais pris le temps de réfléchir, j'aurais su. J'aurais *dû* savoir. Tout comme j'aurais dû me débarrasser de ces médicaments dès l'instant où mon regard était tombé dessus.

Puis, un jour, ce fut comme si rien ne s'était passé et je retrouvai la Fielda d'avant. Je pensais qu'elle était revenue à la raison et qu'elle avait décidé de laisser la nature suivre son cours. Mais je me trompais. Sa vocation à devenir mère restait aussi irrépressible qu'elle l'avait toujours été. J'appris qu'elle consultait un gynécologue spécialisé dans les problèmes de fertilité lorsque la secrétaire médicale appela à la maison pour confirmer un rendez-vous.

— Nous avons reçu les résultats d'examens de votre épouse, expliqua la jeune femme. Le Dr Berg souhaiterait la revoir à sa consultation pour en discuter.

Je transmis le message à Fielda en tentant de dissimuler à quel point j'étais blessé d'avoir été tenu en dehors de ce pan de sa vie. Même s'il me fallait reconnaître que je ne pouvais lui en tenir rigueur. Je lui avais dit d'arrêter, ce que Fielda ne faisait jamais — renoncer, je veux dire. Elle m'a remercié lorsque je lui ai donné l'information et a soutenu calmement mon regard, comme si elle me mettait au défi de lui faire la moindre remarque.

Je n'en ai fait aucune.

Non seulement je n'ai rien dit, mais j'ai annulé et déplacé mes cours, cet après-midi bruineux d'octobre, pour accompagner Fielda à son rendez-vous médical. Dans la salle d'attente, j'ai essayé de lui tenir la main, mais elle s'est dégagée avec impatience. J'ai tenté de lui lire à voix haute des fragments trouvés dans de vieux magazines, mais elle ne m'a pas écouté. A la place, elle arpentait la pièce en regardant les murs punaisés de photos Polaroïd où on voyait de jeunes mères aux visages exténués avec des nourrissons dans les bras et, parfois, en arrière-plan, un mari ou compagnon qui paraissait plus ou moins en état de choc. Lorsque l'infirmière appela son nom, Fielda se dirigea vers la salle de consultation sans un regard en arrière. Quelques instants plus tard, cependant, l'infirmière revint dans l'aire d'attente et me fit signe.

— Monsieur Gregory, voulez-vous venir avec moi, s'il vous plaît ? Le Dr Berg souhaiterait que vous soyez présent à l'entretien.

Je la suivis, rassuré par son sourire. Bonne nouvelle, ai-je pensé. Fielda redeviendra elle-même, ses épaules se relèveront, le rire sera de retour dans ses yeux. Lorsque je suis entré dans la pièce, Fielda était assise, tout habillée, sur la table d'examen, et croisait et décroisait nerveusement les chevilles. Le médecin était un homme à la peau sombre, au visage grave. Ses cheveux noirs étaient lissés en arrière et il y avait de la sollicitude dans son regard.

— Monsieur Gregory, je suis le Dr Berg, le gynécologue de votre épouse. Asseyez-vous, je vous en prie.

Il me montra une chaise en plastique de l'autre côté de la pièce minuscule. Mais je déclinai et choisis de rester debout à côté de Fielda.

— Nous vous avons demandé de venir ensemble, aujourd'hui, pour vous communiquer les résultats des premiers examens médicaux auxquels nous avons soumis Mme Gregory.

Je hochai la tête et pris la main de Fielda. Cette fois, elle accepta de la laisser dans la mienne.

— La bonne nouvelle, c'est que les premiers résultats de notre bilan de fertilité ne révèlent aucune complication significative. Rien ne s'oppose a priori à ce que Mme Gregory soit enceinte. Nous pourrions pratiquer des examens plus poussés, bien sûr, mais je propose que nous explorions d'abord d'autres pistes.

— Par exemple…, commençai-je.

— Je propose que nous prélevions un échantillon de votre sperme, monsieur Gregory. Ce qui nous permettrait de détecter d'éventuelles pathologies à ce niveau.

— Ah…

J'émis un rire gêné.

— Je ne pense pas que cela sera nécessaire. De mon point de vue, ces choses-là arrivent lorsqu'elles doivent arriver. Il se peut que nous ne soyons tout simplement pas destinés à devenir parents.

Je sentis la main de Fielda quitter la mienne. Pas de façon brutale, mais ses doigts, doucement, se détachèrent des miens. Je n'en conçus pas d'inquiétude. Mais l'acte suivant de Fielda me préoccupa, en revanche. Elle descendit de la table d'examen et sortit de la pièce la tête haute sans un regard en arrière, sans même un signe au médecin. Ce qui me surprit car Fielda était invariablement polie en temps normal. Je remerciai le gynécologue en nos deux noms puis je sortis précipitamment, et arrivai sur le parking mouillé de pluie, juste à temps pour voir Fielda s'éloigner à grande vitesse au volant de notre voiture. Je parcourus à pied les trois kilomètres qui nous séparaient de notre domicile ; à l'arrivée, mes chaussures de ville étaient fichues à cause des flaques. A la maison, pas trace de Fielda ni de voiture. Je décidai de lui donner un peu de temps pour elle, du temps pour réfléchir. Mais les minutes s'étirèrent pour devenir des heures, et l'après-midi tirait à sa fin. Je me résignai à appeler le Mourning Glory et m'informai, plutôt maladroitement, auprès de Mme Mourning, de ce que devenait Fielda. Sa mère était sans nouvelles.

— Alors, ça y est ? Vous avez enfin eu votre première dispute ? m'a-t-elle taquiné avec gentillesse. Il était temps. Cela ne fait que quatre ans que vous êtes mariés, après tout.

J'ai ri faiblement et lui ai demandé de dire à Fielda de m'appeler si, par hasard, elle se manifestait.

Il avait cessé de pleuvoir mais les ténèbres s'assemblaient, pesant sur la maison de tout leur poids, si bien que j'étouffais presque, comme broyé par l'étau du vide. Finalement, je renonçai à l'idée que Fielda avait besoin d'un temps de solitude pour elle-même et je grimpai dans notre seconde voiture. Celle pour les « gens ordinaires », comme disait Mme Mourning, une Chevrolet Chevette dans les tons de bronze, dont la couleur dissimulait avantageusement la rouille qui lui dévorait les flancs. Je passai l'heure suivante à sillonner les petites rues de la ville à la recherche de Fielda ; j'ai ralenti devant la bibliothèque, le petit commerce d'étoffes, le kiosque à bonbons, cherchant en vain sa silhouette familière. Je m'arrêtai même quelques instants devant le Mourning Glory et jetai un coup d'œil à travers la devanture dans la salle chaudement éclairée, mais je ne vis ni Fielda ni notre Toyota Camry sur le parking. Je décidai alors de pousser jusqu'à l'aire de camping de Willow Creek, un lieu déprimant et crasseux, en tout cas de mon point de vue, où des gens qui n'ont rien de mieux à faire de leur temps viennent avec d'énormes camping-cars pour se rassembler autour d'un feu de camp et boire des bières toute la journée et toute la nuit. Je ne parvenais pas à imaginer que Fielda ait pu se rendre dans un endroit pareil, mais je commençais à être à court d'idées. Comme j'atteignais l'entrée dallée, bordée d'érables géants dont le plumage rouge vif repoussait les ombres de la nuit, je vis la Camry et enfonçai la pédale de frein, si brutalement que ma voiture faillit faire un tête-à-queue. Je me garai à côté de Fielda et je compris que quelque chose d'irréversible avait eu lieu. Lentement — je ne sais pas pourquoi je ne me suis pas précipité —, j'ai ouvert ma portière, je suis descendu de la Chevette et j'ai pris le temps de la refermer. J'entendais mes semelles claquer sur la chaussée mouillée tandis que je m'approchais de la voiture silencieuse. Rien ne bougeait à l'intérieur. Je me suis d'abord dirigé vers le siège conducteur et j'ai pressé mon front contre la vitre, encadrant mon visage de mes mains pour mieux voir à l'intérieur. Ma Fielda était assise, si l'on peut dire, côté volant, mais étalée de telle façon que sa tête reposait sur le siège passager, les bras repliés autour de son visage, comme si elle dormait. Mais elle ne dormait pas. J'ai essayé d'ouvrir, mais la voiture était verrouillée de l'intérieur. Pendant ce qui me parut être une éternité, j'ai tripoté mon porte-clés jusqu'à ce que je trouve la clé de la Camry. Avant de réussir à l'introduire dans la serrure, j'ai dû m'immobiliser un instant et prendre une longue respiration pour calmer le tremblement de mes mains. Enfin, je parvins à débloquer la portière et à tirer Fielda à moi. La première chose que je perçus fut l'odeur, les vomissures, une senteur âcre, puis je découvris le bazar par terre et sur le siège. Fielda était allongée dans ses propres déjections. Je ne sais pas si j'ai parlé, je ne me souviens pas de l'avoir fait, mais je me rappelle avoir pensé : « Je vous en supplie, ne me prenez pas Fielda. » Je sais que je la tenais serrée fort contre moi et que je suis resté ainsi à la bercer quelques instants. Puis je me suis ressaisi et l'ai écartée de moi, avec précaution, mais pas aussi doucement que je l'aurais voulu, compte tenu de l'urgence.

J'ai pris le volant de la Camry et, enfreignant toutes les règles de circulation, j'ai conduit jusqu'à l'hôpital de la Piété où le personnel soignant m'a pris Fielda. Je n'étais pas autorisé à la voir. Ils lui ont fait un lavage d'estomac. A l'infirmière des urgences, j'ai tendu le flacon vide des somnifères que Fielda avait ingérés. Elle m'a informé avec un regard cinglant que c'était un miracle si ma femme avait survécu, et que Fielda entrerait en maison de repos à Four West. « Le nid de fous », comme disaient mes étudiants. Je savais que je méritais ce mépris, ce regard, cette colère. Je savais que j'avais failli à mes engagements envers ma femme et que j'étais puni. Fielda me fut enlevée pendant deux semaines entières. Même lorsque les visites lui furent autorisées, elle refusa les miennes. Je ne donnais plus mes cours et ne me rendais plus à mon bureau ; je passais mes journées à la clinique, dans la salle d'attente, et je suppliais les infirmières de m'autoriser à la voir, juste quelques instants, pas plus. J'envoyais des fleurs, des chocolats, des muffins aux graines de pavot orange, mais Fielda continuait de m'opposer un non catégorique. Au bout de quinze jours, sans doute à la demande insistante de Mme Mourning, Fielda finit par m'envoyer chercher.

Seul, je pénétrai dans sa chambre qui n'était pas sombre et triste, comme je pensais la trouver, mais gaie et ensoleillée, tout imprégnée de l'odeur des roses. Mes fleurs entouraient son lit avec de jolies cartes et des vœux de rétablissement envoyés par ses amis, sa famille. L'infirmière nous laissa seuls en disant à Fielda de l'appeler si elle avait besoin de quelque chose. Son regard refusait de croiser le mien. Elle me parut plus mince, plus fragile. Et fatiguée, tellement fatiguée. Malgré cela, je me suis avancé vers elle, malgré cela, j'ai retiré ma veste et mes chaussures, malgré cela, je me suis glissé dans son petit lit d'hôpital en moulant mon corps contre le sien. Ensemble nous avons pleuré, pleuré l'un et l'autre, en murmurant des mots d'excuse, puis, calmement et à travers nos larmes, nous avons pardonné et accepté d'être pardonné.

Aujourd'hui, dix années plus tard, dans la chaleur brûlante de l'été, avec notre fille disparue, Fielda a tiré le couvre-lit sur sa tête et j'entends sa respiration endormie, lourde et régulière. J'effleure l'épaule de ma femme avant de sortir sans bruit et de refermer la porte derrière moi. Une fois dans le couloir, j'hésite, me demandant quoi faire de moi-même. Je sais que je ne peux pas rester dans la maison de ma belle-mère, que je dois être prêt à agir. Il faut que je sois proche des policiers, que je puisse être là à tout moment. Déjà, j'ai failli à mes responsabilités envers ma fille puisqu'on est venu la prendre sous mon propre toit. J'aurais pourtant su, n'est-ce pas ? Un inconnu se glissant chez moi, au cœur de la nuit, grimpant furtivement l'escalier, s'avançant dans le couloir sur la pointe des pieds jusqu'à la chambre de ma fille, s'immobilisant sur le seuil pour écouter le ronronnement du ventilateur, voir se soulever et retomber la poitrine de Petra. C'est ici que tout s'arrête. Mon esprit refuse de se représenter ce qui a pu se passer au-delà de ce point précis. Je l'aurais su, n'est-ce pas ? Quelqu'un dans ma maison, je l'aurais su.

Ben

Je cours jusqu'à ce que ma poitrine soit prête à exploser. Les larmes me brûlent le visage. Je trébuche sur un arbre mort tombé à terre et je déchire ma chemise sur une branche couverte d'épines, mais je continue de courir, en descente, vers la rivière. Je l'ai vu dans le regard du flic, dans la façon dont il m'a questionné. Il pense que c'est peut-être moi qui t'ai fait du mal, Calli. Ou au moins que je sais qui a fait le coup.

Jason Meechum, le salopard. Ça ne m'étonne pas que le flic l'ait ramené sur le tapis. J'aurais pu le tuer. Oui, ça aurait pu se terminer comme ça. Mais pas vraiment. J'étais fou, fou furieux. Ça a commencé au printemps dernier pendant le cours de maths. J'étais au tableau et je me coltinais une division abominable avec plein de chiffres derrière la virgule. Et pas moyen de réfléchir. Si j'avais eu un bout de papier et un crayon, si j'avais été assis à la table de cuisine, avec toi sur la chaise à côté, occupée à dessiner des papillons en balançant les pieds, j'aurais réussi à m'en sortir. Mais là, j'étais planté face au tableau avec vingt-sept autres élèves dans mon dos et un gros morceau de craie entre les doigts. Et je n'arrivais pas à rassembler mes pensées. C'est Jason Meechum qui a commencé. J'entendais sa voix geignarde, sournoise.

« Pauvre débile », dit-il en toussotant, cachant sa bouche avec la main.

Les autres ont rigolé mais n'ont pas pipé mot. La prof, elle, n'a rien entendu, bien sûr, et elle m'a dit de continuer à essayer. Nouveaux rires. Je sentais des dizaines d'yeux rivés sur moi et tous leurs regards me brûlaient le dos. J'ai jeté un œil par-dessus mon épaule et j'ai vu Meechum faire des grimaces tout en chuchotant : « Cerveau d'attardé. » Je me souviens d'avoir essayé de déglutir mais ma bouche était trop sèche. J'ai du mal à croire que j'aie pu le faire. Mais je l'ai fait. Ce n'était pas la première fois que j'avais des problèmes avec Meechum, qui me cassait avec ses remarques sur mon alcoolo de père et sur ma sœur attardée. Mais ce coup-là était un coup de trop et quelque chose a craqué dans ma tête. Je me suis retourné, avec ma grosse craie dans mon poing serré, et je l'ai lancée sur lui aussi fort que je l'ai pu. Je suis plutôt costaud et j'ai de la force dans les bras. A l'instant où la craie m'a échappé des doigts, j'ai tendu la main pour la rattraper mais il était trop tard. J'ai eu des visions de mon projectile atterrissant sur un autre camarade de classe. Ou, pire encore, sur la prof. Mais aucun de ces scénarios catastrophe ne s'est réalisé. La craie a tracé sa trajectoire précise pour frapper Meechum pile entre les deux yeux. J'ai entendu le bruit inquiétant du choc au moment où elle atteignait sa cible et j'ai vu Meechum couvrir son visage de ses mains. Un silence de mort est tombé dans la classe et Mlle Henwood est restée assise bouche bée à son bureau ; normalement, je ne suis pas de ceux qui sèment le chaos dans une classe. Après cela, je suis sorti tout droit du collège et j'ai parcouru sans m'arrêter les cinq kilomètres jusqu'à la maison.

Ma mère m'attendait à l'arrivée. Elle n'était pas en colère ni rien. Elle avait juste l'air triste et, comme par hasard, je me suis mis à chialer. Là, elle m'a pris sur ses genoux comme si j'avais trois ans. Je suis sûr que j'ai dû lui écraser les côtes tellement je l'ai serrée, je pleurais comme un gamin et elle me disait que ce n'était rien, que tout allait s'arranger.

Mais *rien* ne s'est arrangé, en fait. J'ai été convoqué avec maman chez le principal et ils ont exigé que je présente mes excuses à Meechum. Il a bien fallu que j'obéisse, même si je pensais — et pense encore — qu'il ne l'avait pas volé. Les parents de Meechum ont continué à râler un bon moment en disant que je méritais une mise à pied temporaire ou une connerie comme ça. Mais le principal n'a pas voulu. Moi, ça m'aurait bien convenu.

La semaine suivante, Meechum et ses potes m'ont coincé après l'école et m'ont bousculé un peu en traitant maman de putain et en disant qu'elle se faisait sauter par le shérif adjoint. Je me suis tiré ce jour-là sans dire un mot, mais un peu plus tard, j'ai chopé Meechum quand il était seul. Je me suis approché sans bruit, je lui ai tordu le bras dans le dos et je lui ai dit que je le tuerais s'il continuait à raconter des saloperies sur ma famille. Meechum est allé chouiner devant sa mère et lui a tout répété. Et elle s'est empressée d'appeler l'école et la police. Il y a eu une nouvelle convocation, mais j'ai tout nié en bloc et Meechum n'a rien pu prouver. Mme Meechum a fait une remarque comme quoi j'étais bien le fils de mon vaurien de père. Et là, maman a sauté au plafond, je ne l'avais encore jamais vue aussi en colère. Mais le mal était fait. Tout le monde m'a regardé d'un autre œil après cette histoire. Je n'étais plus le calme, le tranquille.

Calli, je ne pourrais jamais faire de mal à qui que ce soit. Je ne suis pas comme papa, non. Jamais, jamais je n'aurais levé la main sur toi. Je te retrouverai, même si ça doit me prendre toute la nuit. Je te ramènerai à la maison et, là, ils sauront.

Calli

Calli dormit d'un sommeil entrecoupé. Le sol était dur, hostile. Des moustiques tournaient en vrombissant, s'attaquant à chaque millimètre de peau exposée. Même lorsqu'elle tirait sa chemise de nuit sur ses jambes, ils continuaient de la harceler en ciblant ses bras et ses chevilles.

Elle rêva par intermittences qu'elle volait entre les frondaisons des arbres. Elle sentait l'air frais sur son front et une agréable sensation plongeante dans l'estomac, comme dans la chenille des fêtes foraines. En dessous, elle voyait la rivière, fraîche et attirante ; elle essaya d'ordonner à son corps de voler vers le bas afin de se plonger dans l'eau et se rafraîchir. Mais il lui était impossible de descendre. Elle continuait de s'élever en suivant d'en haut les clairs méandres de la rivière. Les cheveux flamboyants de son père apparurent un instant dans son champ de vision et elle sentit la peur lui labourer le ventre. Griff avait les yeux levés vers elle et son visage était déformé par la colère. Très vite, elle passa au-dessus de lui et vit le faon à oreilles de lapin s'abreuver sur la rive. Le doux regard de l'animal l'appela et Calli s'orienta pour se positionner juste au-dessus de lui. Elle tendit la main pour le caresser, mais le jeune cerf fila hors de sa portée et disparut dans les bois. Calli tenta de le suivre, se repérant à la balise en mouvement que formait le panache de sa queue blanche dressée en alerte. Le jeune animal filait en zigzag, traçant un chemin sinueux entre les sapins et les marronniers de l'Ohio. Calli se concentrait de toutes ses forces pour ne pas le perdre. Une main s'éleva par-derrière pour l'attraper et réussit à accrocher un instant l'ourlet de sa chemise de nuit. Jetant un regard par-dessus l'épaule, Calli vit Petra qui lui faisait des signes joyeux du bras. Une autre main surgit et lui agrippa brièvement l'avant-bras : elle vit sa mère qui lui souriait, visage levé. Le vol de Calli ralentit mais sans s'immobiliser tout à fait. Elle eut tout juste le temps d'entrevoir l'expression peinée et désorientée d'Antonia alors qu'elle poursuivait son chemin dans les airs. La forêt, soudain, était remplie de gens qu'elle connaissait et qui tendaient gentiment les bras pour l'attraper, comme des enfants courant après des bulles de savon. Il y avait Mme White, l'infirmière scolaire, sa maîtresse de maternelle, et Mme Vega, son institutrice de CP qu'elle aimait tant. M. Wilson, le psychologue scolaire, avait ouvert le grand cahier dans lequel elle écrivait avec lui, et il lui montrait quelque chose qu'elle ne parvenait à voir. Que lui désignait-il ainsi ? Elle voulait à toute force le savoir. Mais elle avait beau chercher à descendre pour voir ce qu'il y avait sur la page ouverte, son envolée se poursuivait. Elle repéra Mme Norland, la voisine, et le shérif adjoint Louis, M. et Mme Gregory, Jake Moon, Lena Hill, la dame de la bibliothèque, et tous tendaient les bras pour essayer de l'atteindre. Elle scruta la foule, cherchant Ben au cœur de cette multitude, mais son frère n'était nulle part en vue. Des inconnus, à présent, essayaient de l'arrêter dans son vol et elle prit peur. Avec un mouvement ondulatoire des jambes, elle se propulsa vers le haut et fila dans le ciel clair, à la poursuite de son faon. Bientôt, elle survola une clairière profonde où les arbres entouraient une prairie d'herbe verte. Au centre, se trouvait un étang où le faon s'était immobilisé pour boire. Elle avait soif, si soif. Mais pas moyen de descendre sur la rive. Soudain, Ben apparut. *Ben*. Son frère. Généreux. Fort. Rassurant. Voyant qu'il l'appelait, elle essaya de lui dire qu'elle avait soif, affreusement soif, mais les mots refusaient de sortir. Et pourtant, il parut entendre quand même ; Ben semblait toujours capable de comprendre, même les demandes muettes d'une petite sœur qui ne parlait pas.

Il se pencha pour prendre de l'eau dans ses mains en coupe et les leva vers elle. Mais Calli ne parvenait toujours pas à atterrir, si bien qu'il finit par projeter l'eau dans sa direction. Elle réussit à attraper une goutte sur la langue ; une goutte minuscule mais fraîche et bienfaisante. Calli tendit les bras vers son frère mais, comme les ballons gonflés à l'hélium, elle montait, montait de plus en plus haut, loin au-dessus de la cime des arbres. Et la température s'élevait en même temps qu'elle, de plus en plus brûlante, jusqu'au moment où elle heurta le soleil.

Calli se réveilla en sursaut et resta un instant désorientée. Elle se dressa sur son séant et voulut humecter ses lèvres craquelées, mais sa langue était sèche et épaisse et n'apporta aucune humidité. Son rêve s'était évaporé au moment où elle avait cligné des yeux au réveil, mais il avait laissé en elle l'impression rassurante que Ben n'était plus très loin et qu'il allait la retrouver. Elle se leva tant bien que mal, les muscles raides, ses pieds nus endoloris. Vers le bas, décida-t-elle, en direction de l'eau. Avec précaution, pour éviter les cailloux coupants et les branches cassées, elle reprit le sentier qui menait vers ce qu'elle espérait être la rivière. Des bribes de son rêve lui revinrent en chemin et elle revit M. Wilson tenant son cahier ouvert pour lui montrer quelque chose.

La première fois qu'elle avait été voir M. Wilson, un homme grand et mince, avec un nez long et des cheveux blancs comme la neige, il l'avait priée de s'asseoir à côté de lui, à la table ronde, dans le bureau d'accueil. Devant lui, il y avait un cahier noir en papier naturel, avec des petites fibres qui dépassaient, attaché à l'aide d'un ruban blanc d'aspect soyeux. Calli l'avait trouvé très beau et avait eu envie de l'ouvrir pour voir ce qu'il contenait. A côté du cahier, se trouvait une boîte toute neuve de pastels — pas les paquets par quatre ordinaires qui servaient à tracer des marelles sur les trottoirs, mais un vrai équipement d'artiste, avec les couleurs les plus rares et les plus chatoyantes. Les doigts de Calli la démangeaient d'ouvrir le paquet.

— Savais-tu, Calli, commença M. Wilson, qu'il y a de très belles conversations qui se font sans l'aide de la parole ?

Il attendit un instant, comme s'il espérait une réponse de sa part.

Aussitôt, Calli se tint sur ses gardes. La psychologue scolaire de l'année précédente, Mme Hereau, une petite femme effacée, dissimulée dans des vêtements informes couleur grise ou taupe, voulait toujours qu'elle lui dise quelque chose. Mais elle n'avait jamais ouvert la bouche avec Mme Hereau.

— Calli, je ne vais pas essayer de te faire parler, assura M. Wilson, comme s'il lisait dans ses pensées.

Il frotta son nez de la pointe d'un doigt dressé et la regarda droit dans les yeux. Mme Hereau, elle, n'avait jamais paru la voir vraiment. Elle lui parlait sans même tourner les yeux dans sa direction, trop occupée à rédiger des notes dans un dossier. L'attitude directe de M. Wilson l'avait désarçonnée dans un premier temps.

— Mais j'aimerais bien apprendre à te connaître, Calli. C'est mon boulot, ici, tu sais. Essayer de comprendre les élèves et les aider si je peux…

En voyant son expression, il s'était mis à rire.

— Ne me regarde pas de cet air soupçonneux, Calli. Parler, c'est bien, mais ce n'est pas l'idéal non plus. Tout ce blabla, ça va bien cinq minutes, mais moi je passe des journées entières à écouter les autres parler ! Et quand je rentre à la maison, ma femme me parle, mes enfants me parlent, le chien me parle…

Les yeux de M. Wilson brillaient de malice. Calli sourit à la vision d'un labrador ou d'un berger allemand assis à table au milieu de la famille et racontant les événements de sa journée.

— Bon, d'accord, mon chien ne parle pas comme les humains. Mais à part lui, tout le monde cause ! Alors, ce moment de silence avec toi va me faire drôlement du bien.

M. Wilson étendit ses jambes dégingandées sous la table.

— J'ai pensé que nous pourrions nous servir de ce cahier

pour nous écrire, toi et moi. Un peu comme si on était des correspondants, tu vois? Mais sans timbre et sans enveloppe. Notre conversation pourrait se faire là-dedans.

Il tapota le cahier de la pointe de l'index.

— Qu'est-ce que tu en penses, Calli? Non, ne me réponds pas. Réfléchis, décore la couverture, comme tu voudras. Pendant ce temps, je vais m'asseoir là-bas, à ma table de travail, pour travailler et apprécier le silence.

M. Wilson lui adressa un sourire encourageant, puis il se leva et se dirigea vers le vieux bureau en chêne, dans le coin de la pièce. Il cala sa longue silhouette maigre sur une chaise, glissa les jambes sous les barreaux et, le cou penché, se plongea dans un dossier.

Calli examina le cahier devant elle. Elle adorait faire des dessins et écrire des histoires. Elle savait déjà orthographier plein de mots, même si elle n'était qu'au CP. Elle écrivait des histoires de chevaux et de fées et de villes sous l'océan. Des correspondants, elle n'en avait jamais eu. Et elle n'écrivait pas non plus à son père lorsqu'il passait des semaines d'affilée sur le pipeline — l'idée ne lui avait d'ailleurs jamais traversé l'esprit. Elle n'imaginait même pas que quelqu'un puisse s'intéresser aux mots qu'elle mettait sur le papier. Tous les gens qu'elle connaissait étaient uniquement focalisés sur les mots qu'ils voulaient l'entendre *prononcer*, comme si c'était des diamants qu'ils espéraient voir tomber de sa bouche.

Calli ouvrit le cahier. Les pages couleur crème, sans lignes et sans carreaux, étaient étrangement accueillantes. Les mêmes grains de fibre que sur la couverture se retrouvaient sur le papier, chaque feuille présentant des irrégularités qui n'appartenaient qu'à elle seule. Elle referma doucement le cahier et son attention se porta sur la boîte de pastels. Elle en choisit un violet dont le scintillement rappelait les ailes des libellules sur la rivière. Un instant, elle garda le pastel entre ses doigts pour l'admirer puis, dans le coin en bas à droite, elle inscrivit son nom avec soin : « Calli ». Elle jeta un regard à M. Wilson qui était toujours plongé dans ses papiers. Puis elle replaça le pastel dans la boîte et essuya sur son jean la poussière restée sur ses doigts, laissant sur ses cuisses des marques irisées. Elle repoussa alors sa chaise, se leva, prit le cahier et le porta à M. Wilson.

Il leva brièvement les yeux.

— Pose-le donc là, dit-il en indiquant la table ronde. Nous nous revoyons jeudi, n'est-ce pas ? Passe une bonne journée.

Calli demeura un instant interdite. C'était donc tout ? Pas de : « Il faut que tu te décides à parler maintenant, Calli. Tu inquiètes ta maman inutilement, alors arrête un peu ces bêtises. Tu n'as aucune anomalie physique qui justifierait ton silence » ? Il lui souhaitait juste de « passer une bonne journée » ?

Calli s'éloigna de M. Wilson pour aller poser le cahier sur la table, poussa un discret soupir de soulagement et, silencieuse comme une souris, quitta prestement le bureau.

Pendant toute l'année scolaire, elle avait continué de voir M. Wilson pour des séances d'une demi-heure, deux fois par semaine, écrivant ou dessinant dans leur « journal de bord ». Souvent, il lui répondait par un dessin. Ou par écrit, mais seulement lorsqu'elle le lui demandait. Les récits qu'elle préférait concernaient Bart, le chien de M. Wilson. Un chien si intelligent qu'il savait ouvrir les portes avec sa patte. Un jour, à table, il avait même réussi à dire le mot « bifteck » de sa petite voix canine. De temps en temps, Calli était obligée de montrer un mot du doigt pour que M. Wilson le lui lise à voix haute, mais la plupart du temps, elle réussissait à déchiffrer seule. Elle avait hâte d'entrer au CE1 et de retourner écrire et dessiner avec le psychologue scolaire. Elle se sentait en sécurité dans le bureau de M. Wilson, assise à la table circulaire avec son crayon bien taillé, ses pastels et son cahier. M. Wilson lui avait promis qu'il le garderait pendant l'été et qu'elle le retrouverait à la rentrée. Elle lui avait écrit à l'occasion de leur avant-dernière séance, juste avant les vacances d'été, pour lui demander ce qu'ils feraient lorsqu'ils auraient utilisé toutes les pages de leur cahier. Il avait écrit en retour « En commencer un second, bien sûr ». Et elle avait souri à sa réponse.

Calli se demandait ce que M. Wilson lui avait montré dans son rêve. Quelle était la page de leur journal sur laquelle il avait cherché à attirer son attention ? Elle n'en avait aucune idée. Ils avaient écrit tant de choses dans ce cahier… Des petites choses pour la plupart, des histoires sans importance. Il n'y avait rien, là-dedans, qui puisse éveiller l'intérêt d'un adulte. Sauf qu'avec M. Wilson, on avait toujours l'impression que ce qu'on faisait ou écrivait comptait vraiment pour quelque chose.

Un écureuil de Californie traversa le chemin juste devant ses pieds et la fit sursauter. Elle s'immobilisa et tendit l'oreille, espérant percevoir le gargouillis familier de la rivière, mais elle n'entendit rien que le crissement régulier des cigales.

Vers le bas, se dit-elle. La rivière serait forcément quelque part plus bas, avec sa belle eau froide et ses poissons argentés. Peut-être apercevrait-elle une grenouille et des libellules bleu et violet, qui scintillaient lorsqu'elles volaient à ras de l'eau.

Oui, sans l'ombre d'un doute, cap vers le bas.

Louis

Fitzgerald et moi poursuivons chacun de notre côté pour le moment. Lui s'occupe de faire venir un chien de pistage et essaie de retrouver la trace de Griff grâce au GPS de son téléphone portable. De mon côté, je réunis les autres adjoints pour faire le point sur l'avancement de nos recherches.

Notre shérif, Harold Motts, n'est plus de la première jeunesse et, depuis un an, il a lâché du lest et se repose beaucoup sur ses collaborateurs. Toutes les tâches qui pouvaient être déléguées, il me les a confiées. Il a même été question que je me présente pour le poste de shérif du comté aux prochaines élections. Presque toute l'équipe a accepté — de plus ou moins bon cœur — que je me retrouve aux commandes. Tous sauf un. Mon collègue Logan Roper se démène depuis des années pour transformer ma tâche de shérif adjoint en enfer. J'ai tendance à penser que son animosité est motivée par ses liens d'amitié avec Griff Clark plus que par une aversion véritable pour ma personne, mais qui sait ? Nous avons fini par trouver un *modus vivendi*. Nous nous témoignons un respect professionnel mutuel et nous ne communiquons que lorsque nous ne pouvons pas faire autrement. Ce n'est pas une situation qui me met en joie, mais tant que les tensions entre nous n'interfèrent pas avec la bonne marche du service, je peux vivre avec.

Griff et Logan avaient cinq ans de plus que Toni et moi, lorsque nous fréquentions le lycée. Je n'ai jamais su grand-chose à leur sujet, à part que c'étaient des excités et qu'ils pouvaient être redoutables. Toni ne m'a jamais révélé comment Griff et elle se sont connus, mais je suppose que la rencontre a dû se passer au Gas & Co, la station-service sur Highway Ten où Toni avait décroché un job. Elle tenait la caisse les week-ends et en soirée, après la sortie des cours. Je lui ai dit que ça ne me plaisait pas qu'elle travaille dans une station-service si tard le soir, près de l'autoroute. N'importe qui pouvait l'enlever et filer. Le temps que quelqu'un s'en aperçoive, elle serait déjà loin. Mais Toni se contentait de rire de mes mises en garde et se moquait de mes « angoisses de petit flic ». Je détestais la façon dont elle m'envoyait promener.

En avril de notre année de terminale, Toni ne m'adressait plus la parole, sortait avec Griff et donnait l'impression d'être raide dingue amoureuse de lui. Je me disais qu'elle le faisait pour me rendre jaloux, et qu'elle y parvenait trop bien. Mais je refusais de lui donner la satisfaction de le lui montrer. Jamais je n'aurais pensé que douze mois plus tard, elle pousserait le vice jusqu'à l'épouser.

Durant le mois de novembre de notre année de terminale, Toni et moi avons commencé à parler sérieusement de notre avenir ensemble et de ce que nous en attendions. Par une matinée froide d'un début d'hiver précoce, nous avons marché dans la forêt. Toni était engoncée dans une vieille parka marron qui appartenait à l'un de ses frères, et un bonnet de toutes les couleurs tricoté par sa mère, qui venait de mourir au début de l'automne. Ses cheveux étaient coupés très court, ce qui la faisait paraître plus jeune encore que ses dix-huit ans ; elle avait perdu du poids depuis le décès de sa mère et paraissait fragile, prête à se briser. Moi, j'étais excité à l'idée de partir à l'université. Toni savait que je voulais faire des études. Elle disait qu'elle soutenait mon projet, mais je voyais bien qu'elle n'était pas heureuse. Je n'avais pas les moyens de payer les droits d'inscription à Saint-Gall, et l'université publique était mon seul choix possible. Mais l'université de l'Iowa se trouvait à plus de cent soixante kilomètres de Willow Creek. J'avais déjà envoyé mon dossier et j'avais été accepté. Je me préparais à partir en août de l'année suivante.

Au moment où je l'avais annoncé à Toni, elle avait évité mon regard. Elle était assise sur le bord du tronc que nous appelions le « pont de l'Arbre Seul » parce qu'il était tombé en joignant les deux rives de la rivière. L'expression normalement limpide de Toni s'était faite glaciale pendant que je lui expliquais que l'université n'était pas si éloignée que cela, et que je viendrais la voir les week-ends et pendant les vacances. Je poursuivis en lui faisant observer que rien ne l'empêchait de venir avec moi. Elle pouvait s'inscrire pour faire, elle aussi, des études. Ou trouver un travail. Il n'y avait aucune raison pour que nous restions séparés.

— Qu'est-ce que vous avez donc à m'abandonner, tous ? avait-elle chuchoté en enfonçant les mains dans les poches de son manteau.

Elle voulait parler de sa mère qui était morte et de ses frères qui avaient déménagé. Il n'y avait plus que son père, à la maison. Et d'après Toni, il envisageait de s'établir à Phoenix pour se rapprocher de Tim, son fils aîné.

— Moi, je ne pars pas, non. Pas pour de bon, en tout cas.

Mais elle avait secoué la tête.

— Tu ne reviendras pas. Tu iras à l'université avec tous ces gens brillants qui ont de brillantes pensées. Tu te détacheras de Willow Creek, tu passeras à autre chose.

— Non, ai-je insisté. Jamais, je ne me détacherai de toi.

— Moi je n'ai jamais demandé qu'une chose, c'est de vivre dans une maison jaune.

Sur ces mots chuchotés, elle s'était éloignée sur le sentier, me laissant seul, debout, entre les arbres dénudés. J'ai continué à entendre le crissement des feuilles mortes sous ses pas alors qu'elle avait déjà disparu de ma vue. Pendant un mois ou deux, nous avons essayé de continuer comme avant, mais quelque chose entre nous s'était brisé. Toni se crispait chaque fois que je la touchais, comme si le contact de ma main lui était une souffrance. Elle s'abîmait dans des silences qui ne lui ressemblaient pas dès que je lui parlais de l'université, et une ombre tombait sur son visage si j'essayais de lui faire l'amour. Je n'étais même pas encore parti, et elle n'était déjà plus présente.

Elle rompit avec moi en décembre et, à partir de ce jour-là, ce fut comme si j'avais cessé d'exister à ses yeux. Elle ne répondait pas à mes coups de fil, n'ouvrait pas lorsque je frappais à sa porte, et passait devant moi sans paraître me voir dans les couloirs du lycée. Je finis par réussir à la coincer dans la forêt de Willow Creek. Elle marchait lentement, tête basse, les yeux rivés sur le chemin devant elle. Il neigeait à gros flocons, je crois que je n'en avais encore jamais vu d'aussi démesurés. J'hésitai un instant à faire une boule de neige et la lui lancer dans le dos. Mais je ne l'ai pas fait. Il y avait quelque chose de désolé dans sa démarche, comme si elle était aussi nue et vulnérable que les grands arbres privés de leurs feuilles.

— Toni, appelai-je doucement, pour ne pas l'effrayer.

Elle se retourna en sursaut en portant les deux mains à sa poitrine. En me voyant, elle laissa retomber les bras contre ses flancs, les poings serrés, comme si elle se préparait à lutter.

— Hé !

Elle n'a pas réagi.

— On pourrait discuter ?

— Discuter de quoi ? Il n'y a rien à dire.

— C'est vraiment ça que tu veux ? ai-je demandé.

— Que je veux quoi ?

Son visage était fermé, muet, comme si elle ne comprenait pas de quoi je voulais parler.

— Ça !

Ma voix résonnait fort entre les troncs nus des arbres. Elle fit un pas en avant puis s'immobilisa, comme si une trop grande proximité risquait de la faire changer d'avis. Mais sa voix était ferme lorsqu'elle plongea brièvement ses yeux dans les miens.

— Lou, j'ai passé des mois à regarder mourir ma mère.

— Je sais. J'étais là, au cas où tu l'aurais oublié.

— Non, tu n'étais pas là. Pas vraiment. Pendant des

mois, j'ai assisté à la mort de maman. Il n'y avait rien, rien que j'aurais pu faire pour l'aider à aller mieux, à vivre. Et maintenant, je perds mon père. Pas de la même façon, c'est vrai, mais le jour où j'aurai mon bac, il s'en ira d'ici. Et ne remettra jamais les pieds à Willow Creek. Il tourne en rond comme une âme en peine et tout lui fait mal, ici, depuis que maman n'y est plus. Je n'ai pas envie de finir comme lui. Jamais.

Elle me considéra d'un air farouche.

— Ce n'est pas du tout la même chose, ai-je plaidé.

— C'est *exactement* la même chose. Tu as décidé de partir, tant mieux, c'est ta vie. Mais je ne vais pas passer le reste de mes jours à tourner en rond à t'attendre. Tu m'as déjà bouffé beaucoup trop de temps comme ça.

— Merci, ai-je riposté avec colère. C'est ce que je représente pour toi, alors ? Juste un peu de temps gâché ? C'est ce que tu cherches à me dire ?

— Je ne cherche à te dire qu'une chose, Lou : je n'ai pas l'intention de m'investir une minute de plus dans une relation avec quelqu'un qui n'a pas l'intention de s'attarder. Quelqu'un qui ne m'aime pas assez pour rester. Alors laisse-moi vivre, O.K. ?

Elle me tourna le dos et s'éloigna sans bruit entre les arbres. Je n'aurais jamais dû le faire, mais je l'ai fait. A ce moment précis, je la haïssais. Je me suis penché pour ramasser une poignée de neige humide et j'ai formé une boule, parfaite et blanche. Je ne l'ai pas lancée fort mais, au dernier moment, Toni s'est retournée pour me dire autre chose et la boule de neige l'a frappée en plein visage. Pendant une fraction de seconde, elle s'est pétrifiée. Puis elle a pivoté sur ses talons et est partie en courant. J'ai essayé de la suivre, de m'excuser, mais elle connaissait les bois mieux que personne et avait toujours été plus rapide que moi. Je n'ai jamais réussi à la rattraper, jamais pu lui dire que je regrettais mon geste. Jamais su non plus ce qu'elle s'apprêtait à me dire lorsque la boule de neige a frappé.

Au final, c'est elle qui s'est détachée et qui est passée à autre chose. Ou alors, c'est moi qui me suis éloigné, peut-être. J'étais conscient que je commençais à passer pour une figure pathétique, à Willow Creek. Tout le monde savait que j'aimais Antonia et qu'elle ne voulait plus entendre parler de moi. Elle a épousé Griff l'année suivante alors que j'étais à l'université, et elle a eu Ben peu après. Les nouvelles de Toni, je les apprenais, comme n'importe quel inconnu, par le biais des journaux et de la rumeur locale. Nous étions devenus des étrangers, elle et moi.

Quatre ans plus tard, je rencontrais Christine et nous nous sommes mariés. Rien en elle ne me rappelait Toni, et je n'avais pas l'intention de lui en tenir rigueur. Mais c'est arrivé quand même, j'en ai bien peur. De fait, je suis surpris que Christine ait été aussi patiente envers moi, surtout une fois que je l'ai traînée à Willow Creek pour y vivre et y fonder une famille. Elle ne s'est jamais vraiment adaptée, ici, elle s'est toujours sentie tenue à l'écart. Ce n'est pas la faute de Christine si les gens de Willow Creek sont liés par le sang et par une histoire commune. Peut-être s'est-elle sentie exclue parce qu'elle ne voulait pas vraiment s'insérer. Ou est-ce moi qui n'ai pas fait en sorte qu'elle s'intègre ? Je ne sais pas. Mais je n'ai pas de temps à perdre avec ces questions personnelles ; je dois rester centré sur la disparition de Calli et de Petra.

Dès l'instant où je pousse la porte du bureau, Tucci, un de mes collègues, vient au rapport :

— Nous avons fait des recherches sur tous les noms que tu nous as communiqués, mais nous n'avons pas trouvé grand-chose. Mariah Burton, la baby-sitter, est blanche comme neige — pas l'ombre d'une infraction signalée. Chad Wagner, l'étudiant qui fait des heures de jardinage, a été interpellé au lycée pour abus de boisson alors qu'il était mineur. Nous avons pu lui parler au téléphone : il n'est pas à Willow Creek en ce moment, mais en vacances chez ses parents, à Winner. Sur le dénommé Lucky Thompson, nous n'avons rien trouvé du tout, mais nous n'avons pas encore réussi à le joindre. Soit il n'est pas chez lui, soit il ne prend pas ses appels. Nous avons pu déterminer qui étaient les deux employés du magasin de meubles et un de nos hommes est allé leur poser quelques questions. Nous avons également contrôlé les casiers judiciaires des institutrices de l'école élémentaire où les deux petites filles sont inscrites. Calli a passé pas mal de temps avec le psychologue scolaire, Charles Wilson, qui n'est pas joignable non plus pour l'instant. Seule autre zone d'ombre possible : Sam Garfield. Il enseigne à l'université de Saint-Gall depuis trois ans. Avant cela, il donnait ses cours dans une autre université de l'Ohio. Il est parti dans des conditions un peu floues, suite à la liaison qu'il a eue avec l'une de ses étudiantes...

Tucci marque une pause.

— Ah oui, Antonia Clark a appelé il y a environ vingt minutes. Elle affirme avoir trouvé des empreintes de pied qui lui paraissent être celles de Calli. Et des marques de semelles d'homme, aussi. Elle était dans tous ses états, en larmes, et s'exprimait de façon assez incohérente.

— Et qu'as-tu dit ?

— Que je te communiquerais l'information. Mais elle voulait à toute force te parler en personne. J'ai essayé de lui expliquer que tu étais occupé et pas forcément accessible à tout moment, précise Tucci, l'air irrité.

Je me dirige déjà vers la porte.

— Quel est le policier qui fait le planton chez les Clark, là ?

— Logan Roper.

Je peste tout bas.

— Génial.

— Il était dans le secteur et disponible.

Tucci me répond d'un air bravache, mais il paraît mal à l'aise.

— On n'aurait pas dû le mettre là ?

— Si, si, c'est bon, dis-je à contrecœur. Je veux juste qu'on m'informe sur-le-champ chaque fois qu'un élément nouveau survient, quel qu'il soit. A partir de maintenant, appelle-moi, quoi qu'il arrive.

— Tu crois que ça risque de mal tourner, comme pour la petite McIntire ?

— Je n'en sais rien. Mais c'est ce dénouement-là que nous cherchons à éviter, en tout cas.

Je m'immobilise devant la porte à deux battants.

— Tu as encore autre chose à me dire, avant que je parte jeter un coup d'œil sur ces empreintes chez les Clark ?

— Les journalistes, oui. Channel Four nous a harcelés toute la matinée pour essayer d'en savoir plus sur les deux petites filles disparues. Ils veulent un communiqué. Ah, zut, oui, j'oubliais : Mme McIntire a appelé deux fois et demande que tu la rappelles. Elle souhaite apporter son aide aux familles des deux petites filles disparues. Elle passera dans l'après-midi, a-t-elle dit.

Je jure à voix basse.

— Bon... Appelle-moi Fitzgerald. Nous devons rédiger un communiqué officiel pour la presse. Quand as-tu eu Mme McIntire au téléphone pour la dernière fois ?

— Il y a environ quarante minutes, je crois. Elle ne devrait pas tarder.

Je reviens sur mes pas et retourne à mon bureau. Les empreintes découvertes par Toni devront attendre. Pour le moment, je suis obligé de faire confiance à mon département en général et à Roper en particulier. En priant pour qu'ils fassent le boulot pour lequel ils ont été formés. Je rédige rapidement un premier jet d'un communiqué dont j'espère qu'il satisfera la presse. Puis mon téléphone sonne.

— Shérif adjoint Louis.

C'est Fitzgerald.

— Oui, Louis, on vient juste de me mettre au courant, pour les empreintes chez les Clark. Des techniciens de scène de crime devraient aller y faire un saut rapidement. Vous avez qui sur place, là-bas ?

— Un certain Logan Roper. Normalement, il devrait être à la hauteur, à part que…

Je marque une hésitation. Fitzgerald me pousse à poursuivre.

— Allez-y, dites-le. Vous avez un souci avec ce Roper ?

— Logan est un flic honnête mais c'est également un grand ami de Griff Clark. Il pourrait y avoir un conflit d'intérêts.

Comme si j'étais bien placé pour émettre ce genre de réserve. Mais je n'ai aucune confiance en Griff, et je ne suis pas complètement tranquille non plus au sujet de ses grands copains.

— Je vois le problème, oui. Trouvez-lui un équipier en qui vous avez une entière confiance. Vous-même, par exemple.

— Eh bien… Il pourrait également y avoir un petit souci de ce côté-là.

Autant lui sortir toute l'histoire maintenant et lui parler de ma relation passée avec Toni. Cela ne devrait pas jouer, mais ça joue quand même. Je me prépare à tout raconter à Fitzgerald lorsque j'entends un toussotement léger, comme quelqu'un qui se racle discrètement la gorge pour signaler sa présence. Je lève les yeux sur le visage triste et las de Mme McIntire.

— Bon. Je vous rappelle, O.K. ? dis-je à Fitzgerald.

Nous coupons notre communication et je me retrouve face à la femme que j'espérais ne pas revoir avant d'avoir mis la main sur l'homme qui a détruit sa vie et celle de sa famille ; la femme dont la fille a été retrouvée morte, avec des marques de viol et de violence, dans une zone boisée à une quinzaine de kilomètres de chez elle, à l'autre bout du comté. La femme que j'ai dû relever sur le sol froid de la morgue lorsqu'elle est venue identifier le petit corps mutilé et qu'elle a reconnu Jenna, sa fille. La femme qui m'a insulté la dernière fois que nous nous sommes parlé, parce qu'elle a dû enterrer son enfant sans même connaître le nom de son bourreau et meurtrier.

— Je veux apporter mon aide à ces parents, dit-elle simplement.

Je lui propose de s'asseoir et cherche les mots pour lui expliquer que la dernière chose dont les familles Clark et Gregory ont besoin est de s'entendre rappeler que leurs filles, elles aussi, pourraient avoir subi l'impensable.

Martin

Impossible de rester là à attendre. Je dis à la mère de Fielda que je vais voir où en est la police et je reprends ma voiture pour retourner chez moi. Je me gare sur l'accotement de la Timber Ridge Road. Apparemment, il se passe quelque chose chez les Clark. Un tourbillon d'activité. Plusieurs voitures de police passent devant moi et s'engagent dans l'allée qui mène à leur maison. Mon rythme cardiaque s'accélère, et pendant quelques brefs instants j'ai la conviction d'être frappé par un infarctus. Mais je ne m'effondre pas, même si je sais qu'une crise cardiaque serait moins térébrante que ce qui se passe en ce moment dans ma tête et dans mes tripes.

Tout un ciel vibrant de soleil pèse sur moi de tout son poids. Le thermomètre de la voiture indique plus de trente-sept degrés, et cela sans même tenir compte de l'index thermique. Je descends de voiture et me dirige vers la maison des Clark.

La proximité de la forêt et la disposition du voisinage nous ont attirés ici, Fielda et moi. Nous apprécions le fait que, sans être complètement isolés, nous n'avons que quatre voisins proches. Les familles Olson et Connolly vivent à notre droite ; les Clark et la vieille Mme Norland sur notre gauche. Chacune de ces maisons est séparée des autres par une centaine de mètres. Nous sommes suffisamment proches les uns des autres pour qu'on puisse parler de voisinage. Mais assez éloignés pour que notre tranquillité soit respectée. En aucune circonstance, nous n'autorisons Petra à aller jouer chez les Clark lorsque Griff est chez lui, entre deux séjours Dieu sait où — en Alaska, où il travaille sur un pipeline, je crois. Naturellement, nous ne disons pas à Petra que c'est à cause de Griff que nous la retenons à la maison. Nous lui expliquons juste que Calli ne voit pas son père très souvent, et que nous préférons ne pas déranger les Clark les rares fois où ils peuvent être en famille. Petra se plie de bonne grâce à cet argument et ignore tout, je crois, de la maladie alcoolique de Griff. Quant à Calli, elle n'en parle jamais — et pour cause.

De l'autre côté de Timber Ridge, se dresse une autre rangée d'arbres — pas la forêt qui commence derrière nos maisons, mais un escarpement élevé qui nous sépare du reste de Willow Creek. Plusieurs kilomètres plus bas, sur Timber Ridge, d'autres maisons comme les nôtres sont disposées de manière à peu près semblable, avec leurs jardins, à l'arrière, qui se fondent dans le bois. Mes semelles crissent sur l'herbe jaunie par le soleil et le manque de pluie. A distance, je vois quelques policiers en discussion avec Antonia, dans le jardin derrière chez elle. Elle gesticule et montre quelque chose, mais je ne parviens pas à distinguer ses traits.

Une camionnette passe devant moi à grande vitesse et s'engage à son tour dans l'allée des Clark. C'est un véhicule de la télé. Je n'ai même pas eu le temps de lire l'indicatif d'appel et ils sont manifestement pressés. De nouveau, mon cœur s'emballe. Je presse le pas tout en décidant de couper par les bois à l'arrière, afin d'éviter, si possible, les journalistes et les caméras. Antonia aussi découvre le véhicule de la télé et se replie chez elle en toute hâte, pendant que les policiers en uniforme se dirigent vers la camionnette en agitant les bras et font signe au conducteur de s'arrêter. Je franchis une centaine de mètres en courant et me dirige vers la porte arrière, mais un policier m'intercepte. Je suis plié en deux, hors d'haleine et en nage. Pourquoi tant de policiers partout ? Telle est la question qui me hante.

— Vous n'êtes pas autorisé à circuler par ici, monsieur. Nous sommes en train de définir un périmètre de scène de crime.

— Je suis Martin Gregory, dis-je.

Un autre policier passe derrière moi, commence à dérouler du ruban jaune de scène de crime, et attache une extrémité à une baignoire à oiseaux placée dans le jardin d'Antonia.

— Que se passe-t-il ici, bon sang ? Qu'avez-vous trouvé ?

— Martin Gregory ? répète le policier.

— Le père de Petra, dis-je avec impatience.

— Euh… oui, monsieur Gregory, bien sûr. Je suis désolé. Passez à l'avant de la maison, s'il vous plaît.

Je réitère ma question.

— Que se passe-t-il ? Vous avez trouvé quelque chose ?

— Le mieux serait que vous voyiez l'agent Fitzgerald, lance le policier par-dessus l'épaule en s'engouffrant dans la maison. Attendez-moi ici, s'il vous plaît.

Sans tenir compte de ses instructions, je le suis à l'intérieur et j'appelle Antonia. Elle est assise sur le canapé, le visage enfoui dans les mains.

— Antonia ? C'est quoi, toute cette agitation ? Qu'est-il arrivé ? Qu'avez-vous découvert ?

Ma voix chevrote.

— Des empreintes, répond Antonia en tremblant. Nous croyons qu'elles appartiennent à Calli. Et il y en a d'autres, faites par des chaussures d'homme.

— Et Petra ? Vous avez vu des empreintes qui pourraient être les siennes ?

L'agent Fitzgerald prend la parole. Je ne l'avais même pas vu, assis dans un coin de la pièce, en conversation avec un autre homme qui pourrait être flic aussi, mais qui porte des vêtements ordinaires.

— Monsieur Gregory, je suis content que vous soyez là.

Il s'avance, bras tendu, et j'essuie ma paume en sueur sur mon pantalon avant d'échanger une poignée de main.

— Que se passe-t-il ?

J'ai l'impression d'avoir déjà posé au moins cent fois cette même question. Sans pour autant obtenir une vraie réponse.

— Asseyez-vous, je vous en prie, me propose Fitzgerald comme s'il se trouvait dans son propre salon.

Je m'assois.

— Monsieur Gregory, Mme Clark a repéré une empreinte de pied d'enfant à côté de marques de chaussures d'homme adulte. Il se peut que ces empreintes remontent déjà à un certain temps. Comme vous le savez, il n'a pas plu depuis plusieurs semaines. Ce qui nous inquiète, c'est que les marques relevées dans la terre donnent à penser qu'il y a eu lutte entre l'homme et l'enfant. C'est là-dessus que se portent nos investigations. Nous allons procéder également à des recherches plus poussées autour de votre maison. Pour le moment, cependant, il semble qu'il n'y ait qu'une paire d'empreintes de petite fille, et pas deux.

L'agent Fitzgerald observe un moment de silence pour me laisser le temps de digérer ces informations. Puis il poursuit :

— Nous avons fait appel à une équipe de techniciens de scène de crime de Des Moines. Ils devraient arriver d'ici peu. Le laboratoire criminel procédera à des recherches très poussées dans vos deux jardins, au cas où il y aurait d'autres preuves matérielles — d'autres traces qui nous auraient échappé. Autre chose encore : les médias sont d'ores et déjà sur les lieux. C'est un point positif pour Mme Clark et pour vous, même si, en ce qui nous concerne, leur présence compliquera notre logistique. Nous ne voulons pas d'interférence qui pourrait nous empêcher de faire correctement notre travail.

— Je veux aller informer Fielda de ce qui se passe. Que dois-je lui dire ?

— La vérité. Vous ne pouvez rien lui cacher, tant que dureront les recherches. Soutenez-vous mutuellement et tâchez de rester forts. Mais j'insiste : il ne faut surtout pas que vous rentriez chez vous.

Il se tourne vers Antonia.

— La même chose vaut pour vous, madame Clark. Votre maison est considérée dès à présent comme une scène de crime. Y a-t-il quelqu'un chez qui vous pourriez aller ?

Antonia paraît hagarde.

— Je crois que… Peut-être chez Mme Norland, là-bas.

D'un geste faible de la main, elle indique la maison de la voisine.

— Très bien. Si les journalistes vous tombent dessus, dites-leur que vous leur ferez une déclaration dans…

Fitzgerald regarde sa montre.

— … une heure. Cela vous laisse assez de temps pour vous ressaisir et pour prévenir Mme Gregory ?

Je fais oui de la tête, même si je me sens incapable de prévoir si je serai prêt ou non.

— Il vous reviendra, à Mme Gregory et vous, ainsi qu'à Mme Clark, de vous exprimer les premiers devant la presse. Puis je ferai une communication rapide pour préciser où en sont les investigations. Et je me chargerai de répondre aux questions. Ça ira pour vous ?

Je hoche de nouveau la tête et me lève, hagard.

— Je retourne chercher Fielda.

Brusquement, on entend un grand charivari dehors et des cris fusent — pas des cris de colère. La télévision, peut-être ? L'agent Fitzgerald se hâte vers la partie antérieure de la maison.

— Monsieur Gregory, vous feriez mieux de venir par ici. Fichus reporters…, maugrée-t-il.

Je me précipite pour le rejoindre et je comprends immédiatement ce qui le préoccupe. Fielda vient de descendre en chancelant de la voiture de sa mère et se dirige, dans un état second, vers la maison des Clark. Une journaliste isolée flanquée d'un caméraman vient de fondre sur elle, et ma femme paraît tellement désemparée… Elle promène autour d'elle un regard désorienté, comme un appel à l'aide, et je me rue hors de la maison pour courir la soutenir.

— Etes-vous de la famille des deux petites filles disparues ? demande la journaliste. Que savez-vous des traces qui ont été trouvées dans le jardin, à l'arrière de la maison ?

Fielda tourne vers moi un regard désespéré. Sa robe bain

de soleil à fleurs est froissée, ses cheveux sont aplatis sur un côté et en désordre, son mascara a coulé sous les yeux, et une de ses joues est encore marquée par l'empreinte de l'oreiller.

— On nous a dit que la mère de Jenna McIntire était venue à Willow Creek. Avez-vous eu l'occasion de parler avec Mary Ellen McIntire ? A-t-elle pu vous soutenir et vous orienter pour vous aider à supporter l'épreuve que vous êtes en train de vivre ?

La journaliste, une femme au visage sérieux, vêtue d'un ensemble rouge, lui colle son micro sous le menton. Fielda se fige. L'espace d'un instant, je me dis, horrifié, qu'elle va s'évanouir. Ses yeux roulent vers l'arrière, comme si elle glissait dans le coma. Mais je lui entoure solidement les épaules et la tiens serrée contre moi. Je sens que son vertige passe et qu'elle revient à elle. Je tourne le dos à la maison des Clark et l'entraîne avec moi. Antonia nous emboîte le pas et nous suit de près. L'agent Fitzgerald s'interpose et se présente à la journaliste.

Fielda prend quelques respirations profondes.

— Ça va, Martin, je tiens debout. Dis-moi ce qui se passe.

Je dois avoir l'air sceptique, car son regard se fait coupant, métallique.

— Martin, je vais bien, je te le jure. Il faut que je sois forte si je veux pouvoir aider Petra. Raconte-moi ce qui vient d'arriver ici, afin que nous puissions réfléchir à la meilleure conduite à suivre.

Ben

Calli, tu te souviens de la fois où j'ai dormi dans un arbre ? L'arbre immense sur lequel nous grimpons souvent, juste après le Chagrin des Saules ? J'avais neuf ans, donc tu devais en avoir quatre et tu ne parlais déjà plus. Et j'en avais vraiment ma claque de voir tout le monde s'acharner pour t'arracher un mot. C'était la seule chose qui intéressait encore maman : te faire dire quelque chose, n'importe quoi.

Elle te faisait asseoir à la table de la cuisine et demandait des trucs du style :

— Tu veux de la glace, Calli ?

Toi, tu faisais oui de la tête, bien sûr. Quel enfant de quatre ans refuserait de la glace un mardi matin à 9 heures ?

— Dis « s'il te plaît », Calli, serinait maman, et tu auras de la glace. Regarde la bonne glace… Miam, miam !

Elle te parlait de cette voix haut perchée, énervante, avec ce ton gnangnan que prennent les femmes quand elles veulent obliger un bébé à manger des trucs dégueulasses comme de la purée de patates douces.

Toi, naturellement, tu ne répondais jamais. Mais maman s'obstinait quand même. La crème glacée finissait par tiédir et se ramollir, et vous étiez toujours là, toutes les deux, assises à table alors que tu n'avais qu'une envie, c'était d'aller sur le canapé pour regarder les dessins animés.

Au bout du compte, tu ne décrochais jamais un mot, mais maman jetait la glace fondue et te resservait de la fraîche, bien ferme, que tu mangeais devant la télévision. Alors, tu parles comme elle devait être efficace, sa méthode ! Après deux ou trois séances comme celle-là, même une gamine de quatre ans comprend qu'il suffit d'attendre pour que la récompense arrive.

Un jour, j'en ai eu vraiment marre. Je n'en pouvais plus de rester là, à regarder maman essayer de t'acheter. Elle se démenait pour te faire parler, alors que je voyais bien que ça ne servait à rien. Cette fois-là, maman a sorti la crème glacée du congélateur et pris les cornets dans un placard.

« Oh, oh, j'ai pensé, elle dégaine les cornets, cette fois. Elle essaie l'artillerie lourde. » Maman a commencé comme d'habitude :

— Tu veux de la glace, Calli ? Mmm... Qu'est-ce que je vois ? Vanille, chocolat et noisettes ! Ta préférée, ma puce !

— Comment tu le sais ? ai-je demandé.

Ça a été plus fort que moi. Maman a continué de former une boule avec sa cuillère à glace.

— Pardon ?

— Comment tu sais que c'est encore la vanille-chocolat aux noisettes qu'elle préfère ?

Maman m'a regardé d'un air surpris.

— Je le sais, c'est tout. Regarde, Calli, des cornets.

— Elle n'aime plus les petits bouts de noisettes écrasées, maintenant. Elle les laisse toujours et mange ce qu'il y a autour, tu n'as pas remarqué ?

— Va jouer, Ben.

J'ai trouvé qu'elle me prenait vraiment de haut.

— Non, j'irai pas jouer ! C'est trop nul, ton truc !

Cela m'avait surpris d'avoir haussé le ton avec elle.

— Ben, va jouer, a répété maman, plutôt sévèrement, cette fois.

— Non, je te dis ! Calli ne peut pas parler. Elle ne *peut* pas ! Donne-lui mille glaces, mille bonbons, mille gâteaux et elle continuera de se taire quand même. Ce n'est pas exprès qu'elle ne parle pas ! ai-je hurlé.

— Ben, calme-toi, m'a-t-elle ordonné à voix basse.

Lorsqu'elle m'a regardé, je n'ai pas détourné les yeux, la mettant au défi de me forcer à quoi que ce soit.

— Si tu voulais vraiment savoir pourquoi elle ne parle pas, tu irais poser la question à papa!

Je me souviens d'avoir jeté un rapide coup d'œil autour de moi pour m'assurer qu'il ne m'entendait pas, même si je savais qu'il était en Alaska.

— Ben, ça suffit! a crié maman en retour.

J'ai vu que son menton tremblait.

— Non!

Je lui ai arraché sa cuillère à glace des mains, et j'ai couru jusqu'à la porte pour la jeter de toutes mes forces dans le jardin. Pourquoi j'ai fait ça, je ne sais pas trop. Mais à ce moment-là, ça me paraissait logique, comme geste.

Et pendant tout ce temps, toi, Calli, tu restais assise à nous regarder, tout effrayée, avec tes grands yeux ronds. Quand les cris ont commencé, tu as mis tes mains sur tes oreilles et tu as fermé les paupières en les serrant très fort.

J'ai bien cru un instant que maman allait me frapper. Elle avait cette même lueur dans les yeux que papa quand il va m'en mettre une.

J'ai hurlé :

— Oui, c'est ça, vas-y, frappe-moi! Tu es en train de tourner comme papa, de toute façon! Une brute qui oblige toujours les autres à faire ce qu'il veut.

J'ai couru, couru, couru. Un peu comme aujourd'hui, en fait. Pas si courageux que ça, l'ami Ben, hein? Et j'ai tenu toute la nuit dans le vieil arbre près du Chagrin des Saules. Toi et maman, vous êtes venues me chercher et j'étais assis en silence sur ma branche, à vous observer, juste en dessous de moi. Je pensais que tu ne me voyais pas, mais je t'ai surprise à lever les yeux vers moi, tu m'as adressé un petit signe de la main et je t'ai fait coucou en retour. Maman a dû comprendre où j'étais, car elle est revenue un peu après avec des sandwichs et des boissons rafraîchissantes.

Elle a déposé le tout au pied de l'arbre et t'a dit :

— Je vais laisser un peu de nourriture pour Ben. Comme ça, s'il a faim, tout à l'heure, il aura un petit quelque chose à manger.

J'ai passé toute la journée et toute la nuit dans cet arbre. Je suis juste descendu pour prendre le sac de nourriture et pour pisser. Toi et maman, vous êtes revenues me voir un paquet de fois, ce jour-là, et j'étais sûr que maman allait essayer de m'obliger à descendre. Mais elle n'a rien dit, rien demandé. Elle a juste posé un vieil oreiller et une couverture à proximité du tronc.

J'ai somnolé dans ce vieil arbre toute la nuit et je suis redescendu le lendemain matin, tout raide et moulu, mais je l'ai fait. Maman ne s'est pas mise en colère comme je le pensais. Elle n'a pas dit un mot au sujet de ce qui s'était passé. Mais elle a arrêté d'essayer de t'acheter avec de la crème glacée et des cornets. Plus jamais elle n'a recommencé. Bon, d'accord, de la glace, on a continué à en manger. Mais jamais de la vanille-chocolat avec des petits bouts de noisettes. Et plus une seule fois elle ne t'a seriné ses : « Dis "s'il te plaît", Calli. »

Calli, s'ils te ramènent à la maison saine et sauve aujourd'hui, je t'achèterai le plus gros sundae sans noisettes que je pourrai payer avec l'argent de ma tournée de journaux.

Calli

Calli descendait lentement le long du sentier. Il s'ouvrit sur une prairie dorée de chaque côté. De délicates ombellifères s'inclinèrent sur son passage. Jamais encore elle ne s'était aventurée aussi loin. Mais elle se sentait plus en sécurité, ici, sous le ciel ouvert. Il y avait moins d'ombres, moins de silhouettes mouvantes devinées dans le fouillis des sous-bois. Des hémérocalles orange et des rudbeckias pourpres à demi fanés bordaient le chemin.

Petra appelait les rudbeckias des marguerites violettes et en cueillait toujours dans un fossé derrière chez elle pour en accrocher dans ses cheveux. Puis elle continuait de ramasser d'immenses brassées de fleurs avant d'organiser des cérémonies de mariage compliquées entre des poupées et des peluches. Une fois, alors que l'un des étudiants de son père, un dénommé Lucky, était passé voir les Gregory l'été précédent avec son chien Sergent, Petra et elle avaient rédigé en hâte des invitations pour des noces.

Nous vous prions de venir partager notre joie
Cet après-midi dans le jardin
Gee Wilikers Gregory
Et
Sergent Thompson
Célébreront leur union

Gee Wilikers était le fox-terrier en peluche de Calli. Elle avait glissé les fleurs orange de la suzanne aux yeux noirs dans le collier rouge de Sergent et tressé des marguerites blanches afin que Gee Wilikers, Petra et elle les portent en couronne. Petra présidait la cérémonie et elle était la demoiselle d'honneur. Lucky, Martin, Fielda et Antonia avaient été installés dans des chaises de jardin et jouaient le rôle d'invités. Ben, lui, n'avait rien voulu avoir à faire avec « leurs machins de fille ».

Pendant que Petra fredonnait la marche nuptiale, Calli avait précédé Sergent et Gee Wilikers dans une allée centrale d'église figurée par un vieux chemin de table en dentelle. Lucky avait fait mine de pleurer de bonheur en prenant Petra dans ses bras. Il l'avait serrée contre lui en déclarant que c'était « le plus beau mariage du monde ». Antonia avait fait des photos et la maman de Petra avait servi des sorbets au citron à tout le monde et des boissons aromatisées.

Calli se souvenait d'avoir joué au chat perché avec Lucky et Petra. Se souvenait d'avoir essayé de grimper en haut du chêne dans le jardin des Gregory, aidée par Lucky qui l'avait soulevée à bout de bras avant de grimper à son tour. Perchés sur une branche, ils avaient bombardé la pelouse de glands et regardé Sergent courir dans tous les sens pour essayer de les attraper. Avec Lucky qui lui tenait la taille, elle n'avait pas eu peur de tomber un seul instant. Elle gardait le souvenir d'une journée marquée par le bonheur. Plus tard, elle avait passé les bras autour du cou de Sergent et enfoui son visage dans sa fourrure rousse toute chaude de soleil. Les poils du chien formaient des touffes hirsutes qui avaient adhéré à son visage poisseux et à ses mains collantes de glace.

Aujourd'hui, perdue seule dans les bois au milieu des herbes hautes, Calli s'assit pour tresser des rudbeckias pourpres et fabriquer une couronne qu'elle posa sur sa tête. Puis elle commença à en confectionner une seconde pour Petra. *Petra.* Sa grande amie lui manquait. Une fois leur amitié scellée, Petra était devenue son porte-parole officiel à l'école. A compter du premier jour, Petra lui avait offert sa voix et s'était chargée de la communication verbale avec le monde alentour. Mme Vega, leur institutrice de CP, avait accepté spontanément cet état de fait et semblait les considérer, toutes les deux, comme une seule entité à deux têtes. Une fois, à l'occasion d'un voyage scolaire à Madison pour visiter le zoo, le car avait fait une halte et toute la classe avait mangé dans un fast-food. Et lorsque Mme Vega lui avait demandé à elle, Calli, ce qu'elle voulait manger, c'était vers Petra qu'elle s'était tournée.

Petra avait répondu sans trop réfléchir : « Elle veut un hamburger simple, juste avec de la moutarde, des frites et un Sprite. Calli adore la moutarde. »

La plupart des adultes à qui elle avait affaire à l'école s'adaptaient à son « problème ». Mais un matin, en arrivant, elle n'avait pas trouvé Mme Vega, mais une remplaçante qui les attendait dans la cour. La nouvelle maîtresse temporaire était une grande femme massive, avec une peau d'allure pâteuse, une masse de cheveux gris frisés et une expression sévère sur son visage flétri. Son nom était Mme Hample et elle n'avait ni la patience ni la bonne humeur de Mme Vega. Mme Hample avait fait le tour de la classe en leur demandant de se présenter. Lorsque son tour était arrivé, Calli avait juste baissé le nez sur son bureau et gardé le silence.

Petra, comme d'habitude, lui avait servi de porte-parole.

— Elle s'appelle Calli.

Mme Hample l'avait considérée d'un œil terrible mais n'avait pas fait de commentaires. Au bout d'une heure de classe, cependant, Petra avait dû répondre trois fois à sa place. Et Mme Hample avait explosé comme un volcan.

— Petra, je ne veux plus que tu parles à la place de Calli, tu m'entends ? Ce n'est pas à toi que j'ai posé la question !

— Mais Calli ne…

Mme Hample ne laissa pas Petra terminer sa phrase.

— Veux-tu m'écouter quand je te parle, Petra ? Je t'interdis dorénavant de prendre la parole à la place de ta petite camarade. C'est clair ? Calli est assez grande pour s'exprimer toute seule.

Juste avant la récréation, Calli s'approcha timidement

de Mme Hample et indiqua en langue des signes qu'elle avait besoin d'aller aux toilettes. Elle dessina la lettre T en introduisant le pouce entre ses deux premiers doigts, puis elle tourna le poignet dans un sens puis dans l'autre.

— Qu'est-ce que ça veut dire, ça? Tu es sourde?

Calli fit non de la tête. Mme Hample fit claquer sa langue avec impatience.

— Mais enfin, Calli, si tu as quelque chose à me dire, dis-le et qu'on en finisse!

— Elle est timide, elle ne parle pas. Elle a besoin d'aller faire…

Mais Mme Hample leva une main impérieuse, obligeant Petra au silence.

— Petra, tu resteras debout au coin pendant la récréation, puisque tu refuses d'obéir. Et toi, Calli, si tu ne te décides pas à me demander toi-même ce que tu veux, je te propose de retourner t'asseoir à ta place et de rester là jusqu'à ce que tu retrouves ta langue. Les autres, mettez-vous en rang deux par deux. Nous sortons en récréation.

Pendant que Calli restait seule en classe, les genoux pressés l'un contre l'autre, Petra s'était mise tout au bout de la queue qui attendait pour sortir. Mais au lieu de suivre les autres dans la cour, elle s'était faufilée dans l'escalier et avait couru jusqu'au bureau de M. Wilson. Le psychologue scolaire était assis à sa table de travail et parlait au téléphone. Mais il s'était hâté de raccrocher en voyant l'expression paniquée de Petra.

— Bonjour, Petra. Que se passe-t-il?

— C'est la remplaçante, avait chuchoté Petra à voix basse, comme si elle pensait que Mme Hample pouvait l'entendre. Elle est méchante. Mais alors vraiment méchante, *méchante*.

M. Wilson sourit.

— Je sais que les remplaçantes ne sont pas toujours comme les institutrices habituelles, mais il faut quand même faire ce qu'elles demandent, Petra.

— Oui, je sais! Mais c'est avec Calli qu'elle est trop méchante! Elle lui a interdit d'aller faire pipi.

— Comment cela ? demanda M. Wilson.

— J'ai essayé d'aider Calli, comme je fais d'habitude, quand je dis les trucs à sa place. Mais Mme Hample, ça la met en colère. Calli lui a fait des signes pour expliquer qu'elle voulait aller aux W.-C., mais Mme Hample n'a rien compris. « Si tu ne peux pas me le dire toi-même, alors tu resteras assise à ta place », déclara Petra, offrant une remarquable imitation du ton de l'institutrice.

— Bon, viens avec moi, Petra. Nous allons voir ce que nous pouvons faire.

— Noooon ! protesta Petra, la main devant la bouche. Normalement, je devrais être dehors, au coin. Si elle apprend que je suis venue vous voir, elle me tue !

— Bon, alors, file dehors et fais ce qu'on t'a dit. Je vais aller voir Calli et discuter un peu avec Mme Hample. Tu sais quoi, Petra ? Tu es une vraie amie pour Calli ; une amie comme tout le monde aimerait en avoir. Calli a de la chance.

Sous le compliment de M. Wilson, Petra montra son sourire troué depuis le passage de la souris blanche.

M. Wilson se dirigea vers la salle de classe, regarda par la porte vitrée et vit Calli assise à son bureau, tête basse, ses longs cheveux dissimulant son visage. Il entra dans la salle, s'approcha. De grosses larmes tombaient une à une, formant une tache mouillée qui s'étendait petit à petit sur le papier gris de son cahier de brouillon.

— Hé, Calli ! Tu es prête pour notre entretien ? demanda joyeusement M. Wilson.

Calli tressaillit et leva les yeux vers lui. Jamais, jusqu'à présent, elle n'avait vu M. Wilson un vendredi. Juste les mardis et les jeudis, en fin d'après-midi, un peu avant l'heure de sortie de la classe.

— Je suis désolé d'être en retard, poursuivit M. Wilson en regardant sa montre d'un air embêté. J'ai été retenu à cause d'une réunion. Tu viens ? On monte dans mon bureau.

Calli se leva et jeta un regard craintif à Mme Hample.

— Je vous la ramène dans vingt minutes, juste après la récréation.

Il avait adressé ces derniers mots à l'institutrice remplaçante.

— Cette petite refuse d'ouvrir la bouche, vous savez, commenta Mme Hample en parlant d'elle comme si elle était sourde. Je pense qu'un cycle spécialisé pour les troubles du comportement serait indiqué. Cette enfant n'est pas comme les autres.

— Pas comme les autres ? Il n'y a pas un seul élève dans cette école qui est « comme les autres ». Calli est parfaitement à sa place ici. Nous n'aurons plus besoin de vous aujourd'hui, madame Hample. Vous pouvez passer au bureau pour signer les papiers nécessaires. Merci.

Lorsque Calli sortit des toilettes, M. Wilson l'envoya jouer dehors jusqu'à la fin de la récréation. Petra et elle participèrent à un jeu de marelle avec d'autres enfants du cours primaire. Mme Hample partit ce jour-là et ne revint jamais. Ce fut M. Wilson qui assura la classe tout l'après-midi. En rentrant à la maison après l'école, Calli avait un mot dans son sac à dos, que M. Wilson avait rédigé à l'intention de sa mère. Calli observa sa maman pendant qu'elle le lisait et vit le visage d'Antonia s'affaisser un peu plus à chaque ligne. Lorsqu'elle eut terminé sa lecture, elle posa la lettre de côté et lui fit signe de venir.

— Petra est une amie en or pour toi, chuchota sa maman en l'attirant sur ses genoux.

Calli fit oui de la tête et se mit à jouer avec le col de la chemise d'Antonia.

— Qu'est-ce que tu en penses, Calli ? On pourrait essayer de faire une jolie surprise à Petra ?

Elle hocha la tête avec enthousiasme.

— Des cookies, ça te dirait ? proposa Antonia.

En guise de réponse, Calli se laissa glisser de ses genoux et commença à sortir les œufs et le beurre du réfrigérateur.

— Ce que Petra a fait pour toi, tu t'en souviendras toujours, Calli. Et n'oublie jamais une chose : un jour, Petra aura besoin de ton amitié comme toi tu as eu besoin de la sienne aujourd'hui.

Un peu plus tard ce soir-là, Calli et Antonia livrèrent les cookies encore chauds et fondants chez les Gregory. Les parents de Petra avaient souri avec fierté lorsqu'il avait été question de l'initiative courageuse de leur petite fille en faveur de Calli.

Ensemble, Petra et Calli avaient couru se réfugier sous la véranda pour manger les cookies au bon goût de chocolat.

A présent, dans la prairie dorée, son ventre grondait de faim au souvenir des biscuits aux pépites de chocolat, pendant qu'elle tissait une couronne pour sa meilleure amie. Calli sentit que son nez commençait à brûler sous le soleil implacable et se leva pour retourner dans l'ombre calme de la forêt.

Antonia

Martin, Fielda et moi, nous nous serrons les uns contre les autres sur le canapé de Mme Norland et essayons de convenir d'une conduite à suivre. Il faut que nous parlions à la presse, cela au moins est sûr. Mais nous ne savons par où commencer, ni quoi dire. Cela peut sembler bizarre, mais comment un parent qui ne trouve plus son enfant est-il censé s'avancer vers les caméras et annoncer au monde entier : « Ma petite fille a disparu, je vous en prie, aidez-moi à la retrouver » ?

Toujours est-il qu'il faut le faire. Je tiens à la main une collection de photos de ma fille : Calli le jour de sa rentrée au CP, un sourire hésitant aux lèvres, avec deux incisives manquantes, ses cheveux peignés et bouclés, regardant l'objectif bien en face. Calli en maillot de bain jaune, au début de l'été, la peau légèrement rosie par le soleil, ses cheveux séparés en deux couettes. Calli et Petra, pas plus tard que la semaine dernière, bras dessus bras dessous, leurs deux têtes l'une contre l'autre.

Je me lève sur une impulsion.

— Allez, on y va.

Surpris, Martin et Fielda me regardent.

— Nous trouverons quoi dire au fur et à mesure. Allez, venez.

Je me raccroche à la main de Fielda alors que nous nous avançons vers la porte, et elle se cramponne à celle de Martin. Nous formons une drôle de chaîne lorsque nous quittons la maison. Ainsi, main dans la main, nous suivons la longue allée de Mme Norland jusqu'à la route où les journalistes nous attendent. Je porte une main en visière pour me protéger de l'éclat du soleil et la journaliste nous regarde, dans l'expectative. Pendant quelques instants, le calme et le silence nous accueillent. Puis la femme en tailleur rouge s'adresse à nous :

— Croyez que je partage votre inquiétude au sujet de vos deux petites filles. Je me présente : Katie Glass. Je suis reporter pour la chaîne KLRS. Accepteriez-vous de répondre à quelques-unes de mes questions ?

— Mon nom est Antonia Clark et voici Martin et Fielda Gregory. Nos filles, Calli et Petra, ont… ont disparu.

Je lève la photo où l'on voit Calli et Petra ensemble à la table de cuisine. Ma main tremble.

Fielda serre mes doigts très fort entre les siens et enchaîne à voix basse :

— S'il vous plaît, aidez-nous à retrouver nos enfants… Aidez-nous. Elles ont sept ans et sont inséparables. Ce sont de chouettes filles, toutes les deux. Alors, je vous en supplie, si quelqu'un sait où elles se trouvent, faites-le-nous savoir.

Je jette un coup d'œil à Martin. Il a les yeux fermés et le menton contre la poitrine.

— A quelle heure avez-vous constaté que vos filles n'étaient plus à la maison ? demande la reporter.

L'agent Fitzgerald s'interpose.

— La disparition de Petra Gregory remonte environ à 4 h 30, ce matin. Celle de Calli Clark est survenue juste un petit peu plus tard. Elles ont sept ans l'une et l'autre. Petra Gregory a été vue pour la dernière fois dans un pyjama short bleu ; Calli Clark en chemise de nuit rose. Hier soir encore, elles étaient chez elles, à la maison, couchées dans leur propre lit.

— Avez-vous repéré des suspects ?

— Aucun, non. En revanche, nous essayons de joindre le père de Calli, Griff Clark, ainsi que son ami, Roger Hogan. Ils sont partis tôt ce matin pour une expédition de pêche et nous souhaitons les informer de la situation. Si quelqu'un sait où se trouvent ces deux hommes, demandez-leur de prendre contact avec le bureau du shérif du comté de Jefferson.

— Des soupçons pèsent-ils sur ces deux hommes ? demande Katie Glass.

Je sursaute et les Gregory me regardent d'un air surpris.

— Griff Clark et Roger Hogan ne sont en aucun cas des suspects. Nous voulons juste informer M. Clark que sa fille et Petra Gregory ont disparu.

— Où sont-ils partis pêcher ?

— Quelque part au bord du Mississippi, vers Julien.

— Avez-vous des photos de ces deux hommes ?

— Pas de photos, non. Je le répète : ce ne sont pas des suspects, mais il est important qu'ils regagnent rapidement Willow Creek.

— Voyez-vous des similitudes entre la disparition de ces deux petites filles et l'affaire Jenna McIntire ? demande la journaliste.

Mon ventre se contracte d'horreur. C'est la première fois que j'entends prononcer le nom McIntire en relation avec la disparition de ma fille.

Fitzgerald secoue la tête et répond avec assurance :

— Nous n'avons aucun commentaire à faire pour l'instant sur un lien éventuel entre ces deux affaires.

— Est-il exact que Mary Ellen McIntire, la mère de la petite Jenna, se trouve actuellement ici, à Willow Creek, où elle souhaite venir en aide aux deux familles ?

— Je n'ai pas été informé de l'arrivée de Mme McIntire. C'est tout, pour cette fois. Lorsque nous en saurons plus sur ce qui est arrivé à Petra et à Calli, nous ferons une nouvelle communication. Pour le moment, les familles Gregory et Clark, ainsi que le bureau du shérif du comté de Jefferson, seraient reconnaissants à toute personne susceptible de les informer sur l'endroit où se trouvent Petra Gregory et Calli Clark de se mettre en contact avec les autorités locales.

Là-dessus, l'agent Fitzgerald s'écarte des micros tendus et

repart en direction de la maison de Mme Norland. Nous lui emboîtons le pas. Fielda a lâché ma main au moment où le nom de Griff a été prononcé. Mais elle se raccroche toujours à celle de Martin.

Dès que nous nous retrouvons seuls dans la maison de notre voisine, Fielda se retourne contre moi.

— C'est quoi, cette histoire à propos de ton mari qui serait parti à la pêche très tôt ce matin? Saurait-il quelque chose au sujet de Petra et de Calli? Pourquoi n'est-il pas rentré à la maison?

Je lève la main.

— Stop. Griff ne sait pas ce qui est arrivé aux filles. Roger et lui sont partis pêcher bien avant l'aube. Cela faisait des semaines qu'ils avaient ce projet en tête.

J'essaie — en vain — de contenir la colère dans ma voix.

— Il avait bu, observe Martin.

— Quoi?

— Griff avait picolé. Ce matin, j'ai vu des canettes vides partout.

Je repousse cet argument d'un haussement d'épaules.

— Cela ne veut rien dire. Admettons qu'il ait avalé quelques bières. Et alors?

Au bord de mon champ de vision, je vois l'agent Fitzgerald. Il nous observe avec attention.

— Je l'ai déjà vu ivre, poursuit Martin. On ne peut pas dire que Griff soit un tendre, lorsqu'il est sous l'empire de l'alcool.

Je marmonne que ça ne le regarde pas.

— Ma fille a disparu! hurle Fielda. Ma fille a disparu et tu décrètes que l'alcoolisme de ton mari n'a rien à voir! *Peut-être* que ça n'a aucun rapport. Mais rien n'exclut qu'il y en ait un, au contraire! Et pendant que nous y sommes : et ton fils? Comment se fait-il qu'il ne soit pas là? Il en passait du temps, à partager les jeux des filles! Tu trouves ça normal, toi, qu'un adolescent soit tout le temps fourré avec deux petites filles de sept ans?

Je crie à mon tour :

— Comment oses-tu insinuer une chose pareille? Ben ne toucherait jamais à un cheveu d'une de nos filles! C'est monstrueux, ce que tu dis! D'ailleurs, c'est facile de proférer des accusations. Mais qu'est-ce qui nous prouve que vous n'avez joué aucun rôle dans cette disparition, Martin et toi?

— Martin et moi?

La voix de Fielda se fait encore plus stridente.

— Mon Dieu, ce qu'il ne faut pas entendre! C'est toi qui as un mari toujours soûl et une fille qui n'ouvre jamais la bouche. Et pour quelle raison se tait-elle, d'après toi? Pourquoi Calli ne parle-t-elle pas? Il me semble qu'il se passe des choses pas très claires, chez vous, pour qu'une petite fille en parfaite santé physique ait choisi de se murer dans ce silence de pierre!

— Dehors, dis-je — tout bas, cette fois. Va-t'en d'ici, s'il te plaît.

L'agent Fitzgerald s'interpose.

— Dans l'intérêt de vos filles, il est important que nous conjuguions nos efforts et que nous restions solidaires. Il n'y a aucune raison pour que vous vous accusiez mutuellement. Aucune. Faisons plutôt notre travail.

— Je regrette.

Je me tourne vers Fielda et murmure faiblement après un temps de silence :

— Je sais que vous seriez incapables de faire le moindre mal aux filles. Je suis juste… malade d'inquiétude.

— Je regrette aussi, dit Fielda. Et je sais qu'il n'y a rien à craindre de la part de Ben. Je suis vraiment désolée. A plus tard.

Fielda me tapote le bras d'un geste conciliant et ils quittent la maison.

Je note qu'elle n'a pas dit qu'il n'y avait rien à craindre de la part de *Griff*.

Griff n'a pas toujours été l'homme qu'il est aujourd'hui. Pas au début, en tout cas. Buveur, il l'a été d'emblée, pourtant, et il ne s'en cachait pas. Je pensais que ça venait de sa jeunesse, de son exubérance, de son joyeux anticonformisme. Il y avait quelque chose d'excitant dans sa présence. Et j'étais fière qu'un homme de son âge s'intéresse à la lycéenne que j'étais. Avec cela, il était adorable. Et il *voulait* rester avec moi.

J'étais tellement seule, à l'époque. Ma mère était morte, mes frères avaient quitté la maison et mon père tournait en rond chez nous, dévoré par le chagrin de son deuil, regrettant sa femme, regrettant ses fils. L'hiver de mon année de terminale, Griff est entré d'un pas nonchalant chez Gas & Co où je tenais la caisse de la boutique. Il m'a souri, s'est dirigé tout droit vers le rayon bières où il a pris un pack, avec un gros sachet de chips et un cake au chocolat dans son emballage en papier aluminium. Puis il a posé le tout sur le comptoir.

— Super dîner, non?

— Très équilibré, oui, ai-je observé en enregistrant ses articles. Pouvez-vous me montrer une pièce d'identité pour la bière, s'il vous plaît?

— Pourquoi? Je n'ai pas l'air d'avoir vingt-trois ans? a demandé Griff en souriant.

Je lui ai rendu son sourire.

— Je n'ai pas dit cela. Je contrôle systématiquement. Même pour les clients qui ont l'air d'en avoir quatre-vingts.

— Donc, pour toi, je fais quatre-vingts barreaux?

— Pas encore, mais cela pourrait arriver rapidement, avec un régime de bières, de frites et de cakes industriels au chocolat, ai-je répliqué en m'efforçant de ne pas me mettre à rire.

Dieu que j'étais gourde, à l'époque!

— Tu as quel âge, toi? Douze petits printemps? riposta Griff.

J'ai redressé les épaules, m'efforçant de paraître plus grande et plus vieille que je ne l'étais.

— Très drôle. J'ai dix-huit ans.

— Ah oui? Je n'en reviens pas.

Il plissa les yeux pour inspecter mes traits d'un regard attentif.

— Je t'en donnerais treize. Quatorze, tout au plus.

— Ah, ah...

Je voulais rester impassible, mais je me sentais rougir et espérais que je ne transpirais pas trop.

— Je m'appelle Griff Clark, au fait, dit-il en sortant son permis de conduire de son portefeuille pour le poser sur le comptoir.

— Antonia Stradensky.

J'espérais que mon vrai prénom en imposerait plus que mon diminutif. Griff cligna des yeux en regardant mon badge.

— Ho ho, je ne comprends plus, là! Qui est Toni, alors? Qu'as-tu fait de cette pauvre fille?

Là, il me prenait au dépourvu.

— C'est moi, évidemment! Tout le monde sait que Toni est une version abrégée d'Antonia!

Mortifiée, j'ai posé sa monnaie au creux de sa paume ouverte. Il m'a gratifiée d'un magnifique sourire.

— A un de ces jours, Antonia. Et n'oublie pas de sortir cette pauvre Toni du congélateur avant de rentrer chez toi.

— Oui, c'est ça, ai-je rétorqué. Je n'y manquerai pas.

Après cela, Griff est passé quasiment chaque soir où je travaillais. Lorsqu'il ne venait pas, je m'inquiétais et me demandais s'il s'intéressait vraiment à moi. Puis je le voyais arriver de son pas dégagé, avec le panache de ses cheveux roux en bataille, et j'en avais des papillons dans l'estomac et le sourire scotché aux lèvres jusqu'à l'heure de la fermeture.

Un soir d'avril, il a fini par me demander de sortir avec lui. A sa façon, bien sûr. Il était minuit et je venais juste de compter ma caisse. C'était une très belle soirée de début de printemps, et j'ai trouvé Griff qui m'attendait sur le petit parking au moment où je descendais les stores métalliques.

— Une fille de ton âge ne devrait pas travailler seule à une heure pareille. C'est dangereux.

— Ça tombe bien que tu sois là, alors.

— Je ne te le fais pas dire. Je t'emmène faire un tour en voiture ?

J'hésitai.

— Je ne peux pas trop, non. Mon père m'attend. Il se ferait du souci.

C'était faux. Depuis la mort de ma mère, je n'avais pas souvenir que mon père ait jamais veillé après 9 heures du soir.

— Un petit tour à pied, alors ?

Nous avons marché. Mais ce ne fut pas une petite promenade. Pendant deux heures, nous avons déambulé, déambulé, jusqu'à faire trois fois le tour de la ville. A la fin nous nous sommes retrouvés dans le parc de l'université Saint-Gall, entre les vieux bâtiments d'allure gothique.

— Qu'est-ce que tu fais ? lui ai-je demandé.

Griff s'est mis à rire.

— Beaucoup de choses. Je mange, je dors, je me balade…

— Comme boulot, je veux dire !

— Pour l'instant, je travaille à Lynndale, dans la ferme de mon oncle. Mais je suis sur un autre plan, là. Je vais essayer de me faire embaucher sur le pipeline, en Alaska.

— Ah…

Une boule de découragement se forma dans mon ventre.

— Tu t'en vas d'ici, alors ?

— Il y a des chances, oui. Je n'avais pas trop de raisons de rester ici, avant.

— Avant quoi ?

— Avant qu'une certaine petite fille ne commence à me tourner autour.

— Je ne suis pas une petite fille.

— Ah ouais ? Prouve-le.

Et je l'ai fait. Là-bas, dans le parc de l'université.

Quand ce fut fini, Griff n'a pas dit un mot — ce fut la première de ces rages silencieuses que j'aurais à endurer par la suite.

— Quoi ? Qu'est-ce qui ne va pas ? ai-je demandé.

— C'était qui ?

Je n'ai rien compris à sa question.

— Qui quoi ? Qu'est-ce que tu racontes ?

— Tu *sortais* avec qui, avant moi ?

Il avait prononcé « sortais » comme il aurait proféré une insulte.

— Personne. Enfin, je veux dire quelqu'un. Mais ce n'était rien.

Il enroula ses doigts dans mes cheveux et me tint ainsi fermement. Sans tirer. Je ne ressentais aucune douleur.

— Que je ne te voie plus jamais avec lui. Ne lui adresse plus la parole.

— On ne se parle déjà plus.

— C'est bien.

Il se détendit et me sourit.

Puis il me raccompagna jusqu'à ma voiture, m'embrassa et me renvoya chez moi.

Après cela, nous nous sommes vus tous les jours. Et au printemps suivant, Griff me passait la bague au doigt.

Je ne le regrette pas, ce mariage. J'ai, après tout, deux enfants merveilleux. Il m'arrive cependant de me demander ce qui se serait passé si je n'avais pas épousé Griff. Me serais-je mariée avec quelqu'un d'autre ? Avec Louis, peut-être ? Habiterais-je toujours à Willow Creek ou aurais-je eu une maison jaune au bord de l'océan ? Quoi qu'il en soit, ma vie est ce qu'elle est. Je ne la gaspille pas en vains souhaits.

Louis

Mary Ellen McIntire est, sans conteste, la femme la plus triste que j'aie jamais rencontrée. Deux sillons douloureux creusent ses joues, de chaque côté de la bouche, et il est difficile de soutenir le regard de ses yeux las, sous les paupières gonflées. La souffrance qu'ils reflètent vous perfore littéralement. Je lui souhaite la bienvenue dans mon petit domaine. J'aurais souhaité que Fitzgerald soit là, mais il n'y est pas. Alors je propose à Mme McIntire de s'asseoir.

L'affaire Jenna McIntire s'est déroulée sous le signe de la tragédie de bout en bout. Une petite fille de dix ans, très belle, disparaît de chez elle au milieu de la nuit. Personne ne sait pourquoi. Jamais encore elle n'était sortie de la maison sans permission. Jenna avait une passion pour les poupées dont elle possédait une impressionnante collection. J'ai vu sa chambre et il y en avait partout : des baigneurs, des poupons, des poupées mannequins, des poupées chiffon, des modèles anciens en celluloïd. Aucun signe d'effraction, pas la moindre trace de lutte. Juste la présence encore tangible d'une petite fille qui semblait s'être évanouie en fumée. Le père jurait ses grands dieux qu'il avait verrouillé la porte arrière de la maison, la veille, mais au matin, on l'avait trouvée ouverte.

Toujours, toujours, les parents sont les premiers suspects. Même si rien, a priori, ne semble les accuser. Mais les statistiques jouent contre eux : dans la majorité des affaires d'enfants disparus, l'auteur est un membre de la famille ou une personne proche, connue de l'enfant. Le plus douloureux, le plus humiliant pour les parents, est de se voir traités en coupables potentiels alors qu'ils seraient prêts à mourir, à s'ouvrir les veines et à se vider de leur sang lentement et dans la souffrance, si c'était pour eux le moyen de récupérer leur enfant sain et sauf.

On a retrouvé Jenna McIntire six jours plus tard, dans une zone boisée, à quelques kilomètres de chez elle. Des preuves matérielles ont été récoltées, des analyses effectuées. Chacun des actes terribles, insoutenables, exercés sur Jenna a été répertorié et rendu public, mais l'enquête a abouti à une impasse. Nous ne savons pas qui a commis ce meurtre ni pourquoi. Un quelconque psychopathe plus tordu que tordu. Pire que tordu, même : « possédé par le mal » serait un terme plus juste.

Là, donc, Mary Ellen McIntire est assise en face de moi, une mère amputée de sa fille. Si la rumeur est exacte, son mari et elle se sont séparés. Elle a également un fils — âgé de quatorze ans, je crois. Je prends de ses nouvelles.

— Jacob va bien, il me semble. Mais vous savez comment ils sont, les ados, n'est-ce pas ? Toujours un copain à voir, toujours un endroit où aller... Je serai contente, une fois qu'il sera rentré au collège. Au moins, je saurai où il est et ce qu'il fait.

J'entends des voix et un bruit de pas près de la porte d'entrée, comme une bousculade. Je me dévisse le cou pour essayer de voir ce qui se passe. Deux réservistes escortent au poste un homme d'allure échevelée et à l'expression hagarde.

— Excusez-moi un instant, madame McIntire, dis-je en me levant.

L'homme qu'on vient d'amener est grand et mince. Il domine les deux policiers de sa haute taille mais paraît fragile, comme un bâton prêt à se briser. Ses cheveux sont blancs et il pourrait bien se mettre à pleurer. Mary Ellen McIntire me considère avec impatience. Elle est fatiguée d'attendre, fatiguée d'avoir à se battre pour qu'on retrouve l'assassin de sa fille morte. Je détache les yeux de l'arrivant, me rassois et reporte mon attention sur Mary Ellen.

— Qu'est-ce qui vous amène à Willow Creek, madame McIntire?

— Je suis au courant, pour la disparition des deux petites filles. Et j'ai pensé que je pourrais peut-être… vous savez… me rendre utile.

Pesant mes mots avec soin, je hasarde :

— Croyez-vous qu'il soit raisonnable de vous investir dans ce type de situation, si tôt après le drame?

Mme McIntire déglutit péniblement.

— Je pense que j'ai ma place ici, justement, avec ces familles. Je sais ce qu'elles éprouvent et ce qu'elles traversent actuellement.

— Rien ne prouve, a priori, que la disparition de Petra et de Calli ait un rapport avec ce qui est arrivé à Jenna.

— Je sais, rétorque-t-elle sèchement. Je ne suis pas venue vous demander pourquoi vous n'avez toujours pas élucidé le meurtre de ma fille. Pour cela, je peux prendre mon téléphone. Je le fais et je continuerai à appeler, à insister. Mais je… je n'arrête pas de penser à ce que vivent ces deux mères, sans nouvelles de leur enfant. C'est une expérience horrible, tellement horrible…

— Ces deux filles sont peut-être simplement allées jouer quelque part, dis-je, même si je sens que ce n'est pas le cas. Elles peuvent resurgir chez elles à tout moment. Vous en êtes consciente, n'est-ce pas? Nous en sommes encore aux tout premiers stades de l'enquête.

Elle acquiesce avec lassitude.

— Je sais. Dites-leur juste, s'il vous plaît, que je suis là s'ils le souhaitent. Que je peux leur tenir compagnie, distribuer des affiches ou passer des coups de fil. Tout ce qui pourrait les aider, je le ferai. Vous voulez bien le leur dire, s'il vous plaît?

Je lui promets que je le ferai.

— Je peux aller vous chercher quelque chose à boire, madame McIntire? Un café?

Elle refuse d'un signe de tête.

— J'ai mon téléphone portable sur moi. Vous avez toujours mon numéro ?

— Oui, je vous appellerai. Dans tous les cas de figure, madame McIntire.

Elle se lève et me tend la main. C'est la première fois qu'elle a un geste vers moi depuis le début de cette terrible histoire avec Jenna. Je prends sa main tendue, la serre avec gratitude et prie pour qu'il n'y ait aucun rapport entre les deux affaires.

Calli

Calli s'élevait péniblement le long de l'étroit sentier abrupt. La roche inégale formait des marches de fortune sous ses pieds abîmés, engourdis par la douleur. Elle était tentée de quitter le chemin mais s'interdisait d'en dévier. Il serait trop facile de se perdre de façon définitive, si elle s'écartait des pistes plus ou moins tracées. Ce qui l'avait poussée à rebrousser chemin en courant, elle n'en était pas vraiment certaine. Elle cheminait presque en confiance dans les bois, lorsqu'elle avait entendu le son. Juste un bruissement, en fait, le murmure d'un mouvement. Et pourtant, ce bruit l'avait arrêtée net. Plus bas, un peu à l'écart de la piste, elle avait vu la silhouette — une figure indéterminée, trop haute pour être un animal, peut-être même trop grande pour qu'il puisse s'agir d'un être humain. Simple allongement des ombres de fin d'après-midi ? Un spasme de frayeur avait cogné dans sa poitrine et elle n'avait pas cherché à en avoir le cœur net. Pivotant sur ses talons, elle était repartie au pas de course dans la direction d'où elle était venue. Vers le haut, toujours vers le haut. Mais au lieu de prendre le chemin large qui serpentait vers la droite, elle avait bifurqué à gauche sur un sentier étroit, rocailleux et envahi par la végétation. Sans oser tourner la tête par-dessus l'épaule, de crainte de ce qu'elle pourrait découvrir. Elle escaladait la pente de plus en plus raide, se servant de ses mains pour se hisser le long du sentier abrupt, des particules de roche et de terre venant se loger sous ses ongles déchirés.

Il lui semblait qu'elle devait approcher du point le plus

élevé de l'escarpement. Elle luttait contre les branches basses qui lui griffaient le visage, laissant de fines marques en relief. La lumière déclinait et la terreur de se retrouver seule, de nuit, en pleine forêt, la maintenait en mouvement ; elle ne percevait plus que le son laborieux de sa propre respiration haletante et priait pour que lui ne l'entende pas. Son allure se ralentit lorsque le sentier déboucha sur le plat et elle se plia en deux, les mains sur les genoux, essayant d'absorber de grandes goulées d'air rafraîchi, la pesante chaleur de la journée commençant enfin à se lever. La sueur lui coulait dans les yeux et elle repoussa les cheveux emmêlés qui lui collaient aux joues. Comme sa respiration se calmait, le fond sonore d'une fin d'après-midi d'été en forêt vibra et tournoya autour d'elle — vrombissements d'insectes, oiseaux échangeant leur appel, le trottinement léger d'un tamia volubile.

Regardant devant elle, Calli avisa un mince éclat d'argent à quelques pas. Ce scintillement inattendu la surprit. Le lustre du métal paraissait criard au milieu des teintes assourdies des feuilles brunes tachetées. Toujours courbée, Calli boitilla jusqu'à l'endroit où reposait l'objet brillant et l'examina. Puis, de la pointe de l'index, elle repoussa les feuilles mortes aux senteurs décomposées et découvrit une délicate chaîne en argent. Elle l'attrapa entre deux doigts et la souleva lentement. Quand elle l'eut déroulée entièrement, une amulette glissa le long des mailles et chuta sans bruit entre les feuilles. Calli plongea de nouveau la main dans le tapis d'humus et finit par extraire le pendentif : une minuscule note de musique en argent. Elle souffla dessus pour retirer les fines particules de terre et de mousse qui étaient restées accrochées. Puis elle enfila de nouveau avec soin le talisman sur la chaîne brisée.

Ce qu'elle vit, ce qu'elle entendit et ce qui se passa alors lui broya la poitrine de terreur. Se rejetant en arrière dans les buissons, elle se cacha en tremblant. *Petra, Petra, Petra.* Accroupie, elle gémissait en silence, les mains sur les oreilles, en se balançant d'avant en arrière. Elle fit venir une image mentale du faon qu'elle avait rencontré plus tôt dans la journée — il y avait une éternité, semblait-il. Concentrant son attention sur ses yeux brillants et ses oreilles de velours, elle continua de se bercer. Elle imagina leur danse silencieuse jusqu'au moment où, de nouveau, les portes de sa chambre intérieure se refermèrent sur elle, la laissant dans le calme et le silence.

Martin

Après avoir quitté la maison de Mme Norland, nous nous immobilisons, Fielda et moi, devant nos voitures respectives. Je suis estomaqué par l'aplomb de Mme Clark. Oser m'accuser d'avoir peut-être maltraité nos enfants, alors que c'est tout de même son mari qui a une personnalité pathologique !

Fielda se plaint au policier qui a eu la chance amère d'avoir à nous escorter.

— Pourquoi ne faites-vous rien pour retrouver Griff Clark ? demande-t-elle au tout jeune homme de vingt et quelques années.

— Madame, je sais que des vérifications sont faites concernant toutes les personnes impliquées.

— C'est ça, c'est ça, répond-elle avec impatience. Mais comment se fait-il que vous n'ayez pas encore mis la main sur Griff ? Ça ne devrait quand même pas être bien sorcier de le joindre, s'il est effectivement parti pêcher avec le Roger en question ?

Le jeune policier paraît mal à l'aise.

— Je ne suis pas autorisé à discuter des détails de l'investigation, m'dame. Je regrette.

— Vous n'êtes pas autorisé à me donner des détails sur l'enquête ? On croit rêver ! Je suis quand même la mère de Petra Gregory !

Je pose la main sur l'épaule de Fielda, mais elle la repousse avec irritation.

— Où est le second du shérif ? J'aimerais parler à Louis !

— Je crois qu'il voit quelqu'un en ce moment.

Le jeune policier ouvre la portière de Fielda.

Elle se tourne vers moi.

— Je me demande qui il peut « voir », là ? Tu crois qu'ils ont mis la main sur Griff ?

— Je ne sais pas, Fielda.

— Peut-être qu'il a un suspect à interroger. Ou alors, il a retrouvé les filles.

Son visage s'illumine brièvement d'espoir.

— Tu crois qu'on a pu lui amener les filles au poste ?

— Je pense qu'il nous en aurait informés, si ça avait été le cas. J'imagine qu'on nous préviendra dès l'instant où Petra et Calli auront refait surface.

Nous grimpons chacun dans notre voiture et nous nous suivons jusqu'à la maison de ma belle-mère. Nous la trouvons debout sur le seuil, en conversation avec un inconnu.

Nous nous garons et rejoignons Mme Mourning et son visiteur.

— Je me suis fait un sang d'encre pour vous ! lance Mme Mourning d'un ton de reproche. Fielda, tu aurais dû me dire que tu quittais la maison ! Je vous présente M. Ellerbach, reporter pour Channel Twelve.

Le journaliste tend la main à Fielda.

— Mes respects, madame Gregory. Accepteriez-vous de me recevoir quelques instants ?

Voyant Fielda hésiter, je m'interpose.

— Nous ne sommes pas en mesure de vous accorder une interview maintenant. Mais nous pouvons répondre à quelques questions rapides.

— Merci. La police a-t-elle retrouvé votre fille ?

— Non, pas encore, dit Fielda.

Je suis surpris par l'énergie qui transparaît dans sa voix. Elle paraît forte et déterminée.

— Comment l'enquête progresse-t-elle ? Avez-vous connaissance de l'identité d'éventuels suspects ?

— Personne ne nous a parlé de suspects, répond Fielda.

— Vous a-t-on questionnés, votre mari et vous, au sujet de cette disparition ?

— Naturellement qu'on nous a posé des questions ! Petra est notre fille.

J'interviens avec impatience :

— En voilà assez, maintenant. Nous n'avons qu'une urgence en ce moment, et c'est de retrouver notre fille. Laissez-nous, s'il vous plaît.

Le reporter aux cheveux gris nous remercie pour le temps que nous lui avons accordé, et se détourne pour partir.

— Attendez ! lui lance Fielda. Juste une seconde encore. Continuez à montrer son portrait, s'il vous plaît. Et parlez d'elle autant que possible. Je vais aller vous chercher d'autres photos.

Je vois l'expression de pitié sur le visage du reporter devant la mine implorante de ma femme.

M. Ellerbach revient rapidement sur ses pas et fourre quelque chose entre les doigts de Fielda.

— Appelez-moi dès que vous en saurez un peu plus, d'accord ? Nous continuerons de diffuser les photos des filles.

Je le regarde s'éloigner et demande avec curiosité :

— Qu'est-ce qu'il t'a donné ?

Fielda me tend la carte de visite. Imprimé en lettres simples, figure son nom, Lawrence Ellerbach, suivi par une adresse e-mail et un numéro de téléphone. Centré au bas de la carte se trouve le logo de Channel Twelve. J'examine le bristol un long moment avant de croiser le regard de Fielda.

— Qu'est-ce que tu en penses ? me demande-t-elle en se mordillant la lèvre.

— Peut-être serait-il préférable de poser la question à Louis ou à Fitzgerald avant d'accepter d'accorder une interview à cet Ellerbach.

— Peut-être, murmure-t-elle en écho. Mais on peut aussi le faire sans demander de permission. L'agent Fitzgerald nous a conseillé de nous servir des médias, après tout. En diffusant l'information, ils servent notre cause. Ils peuvent faire connaître le nom de Petra un peu partout.

— Et le nom de Calli aussi.

Une ombre passe sur le visage de Fielda.

— De Calli aussi, bien sûr.

Je continue de penser que Griff Clark a sa part de responsabilité dans cette affaire. Cela fait un peu trop de coïncidences commodes. Comme par hasard, il est justement de retour d'Alaska, part prétendument pêcher au moment précis où les filles disparaissent, et reste injoignable. Quelque chose ne tourne pas rond là-dedans.

— Je ne pense pas que nous devrions prendre d'initiative sans l'approbation préalable de la police, Fielda. Imagine que nous allions à l'encontre de leurs consignes et qu'il y ait des conséquences regrettables ?

Mais je vois qu'elle serre les lèvres d'un air déterminé et que sa décision est déjà prise.

— Oui, mais si nous ne donnons pas cette interview, un éventuel témoin qui sait quelque chose et qui pourrait reconnaître Petra gardera le silence, faute de savoir qu'il détient une information vitale ! Franchement, je me moque de savoir si ça arrange ou non la police que nous acceptions de répondre aux questions de cet Ellerbach. Tout ce que je vois, c'est qu'ils n'ont pas encore réussi à nous ramener notre fille. Et les interviews sont les seuls moyens dont je dispose pour essayer d'aider Petra.

— Si tu es à ce point convaincue, je pense que c'est une bonne chose que tu prennes rendez-vous avec ce journaliste, dis-je en lui passant un bras autour des épaules.

Ma chemise est trempée de sueur, mais elle ne cherche pas à s'écarter. Elle se rapproche même de moi et m'embrasse sur la joue.

— Je suis convaincue, Martin.

Elle marque un temps de silence avant de poursuivre :

— Toi, tu ne m'accompagneras pas à cette interview, je crois ?

Je secoue la tête.

— Je pars à la recherche de Petra et de Calli. Nous avons déjà perdu trop de temps. Je vais aller voir dans la forêt. J'ai l'intention d'appeler Louis et Antonia et de leur proposer de venir avec moi.

Je ne suis pas le plus intuitif des hommes, comme j'en ai amplement fait la démonstration depuis les nombreuses années que je vis sur cette planète. Mais je connais les chiffres. Je sais que la probabilité pour que la personne qui a enlevé Petra soit connue de nous est plus élevée que celle d'un ravisseur inconnu. Et je sais aussi que Griff Clark peut être un personnage inquiétant. Il m'est arrivé fréquemment de croiser M. Clark au passage, et il s'est toujours comporté de façon parfaitement plaisante et courtoise. Mais j'ai aussi eu un aperçu, quoique rapide, du côté caché de sa personnalité — une vision intense et hautement pathétique. C'était à l'occasion d'une réunion parents-enseignants, à l'école élémentaire, en mars dernier. Nous attendions pour notre rendez-vous et l'institutrice avait du retard, mais je ne m'en formalisais pas. Cela me donnait l'opportunité de me balader dans les couloirs, de voir les dessins des élèves affichés aux murs, de me faire une idée de la façon dont les autres parents agissaient avec leurs enfants. Un spectacle qui, pour moi, n'avait rien d'inconfortable. Je n'étais, au fond, pas si différent des autres parents. Plus âgé, oui. Je savais que j'avais l'air d'être le grand-père plus que le père de Petra, mais je voyais toutes sortes de familles très différentes dans ces couloirs. Des mères seules tenant leur enfant par la main alors qu'on leur faisait visiter les bâtiments ; des pères tirés d'une salle de classe à l'autre par des petits de maternelle, souriant aux anges.

Petra nous expliquait, à Fielda et à moi, que sa classe de CP se livrait à des expériences sur la distance maximale que l'on pouvait faire effectuer à des petites voitures de sport en plastique — les « Hot Wheels », je crois — lorsque nous sommes tombés sur la famille Clark, recroquevillée dans un recoin à l'écart. Le visage de Griff Clark était violet de rage alors qu'il admonestait Calli et Antonia d'une voix sifflante :

— Vous croyez que j'ai l'air de quoi, moi, quand je viens à ces réunions pour m'entendre dire que ma fille ne parle toujours pas ?

Calli, tête basse, regardait ses pieds pendant qu'Antonia s'efforçait, sans succès, de calmer son mari.

— Inutile d'essayer de me faire taire, Toni.

Même si sa voix ne s'élevait pas au-dessus du murmure, le ton était grossier et menaçant. Griff attrapa Calli sous une aisselle.

— Toi, regarde-moi.

Docile, Calli leva les yeux sur son père.

— Tu es mentalement retardée, c'est ça ? Si tu voulais parler, tu parlerais. Je le sais. Je veux que tu arrêtes ces petits jeux ridicules et que tu recommences à te comporter normalement, c'est clair ?

Comme Calli restait coite, il se tourna vers Antonia.

— Et toi, évidemment, tu la laisses faire. Tu as tellement peur de la bousculer, notre pauvre miss Chochotte ! « Oh, il ne faut pas la brusquer, nous ne pouvons pas la forcer à parler contre son gré » ! singea-t-il d'une voix haut perchée. C'est du grand n'importe quoi, oui !

A ce moment précis, le regard de Calli tomba sur Petra et je vis une expression de résignation, d'impuissance totale sur son petit visage. Pas de gêne, pas de colère, rien qu'une acceptation sans mélange. Petra décocha à Calli un maigre sourire sans entrain, lui fit un petit geste de la main, puis m'entraîna plus loin.

Plus tard, au Mourning Glory, Lucky Thompson nous apporta d'énormes sundaes nappés de coulis et surmontés de décorations diverses. Il ébouriffa les cheveux de Petra et nous demanda ce que nous fêtions.

— Nous célébrons les radieux succès scolaires de mon jeune génie de fille, lui ai-je répondu.

Et Petra rougit de plaisir.

— Tu te joins à nous, Lucky ? proposa Fielda.

Lucky jeta un regard par-dessus son épaule.

— Je ne sais pas… J'ai pas mal de choses à faire.

— Oh, si, s'il te plaît ! supplia Petra. Je partagerai ma glace avec toi. Tu en as fait des tellement énormes. Je ne pourrai pas la manger toute seule.

— Bon d'accord, acquiesça Lucky en se glissant sur la banquette à côté de Petra. Comment pourrais-je résister à une aussi charmante invitation ?

Je me tournai vers Petra.

— Tu crois que ça se passe toujours comme ça, pour Calli ?

Petra comprit d'emblée à quoi je faisais allusion.

— Quand son papa est là, je crois que c'est souvent comme ça, oui. Mais quand il s'en va, c'est cool. La maman de Calli, elle est super-gentille.

— Je refuse que tu ailles chez les Clark lorsque son papa est présent. C'est bien clair, n'est-ce pas, Petra ?

Elle haussa les épaules.

— Vous parlez de Griff Clark ? demanda Lucky.

Fielda hocha la tête.

— Tu le connais ?

— Non, pas vraiment. Mais il m'arrive de le voir traîner dans les bars quand je sors avec les copains de la fac. Le personnage est assez redoutable.

— Tu crois que son père la maltraite ? Je veux dire, la frappe quand il se met en colère ? demanda Fielda avec inquiétude.

Je priais pour que Petra lui réponde que non, pas du tout ; que jamais Griff Clark n'aurait battu Calli, pas plus, d'ailleurs, qu'il ne frapperait Ben ou Antonia. Je me voyais déjà obligé de faire un signalement aux services sociaux. C'était bien la dernière chose à laquelle j'aspirais, en l'occurrence.

Petra haussa de nouveau les épaules.

— C'est difficile de savoir, puisqu'elle ne parle pas. Tout ce que je peux dire, c'est qu'elle a l'air plus triste quand son papa est à la maison.

— Et pour toi, c'est la même chose ? Tu te sens plus triste

quand je suis dans les parages ? demandai-je en esquissant une moue malheureuse.

Elle secoua la tête en riant.

— Mais non, bêta ! J'aime trop quand t'es là.

Lucky observait avec mélancolie le trio que nous formions. Je savais qu'il n'avait pas eu une vie facile. Il éludait systématiquement toutes les questions que nous lui posions au sujet de son enfance. A plusieurs reprises déjà, il m'avait confié qu'il aimerait un jour avoir une famille telle que la mienne. Je lui ai dit qu'il s'en était fallu de peu pour que je connaisse une existence sans femme et sans enfant. Que si Fielda ne m'avait pas jeté ce muffin à la figure, je serais, selon toute vraisemblance, devenu un vieux professeur solitaire. Ma réponse l'avait fait rire. Mais le sourire sur ses lèvres n'avait pas tout à fait atteint ses yeux.

Petra désigna la cerise confite que Lucky avait poussée sur le côté de son sundae.

— Tu me la donnes ?

— Bien sûr.

Il fit glisser la cerise sur sa cuillère et l'introduisit dans la bouche ouverte de Petra.

— Mmoui…, murmura Lucky en secouant la tête comme s'il se souvenait soudain de quelque chose. Il vaut mieux que Petra reste à distance de Griff Clark.

J'abondais sans hésiter dans son sens. Pendant ce bref moment dans un coin de couloir d'école, entre Griff Clark et sa famille, j'ai eu un aperçu de ce un pour cent de cruauté pure que des gens comme lui laissent parfois apparaître par mégarde aux yeux du reste du monde. Cela m'effraie de penser à ce dont il peut être capable, à ce qu'il a pu infliger à ma fille. Je frissonne, ce qui paraît à peine concevable par trente-huit degrés à l'ombre. Cela dit, tout, bien sûr, est devenu possible.

Je reprends le chemin de la maison de Mme Norland. En essayant de trouver les mots pour convaincre Antonia et le shérif adjoint Louis de m'accompagner dans les bois.

Calli

— Calli?

Elle entendit la voix, calme, presque aimante, mais la même peur qui lui avait brûlé la gorge quelques moments plus tôt revint lui pétrifier le cœur. Griff se tenait au-dessus d'elle, le visage blême, comme s'il était sur le point d'être malade.

— Calli, on arrête ces bêtises, O.K.? Allez, viens avec moi, on rentre à la maison. Tu n'as pas envie de voir ta…?

Sa voix se perdit dans un murmure indistinct lorsqu'il découvrit soudain la scène devant lui. D'abord, la tête martyrisée de Petra, son visage et son cou exsangues. Son regard se reporta sur Calli.

— Nom de Dieu, mais qu'est-ce qui s'est passé? Calli, bon sang, qu'est-il arrivé à Petra?

Calli se leva en silence et évalua la situation. Derrière elle, il y avait la paroi abrupte au-dessus du ravin ; devant elle, Griff, barrant sa seule issue.

— Calli! lança-t-il. Que s'est-il passé ici? Réponds-moi!

Il l'attrapa avec rudesse par l'épaule, mais la lâcha aussitôt en avisant un bout de chiffon entre les chardons. Il se pencha pour le récupérer et souleva entre ses doigts une minuscule pièce de tissu en lambeaux, blanc avec un délicat semis de fleurs jaunes.

— Nom de Dieu de nom de Dieu! bredouilla-t-il en regardant de nouveau Petra.

Son regard glissa sur le petit corps immobile, le haut de

pyjama bleu maculé de terre, les frêles jambes nues, couvertes d'ecchymoses, mouchetées de minuscules taches de sang.

— Nom de Dieu, proféra-t-il une fois de plus.

De violents tressaillements parcoururent Griff ; il se détourna pour vomir un long filet de bile d'un jaune amer. Il prit une profonde inspiration mais fut repris aussitôt par une nouvelle série de haut-le-cœur, suivis de spasmes de vomissements sonores. Mais il devait avoir l'estomac vide, car il ne régurgita plus rien.

Voyant Griff plié en deux, tenant à deux mains son ventre secoué de spasmes, Calli en profita pour se laisser glisser un peu plus bas sur la pente et contourna son père pour se positionner de manière à pouvoir s'échapper sans avoir à rebrousser chemin dans la forêt.

Griff respirait avec difficulté.

— Calli ? Qui a fait ça ? Est-ce que tu l'as vu ?

Il s'essuya machinalement la bouche sur le chiffon à petites fleurs jaunes puis, prenant soudain conscience de ce qu'il avait dans la main, il jeta le bout de tissu à terre comme s'il lui avait brûlé les doigts. Il se dirigea vers Petra d'une démarche chancelante et plaça une main tremblante sur son poignet d'abord, puis à la base du cou, pressant doucement pour tenter de trouver le pouls. Il secoua la tête.

— On ne peut rien dire, marmonna-t-il.

Tombant à genoux, il posa une oreille contre sa poitrine puis plaça avec précaution un doigt sous son nez, cherchant l'empreinte tiède du souffle.

De nouveau, il leva la tête.

— Calli, *qui* a fait ça à Petra ?

Ils entendirent l'un et l'autre un grand bruit de feuilles froissées, puis des pas lourds, maladroits dans leur précipitation.

— Calli ! Calli !

Griff et elle reconnurent en même temps la voix de Ben au moment où il déboucha en courant, dans un fracas de branches brisées, pour se placer entre son père et elle.

— Laisse-la tranquille! Va-t'en!

— Ben? Qu'est-ce que tu fabriques ici? s'exclama Griff, sincèrement surpris.

— Ecarte-toi d'elle, maintenant! cria Ben en cherchant des yeux une arme improvisée — un caillou, un bâton.

Griff se leva en secouant la tête.

— La ferme, Ben! Il nous faut de l'aide. Et sans traîner!

Les yeux de Ben glissèrent rapidement sur Calli, puis sur Petra, avant de revenir se poser sur Griff.

— Cours, Calli! intima-t-il. Par là.

D'un mouvement du bras, il indiqua la piste étroite par laquelle il était arrivé.

— Tu prends ce sentier, tu le suis à la descente jusqu'au bout et tu tomberas sur le chemin du Lynx. Cours, Calli. Et ne t'arrête pas.

— Ça suffit, Ben! s'emporta Griff. Tu ne sais pas ce qui s'est passé ici! Il faut s'occuper de Petra d'urgence, la porter jusqu'en bas.

Il marqua une pause puis fronça les sourcils en contemplant Petra.

— Quoique... Je ne suis pas sûr qu'on puisse prendre le risque de la transporter dans cet état.

Indécis, Griff se mordilla la lèvre.

— Ce n'est pas non plus une solution de la laisser seule. Tu vas rester ici avec elle, Ben. Calli et moi, nous descendons chercher de l'aide.

Ben secoua la tête.

— Non.

— Qu'est-ce que tu dis?

— Non. Tu n'iras nulle part avec Calli.

Ben tendit la main derrière lui et Calli s'y raccrocha. Il la tira doucement vers lui de manière qu'elle puisse poser la joue contre son dos.

— Ben! Nous n'avons pas de temps à perdre avec tes conneries. Je crois que Petra est mourante! Va chercher de l'aide toi-même, si tu préfères. Je veillerai sur elle.

— Non. C'est Calli qui va aller chercher des secours. Nous, on reste ici avec Petra.

— Ah, parce que c'est toi qui donnes les ordres, maintenant ? railla Griff. Et comment va-t-elle expliquer ce qui se passe, selon toi ? Tu veux qu'elle mime la scène ? Si tu préfères monter la garde ici, j'irai avec Calli...

Mais Ben se plaça de manière à lui barrer le passage.

— Ben, je vais t'aplatir la figure si tu ne t'écartes pas de là. Ce n'est pas un jeu, merde ! Allez, pousse-toi !

Griff tenta de nouveau de passer, mais Ben fit front.

— Non, c'est Calli qui va courir prévenir maman. Je ne suis pas d'accord pour te laisser seul ici avec Petra.

Griff cligna des yeux de stupéfaction.

— *Quoi ?* Tu penses que je suis responsable de l'état dans lequel se trouve cette gamine ?

Ben ne répondit pas. Il fixa son père d'un œil hostile et écarta les bras, de façon à former un mur de protection entre Griff et Calli.

— Tu es malade ou quoi ? Tu penses que je pourrais faire un truc pareil ? *Moi ?* Je suis ton père, putain !

Ben fit un pas en arrière en orientant Calli vers le chemin qui la mènerait hors de la forêt.

— Je sais que tu es mon père ! Mais tu peux m'expliquer pourquoi je les trouve dans ce coin perdu, toutes les deux ? cria-t-il en désignant Petra d'un grand geste du bras. Et toi ? Qu'est-ce que tu fabriques au fond des bois ? Tu ne mets jamais les pieds dans la forêt, d'habitude !

Griff bafouilla, bredouilla, se tut.

— Depuis ce matin, on cherche les filles partout ! Et comme par hasard, je les trouve ici avec toi, alors que tu devais être à la pêche. Petra est dans un sale état et Calli n'a pas l'air glorieuse non plus. Comment veux-tu que je ne pense pas à... ?

— Ne pense surtout pas, Ben. Ça pourrait te fatiguer le cerveau. Et maintenant dégage de là et vite. Allez, tu viens avec moi, Calli !

Calli vit Griff tendre la main et lui attraper le bras derrière le dos de Ben. Son père commença à la tirer le long du chemin.

— Arrête! cria Ben. Je t'interdis de toucher à ma sœur! Il bouscula Griff qui, pris par surprise, s'affala. Sans perdre une seconde, Ben se retourna vers elle, l'attrapa par les épaules et approcha son visage du sien.

— Allez cours, Calli, et ramène vite de l'aide! Je m'occuperai de Petra. Cours aussi vite que possible. Et tu vas prévenir tout le monde. Tu leur expliques où nous sommes.

Calli hésita mais Griff se ressaisissait déjà et se ruait sur eux. Elle tourna les talons et s'élança sur le chemin.

Ben

Papa a une lueur démente dans les yeux lorsqu'il se relève. Et je commence à mesurer l'énormité de ce que j'ai fait.

— Petit crétin de fils de pute ! Pourquoi as-tu fait ça, merde ? Elle est partie, maintenant ! Dès qu'on sera sortis de ce cauchemar, tu vas prendre une raclée monstre, je te préviens.

Je me décale pour me maintenir hors de sa portée.

— Je m'en fous. Tu resteras ici avec moi jusqu'à l'arrivée de la police.

— C'est ça, oui.

Il rit. Mon père est toujours en train de rire de quelqu'un.

— Vas-y, tu peux rire de moi si tu veux. J'en ai rien à foutre !

Je crie comme un « petit crétin de fils de pute ».

— Reste ici avec elle, Ben, tu m'entends ? Je suis sûr que l'enfoiré qui a fait ça ne doit pas être parti bien loin. Alors tu restes ici et j'irai chercher de l'aide.

Mais je lui tiens tête.

— Non. Tu ne bougeras pas de là.

— Va te faire foutre, dit papa.

Et il se jette sur moi et me frappe, le bras tendu, me percutant en pleine poitrine.

Je crois que ça lui fait un choc que je reste debout, au lieu de m'effondrer et de me recroqueviller sur moi-même comme un bébé. J'ai beaucoup grandi cet été, et j'ai gagné en force. Il rebondit sur moi comme un ressort et tombe en arrière. Ça fait bizarre de le voir comme ça, avec cet air un peu ahuri. J'aurais ri s'il n'y avait pas eu ces couteaux dans ses yeux.

— Petit connard, chuchote-t-il en bataillant pour se remettre sur ses pieds.

C'est la première fois de ma vie que mon père me paraît vieux. Pas vieux-vieux, comme un homme de quatre-vingts ans, mais vieux-fatigué. Il a la tête d'un homme d'âge moyen qui a passé une trop grande partie de sa vie à boire et à traiter les autres comme des chiens. Le temps se solidifie sur son visage comme un masque d'Halloween.

Il revient à la charge. Mais mieux préparé, cette fois. Il balance son bras droit comme pour m'attaquer à hauteur de la tête, mais au dernier moment, il plonge en avant, me frappe à l'estomac et atterrit sur moi de tout son poids. Le choc me coupe le souffle et je me retrouve à court d'air. J'essaie d'inspirer mais n'y parviens pas, alors je me démène sauvagement pour le repousser. Je lui martèle le dos, le visage, et je lui tire même les cheveux, comme un gamin. Je ne suis pas fier, mais je ferais n'importe quoi pour pouvoir respirer. Il essaie de m'immobiliser les bras au-dessus de la tête, mais je les agite si furieusement qu'il ne parvient pas à assurer une prise.

— Benny, putain, arrête! Tiens-toi tranquille! hurle-t-il.

Mais je refuse de céder. Je recommence à respirer, mais il me faut quelques secondes pour réaliser que ce surplus d'air vient de ce qu'il tente de se dégager. Je ne lâche pas prise pour autant. Il veut s'éloigner de moi, ramper en passant au-dessus de ma tête, mais je m'agrippe à sa jambe et je le retiens de toutes mes forces. Debout en équilibre sur un pied, il me tire derrière lui sur quelques mètres, mais comme je le disais, je suis plutôt grand et costaud pour mon âge, et il ne peut pas aller très loin comme ça. Il finit par tomber en arrière, sur les fesses, ce qui m'amène à desserrer légèrement ma prise. Aussitôt, il ramène sa jambe vers lui, la déplie, et me balance un coup de pied qui vient me frapper droit au visage. Je crois que nous entendons l'un et l'autre le craquement de l'os du nez qui se brise. Je ne vois pas d'étoiles, comme ça se passe dans les bandes dessinées, mais ça ressemble un peu à une envolée de lucioles qui clignotent sous mes yeux. Nous nous pétrifions, papa et moi. Franchement, je crois qu'il n'en revient pas d'avoir pu me faire ça. Et je suis aussi abasourdi que lui, même s'il m'a déjà foutu des tonnes de raclées. Un flot de sang me coule du nez et ça fait un sale effet, comme si quelqu'un me découpait l'arête nasale avec des tenailles.

— Et merde, Ben ! T'étais obligé de faire ça ?

Et il est sincère, en plus ; tout est ma faute, comme si je m'étais cassé le nez moi-même. De ma vie, je n'ai eu envie de tuer quelqu'un, même pas Meechum. Mais là, au milieu de la forêt, j'ai la haine et des envies de meurtre sur mon propre père. A la place, je le cogne à la tête avec mon poing sanglant.

— Je sais que tu penses que j'ai fait ça à Petra. Mais je n'ai rien à voir avec ce qui s'est passé. Je te le jure, Ben.

Papa essaie de me raisonner tout en parant mes coups.

— Je ne te crois pas ! Je le dirai ! Je dirai ce que tu as fait à Petra et à Calli !

Mes mains sont gluantes et mouillées de sang, et mes coups dérisoires glissent sur lui sans l'atteindre. Papa s'éloigne en rampant. Je ne le suis pas mais je me lève et essuie mes mains souillées sur mon short. Fichu.

— Tu as envie que j'aille en prison, Ben ? souffle-t-il d'une voix haletante. Tu veux que je paie toute ma vie pour une faute que je n'ai pas commise ? C'est ce qui va se passer, je te préviens. Ils vont m'emmener, Ben. Probablement pour toujours.

Il se frotte le visage et je vois que ses mains tremblent.

— Putain, Ben, je crois que Petra est en train de mourir… Elle a besoin de soins.

— Calli ramènera de l'aide. Elle doit être arrivée en bas, là. Je suis sûr qu'elle fera ce qu'il faut.

— Nom de Dieu, Ben, tu es bouché ou quoi ? Ça fait

trois putains d'années qu'elle n'ouvre plus la bouche! Tu crois qu'elle va parler, maintenant? Comment veux-tu qu'elle explique ce qui se passe?

Je ne lui réponds pas; je suis trop fatigué et mon nez me fait mal. Mais je guette le moindre de ses gestes à travers mes paupières qui enflent.

Quand j'avais cinq ans, je me souviens d'avoir pensé que mon père était le plus grand et le plus fort de tous. Je le suivais dans toute la maison chaque fois qu'il rentrait d'Alaska, et je me faisais une petite place à côté de lui quand il s'installait dans son fauteuil vert. J'observais chacun de ses gestes : comment il fourrait les mains dans les poches avant de son jean quand il parlait avec ses amis, comment il tenait toujours sa bière de la main droite tout en la décapsulant de la gauche. Je voyais la façon dont il fermait les yeux en prenant de grandes gorgées de bière qu'il faisait tourner un instant dans la bouche avant de les avaler. J'étais fasciné par l'intensité de plaisir qui éclatait sur ses traits, étonné de voir que nous tous — maman, bébé Calli et moi — nous cessions d'exister pour lui lorsque papa buvait.

Pendant les deux ou trois premières bières, il était sympa et même drôle. Il s'amusait à nous chatouiller et attirait maman sur ses genoux pour l'embrasser. Des fois, il me proposait une partie de cartes et on riait en jouant à la bataille ou à la crapette. Ou alors il prenait Calli sur ses genoux, le dos couché sur ses cuisses, et la faisait pédaler en l'air en chantant la chanson de la bicyclette.

Mais dès la quatrième bière, l'ambiance commençait à virer. Papa s'énervait contre maman pour des trucs vraiment bêtes. Il râlait parce qu'elle n'avait pas suspendu ses chemises comme il le voulait ou parce qu'il trouvait que la cuisine était mal balayée. Il criait après elle parce qu'elle dépensait trop d'argent en courses; puis il criait encore plus fort parce qu'elle ne nous avait rien fait de bon pour le repas. Jouer aux cartes avec moi l'exaspérait soudain et il s'interrompait au beau milieu d'une partie, même lorsqu'il gagnait. Quant à Calli, papa ne la voyait même plus après la bière numéro quatre.

Arrivé à la septième canette, il devenait irritable et impatient et ne supportait plus d'être touché. Quand j'essayais de me blottir contre lui dans son fauteuil, il me repoussait — pas méchamment, mais on sentait qu'il voulait qu'on lui fiche la paix. Maman nous emmenait en haut, Calli et moi, et nous lisait des histoires. Je mettais mon pyjama préféré, qui était blanc et imprimé de petits clowns rigolos qui tenaient des ballons. Je n'en ai jamais rien dit à mes amis, mais je l'aimais trop, ce pyjama. C'était comme si je me glissais dans quelque chose d'heureux lorsque je l'enfilais en sortant du bain. Une fois, cependant, après la bière numéro sept, papa a dit que j'avais l'air d'une « putain de fillasse » avec mon pyjama blanc, et qu'il allait le jeter au feu. Après ça, je ne l'ai plus jamais porté et je mettais un vieux T-shirt de papa pour dormir. Mais je n'ai pas jeté le pyjama avec les clowns pour autant. Je l'ai toujours, d'ailleurs, plié sous mon caleçon long d'hiver, dans le tiroir du bas de ma commode. Personnellement, je ne trouve pas qu'il fasse fillasse, mon pyjama. Je trouve juste qu'il met en joie. Et tout môme de cinq ans devrait avoir droit à un pyjama-bonheur.

Une fois passée la bière numéro douze, on quittait la maison. Si c'était pendant la journée et qu'il ne pleuvait pas, maman nous emmenait en promenade dans les bois. Elle mettait Calli dans un porte-bébé qu'elle accrochait sur sa poitrine et on s'enfonçait dans la forêt. Elle me montrait tous les endroits où elle jouait quand elle était petite : le Chagrin des Saules, le pont de l'Arbre Seul, et la rivière, bien sûr. Elle nous entraînait jusqu'à l'endroit où le cours était large et peu profond, et où des grandes dalles plates forment un gué naturel. Maman sortait Calli de son baudrier et la posait sur une couverture dans un coin ombragé. Puis elle me montrait comment traverser en sautant de pierre en pierre en moins de vingt-cinq secondes. Quand elle était jeune, elle y arrivait en quinze secondes pile et battait son ami de trois secondes. Son ami, je savais que c'était le shérif adjoint Louis, même si elle ne l'appelait jamais par son nom. C'était juste « son ami ».

Une fois, après la bière numéro douze, juste avant qu'on se sauve de la maison, maman avait raconté quelque chose au sujet de Louis, un truc sur quand ils étaient petits, genre neuf ans. Et là, papa a pété les plombs pour de bon. Il a commencé à hurler après maman en lui balançant plein d'insultes horribles et il a même jeté une bouteille de bière à sa tête. Depuis, maman ne parle plus jamais devant papa de quand elle était petite.

Après des heures à tourner dans les bois, lorsqu'elle estimait que papa en était à sa bière numéro je-ne-sais-même-plus-combien, maman nous ramenait à la maison. La bière je-ne-sais-plus-combien était généralement suivie par une longue phase de sommeil profond. On pouvait faire du bruit tant qu'on voulait : papa dormait comme un sonneur. Mais Calli et moi, on se tenait quand même super-tranquilles. Personne ne pipait mot et on n'osait même pas allumer la télé, quand il était dans cet état. J'étais toujours un peu inquiet à l'idée qu'il se réveille à mon insu pendant que j'étais absorbé par une série, et qu'il me file un coup à l'arrière du crâne avant que j'aie eu le temps de m'y préparer.

Petit, je me promenais avec ma canette de soda exactement comme papa tenait sa bière. Je la prenais dans ma main droite et je l'ouvrais avec la gauche, même si je suis droitier. Je m'entraînais à l'incliner contre mes lèvres, à prendre une énorme gorgée et à faire tourner le liquide dans ma bouche avant de l'avaler d'un coup, avec un grand mouvement de gosier. Je finissais en jetant la canette vide par terre. Un jour, maman a surpris mon petit manège. Elle m'a fixé si long-temps sans rien dire que j'ai cru que j'allais m'en ramasser une salée, même si je ne l'ai jamais vue s'énerver contre papa quand il balance ses bières vides partout. Mais elle ne s'est pas fâchée du tout, finalement. Elle m'a juste regardé, puis elle a dit : « Benny, la prochaine fois que tu voudras un Coca, j'irai te chercher un verre avec des glaçons et une paille. Tu verras, c'est bien meilleur comme ça. »

Elle a tenu parole. Chaque fois que je prenais un soda, je la voyais arriver avec son verre de glaçons et sa paille. Et elle avait raison, en plus. C'était bien meilleur comme ça.

Parfois, après la bière numéro je-ne-sais-plus-trop-combien et la longue sieste, papa se réveillait genre nerveux. Il montait alors dans leur chambre, fourrageait quelques instants dans son placard à vêtements et finissait par en sortir une bouteille de verre marron. Dès l'instant où maman le voyait descendre avec cette bouteille bien particulière, on prenait le large. Maman nous faisait monter à toute vitesse dans sa voiture, et en avant marche. Si c'était le soir, elle nous emmenait dîner à Winner, une ville plus grande que Willow Creek, où il y avait un fast-food. On commandait des hamburgers avec des frites, et on se partageait une assiette de beignets de rondelles d'oignons. Maman installait Calli dans une chaise haute et posait des petits bouts de nourriture devant elle sur son plateau. C'était marrant de regarder ma petite sœur essayer d'attraper les minuscules portions de frites ou de hamburger entre deux doigts hésitants et maladroits. Des fois, elle ratait son coup, mais elle suçait son index quand même, dans l'espoir de capter une saveur. Juste avant de repartir, maman m'achetait toujours un énorme milk-shake pour moi tout seul. Elle m'attachait sur le siège arrière et je me préparais pour le long chemin du retour. Winner n'est pas si loin que ça de Willow Creek, en fait, mais maman prenait ce qu'elle appelait « la route touristique ». Et on tournait comme ça en rond pendant des heures.

Une nuit, après avoir roulé, roulé, roulé, j'ai été réveillé en sursaut lorsque notre voiture est partie sur le bas-côté et qu'elle est ressortie de justesse du fossé. Maman s'est arrêtée au bord de la route et s'est tournée vers Calli et moi.

— Ça va ?

J'ai juste fait oui de la tête, même si elle ne pouvait pas nous voir dans le noir.

— Mais j'ai renversé un peu de mon milk-shake, m'man.

Elle m'a tendu des serviettes en papier pour essuyer mon pantalon, puis elle a posé la tête sur le volant.

— Je suis désolée, a-t-elle murmuré, sans vraiment s'adresser à moi. Mais je suis tellement, tellement fatiguée...

Un peu plus tard, elle a remis le contact et nous sommes rentrés à la maison. Papa dormait d'un sommeil comateux dans son fauteuil, et il y avait tellement de canettes de bière de tous les côtés qu'on ne savait plus où on en était. Mais je parie que si je les avais comptées, il y en aurait eu au moins vingt et une. Plus la bouteille marron foncé au bout de la table. Maman ne s'est même pas baissée pour rassembler tous ces cadavres. Elle est passée à côté la tête haute en marmonnant quelque chose comme : « Dorénavant, il pourra les ramasser lui-même. » Et elle nous a mis au lit, Calli et moi.

A partir de ce jour-là, quand papa se mettait à farfouiller dans son placard pour trouver sa bouteille marron, il ressortait les mains vides chaque fois. Ça le rendait fou furieux, mais au bout d'un moment, il finissait par redescendre en titubant pour sortir une nouvelle bière du frigo et s'affaler de nouveau dans son fauteuil. De temps en temps, quand papa avait l'alcool un peu trop mauvais, maman nous mettait dans la voiture et nous emmenait à Winner. Mais on n'a plus jamais roulé aussi longtemps que la nuit où on a failli rester dans le fossé. Maman trouvait généralement une aire de parking, puis elle fermait toutes les portières de l'intérieur et posait la tête sur le volant.

« Je me repose juste un peu », nous expliquait-elle en fermant les yeux.

Une nuit où il faisait vraiment très froid, on a pris une chambre dans un motel, à Winner. Il n'y avait pas de piscine ou des machins comme ça, mais on pouvait regarder le câble. Et maman m'a laissé zapper et voir autant de chaînes que je voulais. Elle est restée assise à côté de moi sur le lit, avec Calli dans les bras, à essayer de ne pas pleurer.

J'espère que je n'ai pas commis une erreur stupide. J'espère que Petra n'est pas en train de mourir à cause de moi ; et je prie, je prie pour qu'elle ne soit pas déjà morte.

A présent, nous sommes assis là, papa et moi, tout couverts de sang, à nous regarder du coin de l'œil et à attendre que l'autre fasse un geste. Mais nous ne bougeons ni l'un ni l'autre. Pas encore, en tout cas.

Antonia

Ben n'est toujours pas revenu, si bien que je dois m'inquiéter aussi pour lui, par-dessus le marché. Les réflexions des Gregory n'ont rien arrangé non plus. Je connais Ben. Je sais qu'il ne ferait jamais de mal aux filles. Bien au contraire. Et je connais aussi Griff : il ne s'intérèsse pas assez aux enfants pour représenter une menace pour eux. Avec cela, le nombre de bières vides qui jonchaient le sol ce matin était plutôt modeste, comparé à ce que Griff écluse d'ordinaire. Il lui faut une dose plus sérieuse que cela pour commencer à avoir l'alcool mauvais. S'il avait atteint ce stade, je me serais sentie nettement moins tranquille.

Louis ne m'a pas retourné mon appel. Je sais qu'il est sollicité de tous les côtés à cause de l'enquête et qu'il doit assurer aussi ses tâches habituelles, mais je suis surprise qu'il ne soit pas venu. Toujours, toujours, Louis a été là pour moi. Sauf le jour où il est parti à l'université, bien sûr. Mais je sais maintenant que c'était trop lui demander, à l'époque, que d'attendre qu'il reste. Louis était là lorsqu'une grande brute de CM2 me terrorisait à neuf ans ; il était là aussi lorsque j'ai eu une attaque de panique à cause d'un exposé à faire en classe. Et il a répondu présent lorsque ma mère est morte.

Même si ma mère et moi étions si dissemblables, même si nous n'avions presque rien en commun, Louis savait que c'était un naufrage pour moi de la perdre — la plus lourde épreuve que j'aie jamais traversée. Il savait que toutes ces heures que nous passions à la soigner, mon père et moi, alors qu'elle gisait dans son lit, à se décomposer petit à petit sous la morsure du cancer, me marquaient jusque dans ma chair. C'était Louis, chaque fois, qui m'emmenait en voiture à la bibliothèque pour dénicher le livre dont ma mère me réclamait la lecture pendant que la pompe à morphine endormait momentanément sa souffrance.

Ma mère était une grande lectrice. Moi non. J'aimais les livres, mais je n'avais pas de temps à leur consacrer. Entre le lycée, mon job du soir à la station-service et les moments passés avec Louis, je ne faisais jamais l'effort de lire. Longtemps, ma mère avait continué à placer patiemment des romans sur ma table de nuit dans l'espoir que je finirais par me plonger dans l'un d'eux et que nous aurions par la suite une merveilleuse discussion littéraire ensemble. Mais je n'ai jamais ouvert un seul de ses bouquins. Jusqu'à ce qu'elle tombe malade, du moins. Là, plus par culpabilité que pour autre chose, j'ai entrepris de lui faire la lecture à voix haute des livres qu'elle aimait.

Un jour, alors qu'il ne lui restait plus que quelques semaines à vivre, ma mère m'a demandé de lui retrouver son vieil exemplaire de *Mon Antonia* de Willa Cather. Ce roman, je le connaissais déjà de vue. Maman l'avait placé à plusieurs reprises à mon chevet. Mais je n'avais jamais pris le temps, même de le feuilleter. Je lui devais pourtant mon prénom, ce roman ayant longtemps été le livre préféré de ma mère. Mais je ne concevais même pas qu'il puisse exister des points communs entre mon univers et celui de l'héroïne de Willa Cather, alors que nous étions si éloignées l'une de l'autre dans le temps. A la demande de ma mère, cependant, j'ai commencé à lire le roman à voix haute. Je me suis immergée à contrecœur dans le Nebraska du tournant du siècle et j'ai adoré l'univers dans lequel j'ai fini par me laisser entraîner. Louis s'asseyait souvent près de moi pendant que je faisais la lecture à ma mère. Au début, cela m'intimidait un peu, n'étant pas habituée à entendre le son de ma propre voix. Mais il avait l'air d'y prendre plaisir et souvent un fragile sourire se dessinait sur les lèvres de ma mère.

231

Un après-midi, environ trois semaines avant sa mort, elle m'a fait signe de venir m'asseoir à côté d'elle sur le lit d'hôpital que nous avions fait venir à la maison lorsque nous avons su avec certitude qu'elle allait mourir. J'ai abaissé la barre en métal qui empêchait ma mère de tomber et me suis assise avec précaution à côté d'elle.

— Approche encore un peu, Antonia.

Jamais ma mère ne m'appelait Toni ; avec elle, c'était toujours Antonia. Je me faufilais plus près, en faisant attention au tube de perfusion qu'elle avait dans le bras. C'était tellement dur de la voir dans cet état... Ma mère, si belle, qui sentait toujours le *Chanel N° 5*, auparavant. L'odeur qui flottait autour d'elle maintenant était aigre et vieille. Ses cheveux qui avaient été blond doré avaient foncé et ils tombaient sur ses épaules, plats, mous et sans éclat. Son visage trop pâle était crispé par la douleur.

— Antonia, mon Antonia..., chuchota-t-elle.

J'adorais secrètement qu'elle m'appelle ainsi.

— Je voulais juste te dire une ou deux choses avant... avant...

Elle fit un effort pour déglutir.

— ... avant de mourir, acheva-t-elle à voix basse.

— Oh, maman, ne dis pas ça !

Les larmes ont commencé à couler sans prévenir. Comme je détestais pleurer !

— Antonia, je vais mourir — mourir dans peu de temps, même. Et je regrette que le temps m'ait fait défaut. J'aurais voulu en avoir un peu plus pour t'accompagner jusqu'à l'âge adulte.

Elle laissa échapper un faible soupir.

— Tes frères, ça va. Je sais qu'ils se débrouilleront. Mais j'ai quelques inquiétudes en ce qui te concerne.

— Tu n'as pas besoin de te faire de souci, maman.

Je reniflais en essayant de ne pas montrer que je pleurais.

Elle prit ma main dans la sienne et je jouai avec son alliance, comme quand nous étions assises côte à côte à l'église, des années et des années en arrière. Elle avait tellement perdu de poids que l'anneau lui tenait à peine au doigt. Ses mains semblaient appartenir à une femme déjà vieille, avec leurs veines bleues en relief.

— Louis est un gentil garçon, dit-elle.

J'acquiesçai en silence.

— Antonia, je ne serai plus là quand tu te marieras…

— Maman, s'il te plaît, ne dis pas ça! suppliai-je.

J'avais le nez qui coulait tellement que je dus me dégager la main pour l'essuyer.

— S'il te plaît, ne me parle pas comme ça…

— Je ne serai pas là quand tu te marieras, et donc je voudrais te dire deux ou trois choses maintenant, sur ce que cela signifie d'être femme et mère.

Elle attendit patiemment que mes sanglots se muent en longs hoquets silencieux trempés de larmes.

— Les gens te diront qu'être mère sera ta plus belle tâche, dans la vie. La maternité, c'est important, oui. Très important, même. Mais je crois qu'il est encore plus important d'être une épouse, une bonne épouse.

J'ai dû la regarder d'un air vraiment très sceptique car elle a commencé à rire un peu, mais ça n'a pas duré, car rire lui faisait mal.

— Non, ma chérie, je ne suis pas en train de te recommander de te transformer en carpette. Au contraire. Ce que j'essaie de t'expliquer, c'est que le choix de la personne avec qui tu parcourras les chemins de ta vie sera décisif. Un des choix les plus importants qu'il te sera donné de faire. Tu auras tes enfants et tu les aimeras, car ce seront les tiens et ils seront merveilleux. Merveilleux tout comme tu l'es, toi.

Elle fronça affectueusement les narines et sourit.

— Mais se marier, c'est *choisir*. Et l'homme que tu épouseras devra te rendre heureuse et t'encourager à concrétiser tes rêves, les grands comme les petits.

— C'est ce que papa a fait pour toi?

Le soir tombait et, dans la pénombre, le visage de ma mère paraissait plus doux, plus jeune — moins agonisant.

— Il l'a fait, oui. Mais je n'ai jamais eu que des rêves tellement simples, au fond. Je voulais juste être femme et mère. Rien de plus. Souviens-toi de cela, Antonia. Quand mon heure sera venue, on pourra dire de moi que j'aurai eu tout ce que j'avais désiré au monde : mon tendre et très aimé mari et mes chers, chers enfants. J'aurais juste aimé avoir un peu plus de temps avec toi avant de partir. Juste un peu plus de temps…

Elle se mit à pleurer sans bruit. J'essayai de la consoler comme je le pus.

— Ça va aller pour moi, maman, tu verras. Je me souviendrai de tes conseils, je te le promets.

Elle hocha la tête et tenta de sourire, mais la douleur était trop forte et incurvait ses lèvres vers le bas. Je pris le livre que je trouvai à côté de son lit.

— Et si je te lisais un peu de Carson McCullers?

— Oui, je te remercie. Ce serait bien, murmura-t-elle.

Je commençai ma lecture et ma mère s'endormit très vite. Ce fut la première fois — pour autant que je me souvienne, en tout cas — que je me suis penchée et que je l'ai embrassée dans son sommeil. Ses lèvres étaient fines et sèches comme du papier à cigarettes, mais chaudes. Chaudes et encore vivantes. Au-delà des relents de la maladie, au-delà des miasmes nés de sa lutte épuisante pour survivre, je perçus son odeur véritable, son odeur à elle. Je fermai les yeux et fis le vœu de me souvenir. Mais j'ai vécu et j'ai oublié, n'est-ce pas? J'ai oublié tout ce que ma mère m'a dit avant de mourir.

J'étais en cours d'histoire, un après-midi, lorsque le proviseur est venu frapper à la porte de la salle de classe. Le prof a cessé d'écrire au tableau et il est allé le rejoindre dans le couloir. Je les ai vus chuchoter quelques instants, leurs deux têtes rapprochées. Puis ils se sont tournés dans ma direction. Je me souviens que ma poitrine s'est serrée de peur; je me souviens d'avoir pensé : « Je n'ai pas encore eu assez de temps avec toi, maman. Moi non plus, je n'ai pas eu assez de temps. » Je me suis levée lentement de ma chaise en laissant derrière moi mes livres et mes classeurs. Je me souviens que Louis s'est levé à son tour et qu'il m'a suivie ; je me souviens qu'il m'a prise par le coude, m'a entraînée jusqu'à sa voiture et m'a conduite chez moi. Il est resté avec moi une bonne partie de cette longue nuit — ma première nuit sans ma mère. Nous ne parlions pas, cela n'était pas nécessaire. Et je me dis maintenant que notre amitié, à Louis et à moi, ressemblait beaucoup à celle entre Calli et Petra.

Après la mort de ma mère, j'ai continué à fréquenter les livres. Chaque soir, avant de me coucher, je me lisais à voix haute quelques pages. Aller ainsi au bout d'un roman me prenait une éternité mais cela me paraissait inconvenant de lire dans ma tête pour moi toute seule. Je sais, c'est bizarre, comme théorie. Griff se moquait de moi lorsque j'achetais des livres pour enfants dans des vide-greniers et que je les lisais à Ben *in utero*. J'ai appris à m'abstenir de le faire lorsque mon mari était dans les parages, mais j'adorais tenir mon ventre énorme d'une main, mon livre de l'autre, et faire la lecture à mon enfant à naître. Je croyais dur comme fer que Ben m'entendait, de là où il était, et qu'il se berçait doucement d'avant en arrière, peut-être en suçant un pouce minuscule. Une fois que mes deux enfants sont nés, ma manie de lire à voix haute passait déjà mieux. Maintenant encore, je fais la lecture tous les soirs à Calli ; même Ben m'autorise parfois — très exceptionnellement — à lui lire un passage de son livre du moment. Lorsque Griff est absent, je me pelotonne dans mon lit et je me lis une histoire jusqu'à ce que le sommeil vienne me saisir, mon livre toujours à la main.

Après la mort de maman, Louis me réclamait de temps en temps de lui faire la lecture, mais cela m'intimidait et je refusais. Il a renoncé lorsque je l'ai prié avec impatience de ne plus m'en faire la demande. Louis a toujours répondu présent pour moi, donc. Jusqu'au moment, bien sûr, où je l'ai moi-même mis à distance. Mais lorsque mon père est décédé à son tour, alors que nous étions mariés depuis trois ans, Griff et moi, Louis m'a écrit une lettre de condoléances. J'ai su que la carte venait de lui avant même de lire l'adresse au dos. J'ai mémorisé son écriture, petite et précise, depuis le cours primaire. Je n'ai jamais montré la carte à Griff. Louis avait signé « Toujours, Louis », et je n'avais pas l'énergie de tenter de m'en expliquer à Griff.

Parfois je rêve de Louis. De lui et moi ensemble, comme lorsque nous avions seize ans. Dans mes rêves, nous sommes toujours dans la forêt de Willow Creek et nous marchons main dans la main. Je sens la texture de sa paume, le frottement de ses doigts contre les miens. Encore aujourd'hui, il me suffit de m'immerger dans le souvenir de ces rêves et de rester un instant immobile, sans bouger, pour retrouver la sensation de Louis. Quand il m'embrasse, dans mes rêves, le flux pressé de nos souffles qui se mêlent dans nos bouches demeure sur ma langue pendant des heures, bien après mon réveil. Dans un coin de ma tête, même dans mon sommeil, je me dis : « Tu es mariée, Antonia, que fais-tu du père de tes enfants ? Que fais-tu de Griff ? » Dans mon rêve, alors, je me force à m'écarter de Louis, à chasser la sensation de ses mains sur moi, de ses lèvres sur ma peau. Et je me réveille, parfois avec Griff à mon côté mais le plus souvent avec un mari à mille cinq cents kilomètres de là, en Alaska, et j'ai la peau brûlante et un embrouillamini dans le cerveau.

Ce qui ne m'empêche pas de passer des jours, voire des semaines d'affilée, sans penser à Louis. Mais je tombe alors sur sa voiture de police quelque part en ville ; ou je croise sa jolie jeune femme au supermarché avec leur petit garçon dans le chariot, balançant ses courtes jambes potelées, et je me dis : « Ce pourrait être moi, ce pourrait être ma vie. » Puis, de nouveau, je me dégoûte de remuer des pensées pareilles et je m'interdis de m'y attarder. Griff n'a pas toujours été comme il est aujourd'hui. Ses vraies beuveries n'ont commencé qu'après la naissance de Ben. Et mon fils avait déjà trois ans lorsque Griff m'a frappée pour la première fois. J'ai déjà oublié ce que j'ai dit ou fait pour le mettre dans une colère aussi violente contre moi, mais il m'a tabassée si fort que pendant le mois qui a suivi, je ne suis pas sortie une seule fois de chez moi sans mes lunettes de soleil. Ensuite, il ne m'a plus frappée du tout pendant une année entière. Puis, par la suite, il s'y est pris de façon plus retorse : il ne me cognait plus jamais à un endroit où quelqu'un aurait pu voir les marques. Mais même ainsi, Griff pouvait être absolument merveilleux. Si drôle et si charmant… Et les histoires qu'il me racontait au sujet de ses aventures sur le pipeline me faisaient écrouler de rire chaque fois. Même Lou n'a jamais su me faire rire comme ça. Si seulement il pouvait s'arrêter de boire, la vie serait différente. Non, je sais que Griff m'aime, et il est l'homme que j'ai épousé. Mon choix, ce fut lui, pour les bons moments comme pour les mauvais.

Je dois me mettre à la recherche de Ben, maintenant, avec ou sans Louis. Que Griff soit introuvable au moment où j'ai besoin de lui, j'y suis accoutumée. C'est au moins une chose sur laquelle j'ai toujours pu compter : la non-fiabilité de Griff. Je décide que je ne ressortirai de la forêt que lorsque j'aurai trouvé Ben. Je ne suis pas certaine que Calli soit dans les bois aussi, mais l'hypothèse ne paraît pas illogique. Je la ramènerai à la maison, elle aussi. Mme Norland tente de me convaincre de rester, mais elle finit par mettre plusieurs bouteilles d'eau fraîche dans mon sac à dos, puis elle me serre un instant dans ses bras. En enfilant les brides du sac pour le caler sur mon dos, je vois arriver Martin Gregory à pied.

Je me demande ce qui se passe encore et je franchis la porte pour m'avancer à sa rencontre.

Louis

Je raccompagne Mary Ellen McIntire jusqu'à la sortie, lui ouvre la porte et, une fois de plus, la chaleur plombée du jour m'ôte presque le souffle. Je lui dis que je lui ferai savoir si elle peut se rendre utile aux familles Clark et Gregory, et je la suis des yeux tandis qu'elle se dirige vers sa voiture. Elle paraît défaite, brisée, et je me demande si cette journée prendra jamais fin. Je vois que Tucci me fait signe d'approcher, et je ferme la porte pour maintenir la chaleur oppressante au-dehors.

— C'est qui le type que vous avez amené, il y a un instant?

— Le grand maigre aux cheveux blancs, tu veux dire?

Tucci poursuit avant même que j'aie le temps d'acquiescer :

— C'est Charles Wilson, le psychologue scolaire qui travaille à l'école élémentaire. Et devine où ils l'ont chopé?

Cette fois, Tucci attend que je lui pose la question :

— Où ça?

Mais je crois que je connais déjà la réponse, et je sens mon estomac se contracter. Tucci frappe du plat de la main sur mon bureau.

— Dans la forêt de Willow Creek. Il dit qu'il promenait son chien. Mais devine quoi? Pas l'ombre d'un cabot en vue. Le ranger du parc l'a repéré qui rôdait vers le chemin du Bois Moussu et il nous a appelés. Bender et Washburn y sont allés et ils l'ont cueilli là-bas.

— Et qu'est-ce qu'il dit?

— Pas un mot. Notre homme est muet comme une carpe.

Dès l'instant où nous avons mentionné les deux petites filles, il s'est muré dans un silence total.

Tucci annonce ça d'un air de triomphe.

Il pense déjà que Wilson est responsable de la disparition des deux filles. Ce n'est pas impossible, bien sûr, mais comment expliquer que Griff reste introuvable ? Je demande à Tucci :

— Et moi ? Tu crois qu'il accepterait de me parler ?

— Ce n'est même pas la peine d'y compter. Il a dit qu'il voulait son avocate tout de suite. Et là, il l'attend dans la salle de conférences. Il n'a pas de casier, rien. En moins d'une heure, son avocate le fera sortir d'ici.

Mon téléphone sonne et je me renverse contre le dossier de ma chaise pour répondre.

— Louis, c'est Martin. Antonia et moi, nous nous demandions si vous accepteriez de venir nous retrouver chez Mme Norland.

Je me redresse aussitôt.

— Il est arrivé quelque chose ?

— Rien que vous ne sachiez déjà. Il y a les empreintes dans le jardin d'Antonia, mais nous aimerions parler avec vous de ce qu'il y aurait moyen de faire pour retrouver les filles.

— Martin, plusieurs policiers ont exploré les bois près de chez vous et n'ont rien trouvé. Nous envisageons des recherches sur une plus grande échelle, avec des chiens et un hélicoptère.

J'hésite à lui annoncer que Charles Wilson a été amené au poste, mais je décide de me taire. Je n'ai que très peu d'éléments et je ne veux pas lui donner de faux espoirs.

— Oui, je sais. Je suis bien conscient que vous faites tout ce que vous pouvez, mais le temps passe vite. Venez nous retrouver chez Mme Norland, s'il vous plaît. Nous avons besoin de votre aide, plaide Martin.

— Je vous rejoins immédiatement. Ne tentez rien avant mon arrivée, promis ?

— Nous vous attendons. Mais soyez gentil et faites vite.

Je raccroche, passablement perturbé que ce soit lui et

non pas Toni qui m'ait appelé. Je me demande comment je dois l'interpréter. A-t-elle perdu confiance en moi? Ou doute-t-elle de mes capacités professionnelles? J'espère que ce n'est pas le cas. Nous n'avons que très peu de pistes. Il est possible que le psychologue scolaire soit notre kidnappeur. Mais je sens que ça ne colle pas vraiment. Le chemin du Bois Moussu, où il a été interpellé, est éloigné des maisons des deux filles. Nous n'avons toujours pas réussi à localiser Lucky Thompson, l'étudiant qui travaille au Mourning Glory. Il ne s'est pas présenté cet après-midi pour prendre son service au café. Tant de questions sans réponses. J'ai la main posée sur le combiné et j'hésite à appeler ma femme. Il y a un moment maintenant que j'aurais dû me manifester. Mais je quitte le bureau du shérif sans avoir passé mon coup de fil. En démarrant, je règle ma radio sur la fréquence 2 de façon que seule Meg, notre dispatcher, puisse m'entendre.

— Meg, ce que je vais te dire est destiné à tes seules oreilles.

— Je t'écoute, me répond-elle.

— Je suis dans les bois, vers le chemin du Lynx, pour rechercher les deux fillettes disparues. Je reprendrai contact dès que possible.

— O.K. Message reçu.

Antonia

Louis est en route pour nous rejoindre. Cela me paraît tellement évident, maintenant, qu'il faut que j'aille en forêt pour récupérer les filles. Je n'ai pas l'intention de rentrer chez moi avant d'avoir retrouvé Ben, Calli et Petra.

— A votre avis, comment allons-nous faire pour passer devant les journalistes et les autres policiers sans qu'ils devinent notre destination ? me demande Martin.

— Aucune idée.

La même question me travaille également. Même si c'est une bonne chose que nous soyons le plus nombreux possible à chercher les filles, l'idée d'avoir une caméra braquée dans le dos en permanence ne m'amuse pas. Je me demande, d'autre part, comment Calli réagirait si un tas d'inconnus battaient les bois pour la retrouver. Je crois que cela l'effraierait et qu'elle se cacherait, ce qui ne servirait qu'à nous compliquer la tâche.

Il y a quelques heures encore, j'ai pensé que je ne survivrais pas à cette journée. Trop d'émotions ont cheminé à travers les circuits de mon corps et je suis épuisée. Mais la journée tire à sa fin, et moins nous aurons de lumière, plus il sera difficile de localiser les enfants. J'aurais voulu que nous nous mettions en route bien plus tôt, et je me rends compte que j'en veux à Louis et à « monsieur l'agent » Fitzgerald de nous avoir fait perdre un temps précieux.

— Le voilà, annonce Martin en voyant arriver Louis à travers les rideaux de Mme Norland.

J'ouvre la porte et le laisse entrer avant qu'il ait le temps de frapper.

— Salut, Louis. Et merci d'être venu.

— C'est bien normal. Martin avait l'air de dire que c'était urgent.

Louis s'approche pour échanger une poignée de main avec Martin et je m'étonne de les voir faire. Qui se comporte encore de façon aussi formelle, de nos jours ? Surtout dans des circonstances comme celles que nous traversons.

— Nous voulons partir dans les bois pour chercher les filles, explique Martin. Je sais que ce n'est pas conforme aux instructions de l'agent Fitzgerald. Mais nous sentons l'un et l'autre que c'est ce que nous avons à faire.

Louis écoute et ne manifeste aucune réaction. J'interviens à mon tour :

— Il va faire nuit dans quelques heures, Louis. Je ne peux pas supporter l'idée qu'elles soient seules dehors dans le noir. Il *faut* que je parte à leur recherche.

— Je comprends ce que vous ressentez. Et je ne désapprouve pas forcément. Je pense seulement que nous serons en mesure de pousser les recherches beaucoup plus loin demain, avec une bonne organisation, des chiens de pistage et des effectifs renforcés.

La voix de Martin se teinte d'impatience.

— Nous pourrons toujours mettre ce grand projet à exécution demain, en cas de nécessité. Mais là, maintenant, nous partons à leur recherche, Antonia et moi, avec ou sans vous. Nous espérons que vous nous accompagnerez. Ou au moins que vous nous aiderez à passer au travers des médias quand nous sortirons d'ici.

Martin et moi attendons avec anxiété la décision de Louis. Il a sur ses traits la même expression que je lui connaissais déjà lorsque nous étions enfants. Cet air d'indécision, il l'avait chaque fois que je le mettais au défi de se lancer dans une aventure qui lui attirerait des ennuis, ou bien le mettrait en danger. A la fin, Lou finissait toujours par relever le défi.

— Bon, d'accord. Où voulez-vous commencer ? demande-t-il en soupirant.

Martin me regarde.

— Je ne suis pas familier de la forêt. Je crains de ne même pas savoir où commencer à chercher.

— Ben m'a dit qu'il avait déjà été voir jusqu'à la clairière des Saules, et dans tous les endroits que Calli connaît à la lisière des bois. Enfonçons-nous tout de suite dans les profondeurs de la forêt. Peut-être d'abord du côté du chemin de l'Ancienne Ecole ? Puis vers le chemin du Lynx ?

Le chemin de l'Ancienne Ecole est une sente étroite et sinueuse, tellement envahie par la végétation que seuls ceux qui connaissent très bien la forêt l'empruntent encore. A une distance d'environ cinq kilomètres, complètement perdue dans les bois, se trouve une petite école, vieille d'au moins un siècle, consistant en une seule grande salle de classe. Personne ne sait pourquoi on a choisi d'ériger un bâtiment scolaire dans un endroit aussi difficile à atteindre. Des gens qui ont habité là, dans le temps, racontent qu'un petit groupe de pionniers s'était établi dans la forêt et que la communauté qu'ils formaient avait construit sa propre école. Il avait été malaisé, en revanche, de trouver un enseignant assez motivé pour s'établir dans un endroit aussi isolé. Si bien qu'à terme, la colonie avait quitté les bois pour se rapprocher de la ville, et la petite école construite en chêne et en calcaire avait été abandonnée à son sort. La robuste bâtisse tient encore debout, mais la forêt l'envahit peu à peu. Tous les carreaux sont désormais brisés et les animaux des bois ont élu résidence à l'intérieur.

Il y a quelques années, j'y avais emmené Ben et Calli, et nous avions parlé de nettoyer l'ancienne école et peut-être d'en faire un fort, notre refuge personnel à tous les trois. Mais l'école était trop loin dans les bois, le trajet à pied trop fatigant pour Calli. Et nous avons laissé tomber le projet. Peut-être que Calli et Petra ont décidé ce matin de retrouver le « fort » et d'explorer les lieux ? Cette idée correspondrait à un scénario beaucoup plus rassurant que celui incluant les empreintes de Calli dans la terre. Celui de Calli traînée quelque part contre son gré.

— Et les journalistes ? demande Martin.

Il me vient une idée :

— Et si quelqu'un essayait de distraire leur attention ? On pourrait leur dire qu'une conférence de presse est prévue dans les bureaux du shérif. Ils se rueront tous en masse là-bas.

Louis fronce les sourcils.

— C'est bien gentil, mais attends qu'ils arrivent sur place et qu'ils découvrent qu'on leur a menti ! Il ne s'agit pas de les braquer contre vous, Toni. Vous aurez peut-être besoin de leur aide plus tard.

— Je crois que j'ai une idée, dit Martin. Je peux utiliser le téléphone de Mme Norland ?

J'acquiesce d'un signe de tête.

— Aucun problème. Qui voulez-vous appeler ?

— Fielda. Elle avait l'intention de parler à un reporter de Channel Twelve, de toute façon. Je ne pense pas que quelques journalistes de plus ou de moins fassent une différence.

— Je crois que j'ai une idée qui pourrait garder les médias occupés un peu plus longtemps encore, ajoute Louis. Si cela ne dérange pas Fielda, je connais quelqu'un qui est disposé à vous apporter son aide par n'importe quel moyen. Mary Ellen McIntire est arrivée tout à l'heure à Willow Creek.

Louis nous regarde, dans l'expectative. Je me mets à trembler.

— Tu veux parler de la femme dont la fille a été assassinée ? Tu ne penses quand même pas que la personne qui a tué Jenna est impliquée dans la disparition des filles ?

J'entends ma propre voix qui se brise.

— Je ne sais pas, Toni. J'espère que non. Il y a des différences entre les deux affaires. Mais la petite Jenna McIntire a été attirée — on ne sait pas comment — hors de chez elle et emmenée dans les bois. Les similitudes ne sont pas flagrantes. Mais il y en a suffisamment pour que Fitzgerald explore cette piste. Et la presse en rajoute, bien sûr. Parler à Mme McIntire les occupera un moment.

Martin et moi nous regardons.

— Je vais appeler Fielda et lui expliquer ce que nous projetons de faire. Louis, appelez Mme McIntire et demandez-lui de se rendre chez ma belle-mère. Et vous, Antonia, sortez annoncer aux journalistes qu'il y aura une conférence de presse chez les Mourning à...

Il regarde sa montre.

— ... dans exactement un quart d'heure.

Ben

Je suis tellement fatigué que je n'arrête pas de piquer du nez. J'ai des élancements dans la tête et mes yeux sont si enflés que je ne peux presque plus les ouvrir. Papa a l'air de dormir et je relâche un peu ma vigilance. A travers les deux fentes minces entre mes paupières tuméfiées, je vois Petra changer de position. Oh, bon sang, elle n'est pas morte ! Je ressens un tel soulagement que la tête m'en tourne. Prenant appui contre un arbre pour ne pas perdre l'équilibre, je parviens à me remettre debout. J'ai le vertige et je suis vraiment lessivé. Tout ce que je veux encore, c'est boire un grand verre d'eau glacée, me glisser dans mon lit et dormir des jours d'affilée. Je me dirige en chancelant vers l'endroit où Petra est étendue. Elle s'est roulée en boule en couvrant la tête de ses bras ; je ne vois pas ses traits et ce n'est peut-être pas plus mal. J'ai un peu envie de vomir et je ne suis pas sûr de supporter la vue de son visage réduit en bouillie. Mais je veux la faire parler pendant que mon père dort, je veux qu'elle me dise ce qui s'est passé.

Je chuchote :

— Petra…

Puis j'insiste un peu plus fort.

— Petra ?

Je m'agenouille et pose la main sur son épaule. Mes doigts sont couverts de sang séché et j'ai beau les essuyer et les réessuyer sur mon short, impossible de les nettoyer. Petra s'enroule encore un peu plus sur elle-même.

— Petra, c'est Ben. S'il te plaît, réveille-toi… Il faut que je te parle.

Elle gémit un peu, comme si le simple fait d'entendre le son de ma voix était déjà une souffrance.

— T'angoisse pas, Petra. Il ne faut plus avoir peur, maintenant. Je ne le laisserai plus s'approcher de toi.

Je jette un coup d'œil vers l'endroit où mon père est assis, toujours endormi. Petra pousse un nouveau gémissement et je lui tapote le bras.

— Maman…, chuchote-t-elle plaintivement.

— Tu vas la voir bientôt, Petra, lui dis-je pour essayer de la réconforter. C'est mon père qui t'a fait ça ?

Pas de réponse.

— Allez, Petra, tu peux me le dire… Mon père t'a fait du mal ? Qui t'a emmenée ici ?

Pas de réponse. Je soupire et me rassois. Elle a au moins prononcé un mot ; elle ne va pas mourir là, tout de suite. Petra est plutôt cool, pour une fille de sept ans. Et elle est vraiment chouette avec Calli. Faut reconnaître qu'elle est de bonne composition, Petra. Ce n'est pas forcément marrant tous les jours d'avoir pour meilleure amie une gamine qui n'ouvre jamais la bouche. Mais ça n'avait même pas l'air de la gêner. Calli et elle jouaient ensemble comme n'importe quel duo de petites filles du CP. A part que Petra parlait pour deux.

— Ben, disait-elle parfois quand elle était à la maison, Calli et moi, on aimerait bien que tu nous prêtes ta batte de base-ball et ton gant.

Ou alors :

— Calli a mal au cœur. Ta maman est là ?

C'était assez étonnant, quand on y pense. Du moment que Petra était dans le secteur, je n'avais pas trop à m'inquiéter pour Calli.

Je les voyais souvent se balader côte à côte, leurs deux têtes rapprochées comme si elles étaient plongées dans de longues conversations. Je me suis même demandé, du coup, si c'était juste avec nous que Calli refusait de décrocher un mot. Peut-être que Petra et elle parlaient tout le temps, lorsqu'elles étaient toutes les deux ?

Une fois, j'ai même posé la question.

— Elle t'a déjà parlé, Calli, Petra ?

— On parle tout le temps, avait-elle répondu, très calme. Mais jamais à voix haute. Je sais ce qu'elle pense et elle sait ce que je pense.

— Bizarre, ai-je dit.

— Oui, si on veut.

— Enfin, bizarre-sympa, pas bizarre-tordu, me suis-je hâté de préciser.

Depuis que Petra et Calli sont devenues copines, j'ai la vie beaucoup plus facile. Et je ne voudrais pas que Petra se figure qu'il faut être un peu zinzin pour avoir Calli pour amie.

— Oui, bizarre-sympa, a-t-elle acquiescé juste avant de se sauver pour rejoindre ma petite sœur qui l'attendait.

Tout ça reste mystérieux pour moi. Je pose de nouveau la main sur l'épaule de Petra, mais elle se recroqueville sur elle-même comme si ça lui faisait horreur que je la touche. Elle commence à pleurer doucement et gémit de nouveau.

Je tourne la tête vers l'endroit où est assis papa. Je regarde une fois, cligne des yeux, puis regarde de nouveau : il est parti ! Je me relève très vite et décris un cercle sur moi-même en cherchant dans toutes les directions. Disparu. Il a réussi à se sauver. Des larmes piquent mes yeux déjà brûlants. *Je l'ai laissé s'échapper.* Calli est-elle déjà arrivée en bas de la pente ? Je serais incapable de dire combien de temps s'est écoulé depuis qu'elle est partie. Elle est rapide. Plus rapide que je ne l'aurais été. Mais est-ce qu'elle a pu trouver de l'aide avant que papa ne la rattrape ? Je ne sais pas. Peut-être qu'il n'est pas parti à la suite de Calli et qu'il nous guette quelque part derrière un arbre, prêt à nous achever, Petra et moi, dès que j'aurai le malheur de lui tourner le dos. J'ai un peu la honte de penser que mon propre père pourrait me tuer. Mais il m'a quand même cassé le nez, et Petra est déjà à moitié morte. Je ne me sens ni très grand ni très fort, là. Et c'est comme si j'entendais papa rire de moi : « Tu te prenais pour un héros, Benny ? Regarde-toi, maintenant ! Tu n'as pas l'air fin. Tiens, tiens, ce sont des larmes que je vois… Pauvre gros bébé pleurnicheur ! »

Là, je me mets à pleurer pour de bon, et pas moyen de m'arrêter. Et si papa a réussi à remettre la main sur Calli ? Une fois de plus, je l'ai trahie. Abandonnée. J'étais fatigué d'être le grand frère, fatigué de tout prendre sur moi chaque fois.

Et maintenant ? Qu'est-ce que je fais ? Je reste ici avec Petra jusqu'à l'arrivée des secours ? Ou je descends chercher moi-même de l'aide ? Je ne sais pas quelle est la meilleure solution. J'ai douze ans et je ne devrais pas avoir à prendre une décision aussi lourde par moi-même.

Je me laisse glisser en position assise à côté de Petra, et je me cale le dos contre un gros rocher en me demandant ce que ma mère ferait à ma place. Pas la mère qu'on connaît quand papa est dans le secteur, mais la mère qu'elle est en son absence. La mère qui a affronté en solitaire la chauve-souris entrée un jour par la cheminée, l'a assommée d'un coup de parapluie, puis l'a portée dehors dans la forêt pour être sûre qu'elle ne reviendrait pas. La mère qui, quand j'avais huit ans et que je me suis ouvert la tête sur un rocher en tombant d'un arbre, a noué une serviette autour de la plaie sanglante et m'a tenu la main pendant que le médecin me posait cinq agrafes dans le crâne. Elle n'a même pas pleuré, ou paniqué, ou été malade. Très calme, elle m'a demandé de la regarder, et m'a dit que tout allait bien se passer, pendant qu'ils me mettaient leurs crochets métalliques à travers la peau.

Cette mère-là, comment agirait-elle à ma place ? J'ai remâché la question un moment et j'ai fini par arriver à la conclusion que maman serait restée avec Petra jusqu'à ce que l'aide arrive. Oui, je crois que c'est la bonne solution. En restant, je peux veiller à la sécurité de Petra. C'est ce que je vais faire, donc. Monter la garde en espérant que Calli a réussi à atteindre le bas de l'escarpement sans encombre.

Mais que fera-t-elle, une fois arrivée? Réussira-t-elle à leur expliquer où nous sommes? Bon... Il faut simplement que je fasse confiance à ma sœur. Elle leur dira les choses. A sa façon, Calli se fera comprendre.

Louis

Antonia me décrit de nouveau les endroits préférés de Calli dans les bois de Willow Creek et je les consigne dans mon carnet, même si je n'ai aucun besoin de les noter. Ces endroits, je les connais ; nous avons grandi ici ensemble et, gamins, nous jouions dans la forêt. Je connais chaque creux, chaque ravin, comme je connais chaque courbe du visage d'Antonia. Je connais les chemins comme je connaissais jadis la carte du tendre qu'était la peau d'Antonia.

Mon portable sonne et j'hésite à répondre. Mais c'est peut-être quelqu'un qui a du nouveau au sujet des deux filles. Je prends l'appel sans regarder l'écran et j'entends la voix de ma femme.

— Qu'est-ce que tu fabriques ? me demande-t-elle avec impatience.

Je me place de façon à tourner le dos à Martin et Antonia.

— Rien. Je travaille.

— Je te rappelle que tu étais censé être en congé, aujourd'hui.

Je ne fais pas de commentaire, conscient que Christine a encore beaucoup de choses à me dire. Toni me rejoint et me pose la main sur l'épaule par-derrière.

— Lou ? Il y a du nouveau au sujet des filles ?

— Qui est-ce ? demande Christine. C'est la voix de Toni Clark ? Tu peux me dire ce qui se passe, à la fin ? Tu es avec elle ?

— Je te dis que je travaille.

Je sais que je me comporte froidement avec ma femme.

Mais la situation est grave. Deux petites filles ont disparu, même si l'une d'elles se trouve être l'enfant de mon ex-petite amie. Christine poursuit d'une voix dangereusement basse.

— Il faut que tu rentres à la maison, maintenant. Cela fait plusieurs jours que tu n'as pas passé un seul moment avec Tanner.

— Cela m'est impossible actuellement.

J'ai parlé d'une voix neutre, professionnelle, comme je m'adresserais à notre dispatcher. Pourquoi faut-il que je me comporte ainsi ? C'est comme si je ne voulais pas que Toni sache que je suis au téléphone avec ma femme.

Christine est au bord des larmes.

— Loras… C'est à ta femme que tu parles, pas à un de tes collègues. J'ai besoin de savoir ce qui se passe !

— Cela ne m'est pas possible en ce moment. Je reprendrai contact tout à l'heure.

Mon épouse explose en m'entendant débiter cette réponse mécanique.

— Arrête de me parler sur ce ton, merde, Loras ! Tu n'en as plus rien à foutre de moi, c'est ça ?

Sa voix hurle, déborde du portable, et je sais que Toni et Martin l'entendent. Ils baissent les yeux, gênés pour moi l'un et l'autre.

— Tu es en train de tout gâcher, Loras. Tu fais tout ce qu'il faut pour que ton couple, pour que ta famille partent en vrille ! Et pour qui ? Pour cette femme triste et stupide, incapable d'empêcher son mari de boire, incapable de veiller à la sécurité de ses enfants, pour couronner le tout !

Je sens la main de Toni se poser sur mon bras et je tourne les yeux vers elle, pensant qu'elle va essayer de m'arracher le téléphone et envoyer balader Christine. Mais pas du tout. Elle me montre quelque chose entre les arbres. Je suis la direction de son doigt pointé et raccroche au nez de Christine sans même un au revoir.

Emergeant en trombe des bois apparaît Calli. Voir l'angoisse tomber du visage d'Antonia lorsqu'elle réalise que sa fille accourt vers nous me procure un soulagement explosif. Je ne supporte pas de voir Antonia ressentir quelque peine que ce soit ; elle en a déjà porté plus que sa part. Calli et Ben sont toute sa vie, même si le désastre ambulant qui lui tient lieu de mari a d'autres priorités, se résumant à quelques packs de bières et un endroit pour s'effondrer.

Calli a franchi la limite des bois et je vois le regard de Martin, écarquillé par l'espoir, chercher au loin derrière elle, scrutant entre les aubépines qui bordent le chemin du Lynx. Mais personne ne débouche du sentier à la suite de Calli. Pas encore, en tout cas. Lorsqu'elle s'arrête devant moi, Calli paraît indemne. Elle ressemble à n'importe quelle gamine de sept ans qui viendrait de passer une journée à courir les bois. A deux détails près, cependant. Dans sa main droite, elle tient une chaîne en argent avec une amulette en forme de note de musique. Je sais que le collier appartient à Petra, parce que sa mère me l'a décrit dans les moindres détails lorsqu'elle m'a appelé, à 4 heures et demie du matin, pour m'annoncer que Petra n'était plus dans sa chambre. Conformément à la procédure, je dispose également d'une photo de la petite fille, ainsi que d'une description complète de la tenue qu'elle portait la dernière fois que ses proches l'ont vue : un pyjama short bleu, une culotte blanche à petites fleurs jaunes et, bien sûr, la chaîne et le pendentif. Une paire de tennis blanches appartenant à Petra a également été signalée comme manquante. Martin voit le collier, lui aussi, et s'effondre. Mais très vite, il se relève et se rapproche à longues enjambées déterminées. Ce n'est pas la première fois que je vois une expression telle que la sienne : un besoin véhément de savoir, peint à grands traits torturés sur le visage d'un parent désespéré — les derniers en date étant le père et la mère de la petite Jenna, morte à l'âge de dix ans.

Calli m'agrippe par la manche et je me baisse pour placer mon visage à hauteur du sien. Je ne m'attends pas à des mots ; il y a des années que Calli n'en a plus prononcé. Peut-être nous montrera-t-elle une direction du doigt, ou nous conduira-t-elle elle-même jusqu'à Petra, vers un dénouement que j'espère positif. Mais elle ne pointe rien et ne cherche pas non plus à m'entraîner en me tirant par la main. Elle parle. Un seul mot. Antonia se rapproche et je vois la stupéfaction puis l'émerveillement sur ses traits. Martin pleure, à gros sanglots inconsolables. Et je découvre ce qu'eux deux ne voient pas. Chiffonnée dans l'autre main de Calli, il y a la culotte blanche à petites fleurs jaunes de Petra.

Martin

Je me retourne en entendant un bruit de feuillages froissés parmi les arbres. Je découvre la grande amie de Petra, Calli, qui dévale le sentier en courant. Mais c'est ce qu'elle tient dans la main qui attire mon regard. De loin, je vois briller la fine chaîne en argent qui se balance au rythme de sa course. Le talisman n'a jamais quitté le cou de Petra et mon estomac se bloque, mes jambes se vident de leur force et je tombe à genoux. Je me concentre alors sur l'expression de Calli, et je ne vois ni peur ni terreur, mais une détermination farouche. Une ébauche de sourire flotte même sur son visage maculé de terre et de transpiration. Un moment d'espoir. Mon regard se porte plus loin, derrière Calli, mais je ne vois pas Petra arriver à sa suite. La petite émerge de la végétation des sous-bois et je me relève, la main tendue pour reprendre le collier de ma fille. Calli s'immobilise devant sa mère et le shérif adjoint ; elle est à bout de souffle, sa poitrine se soulève et son haleine s'échappe sous forme de courtes bouffées sonores. Cette petite créature muette qui ne parle jamais… Je sens monter le bouillonnement du désespoir en moi. Il faut que je retrouve Petra. Maintenant. Je cours vers la gamine, prêt à la secouer par ses épaules osseuses. « Parle ! Parle, je te dis ! » vais-je lui crier, mon nez touchant le sien.

Je m'immobilise à quelques pas. Elle tire sur la manche de Louis. Il se penche, l'oreille à hauteur de ses lèvres. Un mot, un seul, vient me cingler de plein fouet et je pleure.

Antonia

Louis et moi te voyons presque en même temps. Tu es
là, dans les bois, entre les arbres à miel dont l'odeur sucrée
restera toujours associée à cette journée, et j'entrevois un pan
de ta chemise de nuit d'été rose, celle que tu portais hier soir
au coucher. Ma poitrine se dénoue, le soulagement me fait
chanceler. C'est à peine si je remarque tes jambes égratignées,
la boue sur tes genoux. Même la chaîne que tu tiens à la
main, je ne la vois pas. J'ouvre les bras pour te recueillir, te
serrer tellement fort, poser ma joue sur tes cheveux mouillés
de transpiration. Jamais plus je ne te demanderai de parler.
Jamais plus je ne te supplierai en silence de me dire quelque
chose. Tu es là. Mais tu passes à côté de moi sans un regard,
tu t'immobilises devant Louis. Et je me dis : « Elle ne me
voit même pas. C'est vers Louis qu'elle va, vers son uniforme
de policier. C'est bien. C'est la bonne conduite à tenir. »
Louis se penche vers toi et j'ai les yeux rivés sur ton visage.
Je vois tes lèvres amorcer un mouvement, et alors je sais, je
sais. Je vois le mot se former, la syllabe s'affermir et glisser
de ta bouche sans effort. Ta voix. Non pas hésitante, ni
enrouée à force de silence, mais claire et intrépide. Un mot,
le premier en trois ans. L'instant d'après, je te tiens dans mes
bras et je pleure. Et avec mes larmes coulent des émotions
contraires, la gratitude et le soulagement, pour l'essentiel,
mais aussi du chagrin. Je vois le père de Petra s'effondrer.
Le mot que tu as choisi ne fait pas sens pour moi. Mais cela
n'a pas d'importance. Je m'en moque.

Enfin, tu as parlé.

Calli

Elle ne sentait même plus ses jambes. Seule subsistait encore une impression de lourdeur en dessous de la taille. Mais la volonté d'avancer la maintenait en mouvement et elle continuait de courir, courir. *Pour Ben.* Pour Ben qui l'avait toujours défendue ; pour Ben qui, tant de fois, avait ramassé les coups et les mots cruels qui lui revenaient de droit. Calli serra plus fort les deux objets qu'elle tenait dans la main : le collier de Petra et sa culotte. Elle ne comprenait pas trop pourquoi Petra ne les avait pas sur elle, mais sentait confusément qu'ils jouaient un rôle important dans cette histoire. Petra. Blessée si gravement qu'il avait dit qu'elle allait peut-être mourir. Oh là là… Est-ce que ça aussi, ce serait sa faute à elle ? Du coin de l'œil, elle vit une masse couleur paille dorée au milieu des fougères brunes. Calli s'arrêta net. Le chien. Ce même chien qu'elle avait croisé quelques heures plus tôt, filant avec insouciance à travers bois. Il était mort, maintenant. Allongé là, en tas, sur le flanc, sa longue langue rose sortie, dépassant entre ses dents ; et ses yeux grands ouverts ne voyaient plus rien. Le collier du chien avait été retiré. Calli avait l'impression terrifiante que quelqu'un ou quelque chose l'observait. Elle se détourna du chien mort et continua de dévaler la pente. Vite, vite, toujours plus vite, sans même regarder à ses pieds, indifférente aux racines et aux pierres qui pouvaient la faire trébucher. Ben lui avait dit de descendre. De descendre chercher de l'aide. Et elle ferait ce qu'il lui avait demandé. Car il y avait aussi cet homme. Cet homme terrifiant qui se trouvait encore là-haut. Son chien.

Oui, ce chien mort, c'était le sien. « Papa… », songea-t-elle. Son père était tellement en colère contre elle et, à tous les coups, il allait passer sa rage sur Ben. Et peut-être même aussi sur Petra. *Ben, papa, Petra, cet homme. Ben, papa, Petra, cet homme. Ben, papa, Petra, cet homme…*

La suite de mots tournait en spirale dans sa tête, revenant chaque fois, en ordre immuable. Puis elle le vit, le bout de la piste qui marquait la fin abrupte de la forêt. *Ben, papa, Petra, cet homme.* Elle déboucha en courant hors de la limite des arbres et découvrit un spectacle inattendu : sa maman — oh, sa maman —, le shérif adjoint Louis et le papa de Petra ! Elle pouvait arrêter de courir, maintenant. Et faire ce que Ben lui avait dit : obtenir de l'aide. *Ben, papa, Petra, cet homme. Ben, papa, Petra, cet homme.* A qui s'adresser, à présent ? Au shérif adjoint Louis, oui. Lui saurait ce qu'il fallait faire, il irait arrêter cet homme, arrêter son papa. Elle se planta devant Louis et vit les bras de sa mère qui se tendaient vers elle… *Ben, papa, Petra, cet homme, Ben, papa, Petra, cet homme, Ben, papa, Petra, cet homme…*

— Ben !

Le prénom fit irruption, comme s'il montait de très loin — non pas de sa bouche, mais de quelque part, plus profond, en dessous des clavicules. Elle ne reconnut pas sa voix ; elle s'élevait avec tant de force, de clarté, et ne demandait qu'à résonner encore. *Ben, papa, Petra, cet homme, Ben, papa…* Mais les bras de sa mère se refermaient sur elle et la berçaient, la berçaient avec une telle tendresse… Elle était fatiguée, assoiffée, et tout le monde bougeait autour d'elle. Fermant les yeux, elle entra de nouveau dans le silence.

Martin

Calli tient toujours le collier de Petra alors que sa mère et le shérif adjoint Louis l'entourent. A travers mes larmes, je m'avance vers elle pour reprendre la chaîne. Ben ? C'est donc Ben qui a fait cela ? Je ne pouvais pas le croire, même si, oui, l'idée m'a effleuré l'esprit, tout à l'heure, lorsque Fielda a lancé l'accusation dans un élan de colère. *Ben ?* J'essaie de desserrer les doigts de Calli pour récupérer le porte-bonheur mais Louis s'interpose.

— Martin, laissez-la respirer !

Je la questionne d'une voix éraillée par les sanglots.

— Où est Petra ?

Calli enfouit le visage dans le ventre de sa mère ; mes mains tremblent de désarroi, d'impuissance. Louis s'adresse à moi gentiment :

— Martin, nous allons la trouver. J'appelle des renforts sur-le-champ.

Je vois Louis tâtonner et extraire quelque chose de la main de Calli ; pas la main qui tient le collier, mais l'autre. Je me dévisse le cou pour voir de quoi il s'agit mais je ne discerne rien. Il enfouit l'objet dans sa main pour me cacher ce qu'il tient, puis il s'éloigne vers sa voiture de patrouille en annonçant qu'il va appeler des secours par radio.

Je me tourne vers Calli et lui demande aussi calmement que possible :

— Calli, dis-moi… Est-ce que Petra va bien ? Tu étais avec elle, là ? Réponds-moi, s'il te plaît. Est-ce que Ben est avec elle ? A-t-il employé la force avec toi ?

Antonia me foudroie du regard et se tourne de façon à faire bouclier entre sa fille et moi. Comme si c'était moi, le dangereux, dans l'histoire.

— Ecoutez, je ne sais pas ce que vous êtes allé vous imaginer, mais Ben est la dernière personne au monde qui lèverait la main sur…

Louis se hâte de venir nous retrouver et met un terme aux reproches coléreux d'Antonia.

— Je viens d'appeler pour qu'on envoie des effectifs supplémentaires. Nous aurons bientôt de l'aide pour retrouver Petra et Ben.

Il marque une pause et observe Calli de la tête aux pieds.

— Il y aura également une ambulance. Le personnel paramédical examinera Calli, et ils seront présents par la suite, si Ben ou Petra ont besoin d'assistance.

Louis se penche sur Calli.

— Est-ce que tout va bien pour Petra, Calli ? demande-t-il d'un ton apaisant.

Il prend le temps d'attendre sa réponse. Lentement, elle secoue la tête pour dire non. Je pousse un gémissement et me précipite vers le départ du chemin.

— Martin ! Attendez ! Il nous faut plus d'informations avant de monter là-haut. Il y a trois chemins différents. Nous devons d'abord être certains de prendre le bon.

Je m'arrête et reviens sur mes pas dans un état de grande agitation.

— Demandez-lui, alors, demandez-lui où ils sont ! Elle est capable de parler, elle vient de dire « Ben » ! Posez-lui la question, merde !

Je hurle, me déchaîne, et les postillons volent autour de ma bouche. Calli et Antonia ont l'une et l'autre un mouvement de recul.

— Martin, allez vous poster au bord de la route ! ordonne Louis. Guettez l'ambulance et faites-lui signe pour qu'elle sache précisément où nous sommes. Je vais parler moi-même à Calli et elle me dira où trouver Petra.

Sa voix se radoucit lorsqu'il ajoute :

— Je vous promets qu'en procédant ainsi, nous gagnerons du temps. Allez, maintenant. Et attendez l'ambulance ainsi que les renforts.

Je m'exécute, même si je suis fou d'angoisse, d'impatience, de rage. Louis retourne à l'endroit où se tiennent Calli et Antonia, toujours agrippées l'une à l'autre. L'injustice de la situation me prend aux tripes. Je devrais, moi aussi, avoir ma fille dans mes bras, la tenir, la rassurer, au lieu d'avoir à me demander où elle est, morte ou vivante. Je me dirige d'un pas lourd vers la route, puis j'attends à l'endroit où le gravier rejoint le bitume, scrutant le lointain, cherchant l'ambulance des yeux. Rien à l'horizon pour le moment. Je m'adosse contre la voiture de patrouille en oubliant que le métal retient encore la monstrueuse chaleur du jour et je m'écarte d'un bond.

Antonia se retourne et m'appelle. J'entends une incertitude dans sa voix. J'ai dû l'effrayer par mon attitude.

— Martin ? Pourrez-vous rapporter une bouteille d'eau pour Calli, s'il vous plaît ? Elles sont sur le siège arrière.

J'entends alors Louis qui hurle :

— Non, attendez !

Et il vient vers moi en courant.

J'ouvre la portière arrière, derrière le siège passager, et je sors trois bouteilles d'eau, deux pour Calli et une autre que je prendrai avec moi lorsque nous monterons chercher Petra. De Ben, franchement, je ne peux pas m'inquiéter pour l'instant. Est-il responsable de la disparition de Petra ? C'est au moment où je suis sur le point de me redresser que je la vois. Tachée et pleine de terre mais je la reconnais, je l'ai pliée moi-même hier après-midi, après l'avoir sortie du sèche-linge. Blanche avec de petites fleurs jaunes. Je prends le sachet transparent qui la contient et je le regarde fixement. Louis, sur ces entrefaites, arrive à mon côté.

— Martin…, dit-il d'une voix désemparée.

Je lui fourre le paquet dans les mains, incapable de le garder sous les yeux une seconde de plus.

— Je vais chercher ma fille, lui dis-je simplement — calmement, malgré la terreur qui me verrouille la poitrine.

Et je me mets à courir, moi et les cinquante et quelques années que je traîne, en montée sur le sentier, avec la voix du shérif adjoint dans mes oreilles.

— Martin, attendez! Il nous faut d'abord les renforts!

Indifférent à ses appels, je continue de courir.

Louis

— Merde…

Je jure tout bas lorsque Martin s'élance et passe à côté de moi en courant pour se diriger vers l'entrée du chemin. Dieu sait quel spectacle l'attend là-haut !

Je lance un ordre rapide :

— Toni ! Attends ici que l'ambulance arrive avec les renforts. Je pars avec Martin.

Je scrute son visage anxieux.

— Tout va bien se passer. Je monte là-haut et je te ramènerai Ben sain et sauf. Ne t'inquiète pas pour lui. Nous prendrons par le Creux du Clochard. Dis-leur qu'ils partent sur le chemin de gauche à l'embranchement.

Elle fait oui de la tête et me prend un instant la main.

— Merci, Louis.

J'exerce une rapide pression affectueuse sur les doigts qu'elle m'abandonne, puis je pars à la suite de Martin dans les bois.

Il ne me faut pas longtemps pour le rattraper. Il s'est arrêté au milieu du chemin et son regard est rivé sur une masse immobile allongée dans les fougères. Il respire bruyamment et ne se retourne pas lorsque je m'immobilise près de lui.

— Il est mort, dit-il d'un ton détaché.

Je me penche pour toucher le flanc du chien.

— Il est encore chaud. Il n'est pas ici depuis longtemps.

— Que croyez-vous qu'il lui soit arrivé ? demande Martin anxieusement.

— Je ne sais pas.

Je garde une voix calme et mesurée.

— Martin, il faut que vous redescendiez, maintenant. Vous allez nous attirer beaucoup d'ennuis, à vous comme à moi, si vous montez là-bas de votre propre chef.

— Je vais chercher Petra, répète obstinément Martin.

Je soupire, résigné.

— Bon, d'accord, on y va, mais on ralentit un peu le rythme, O.K.? On ne rendra pas service à Petra si l'un de nous deux se blesse avant de l'atteindre. Ça marche?

Martin baisse les yeux sur le chien mort.

— D'accord. Mais ne traînons pas en route. S'il vous plaît, faisons au plus vite.

Nous poursuivons vers le haut. Il nous reste une heure avant la tombée du crépuscule, mais je commence à me demander si nous parviendrons à redescendre Petra, Ben et Dieu sait qui encore qui pourrait se trouver au sommet. Une mission de sauvetage serait déjà difficile de jour. Mais en pleine nuit, ça promet d'être carrément périlleux. Pour accélérer les choses, j'ai demandé qu'on prévoie plusieurs véhicules tout-terrain. J'ai également dit à Meg qu'un hélicoptère devrait se tenir prêt à Iowa City au cas où il y aurait des blessés graves.

— Petra n'est pas morte, Martin.

Il me regarde.

— C'est Calli qui vous a dit ça?

— Pas verbalement, non. Mais je l'ai questionnée. Elle m'a indiqué par gestes que Petra se trouve en haut du Creux du Clochard. Je sais également qu'elle est blessée, mais elle n'a pas su me préciser si c'était grave ou non.

— Et elle vous a dit qui était son agresseur? demande Martin à travers ses dents serrées, soufflant bruyamment à cause de l'effort de la montée.

— Non, je n'ai pas réussi à obtenir une réponse de Calli à ce sujet. C'était juste au moment où vous avez ouvert la voiture et où vous avez trouvé le… Vous voulez vous asseoir un moment pour vous reposer, Martin?

— Non, ça va.

Nous continuons à grimper rapidement et en silence.

— Je pourrais tuer celui qui a fait cela, Louis. Vraiment le tuer. Pour de bon.

— Cela ne résoudrait rien, Martin. Et ne servirait qu'à rendre les choses tellement plus terribles encore.

— Vous avez un enfant, un fils.

Ce n'était pas une question.

— Il s'appelle Tanner, oui. Il a quatre ans.

— Et vous feriez n'importe quoi pour lui ? s'enquiert Martin en se concentrant sur le relief du chemin.

— Oui, je crois que je ferais n'importe quoi pour lui.

— Alors vous pourriez tuer quelqu'un qui agresserait votre enfant de cette façon, affirme-t-il résolument.

Je jette un regard oblique à Martin. Son visage est cireux. Un voile de sueur luit sur son front et il s'essuie avec un mouchoir qu'il tire de sa poche.

— Je pense que j'aurais probablement *envie* de tuer la personne qui violenterait Tanner. Mais je ne pense pas que je passerais à l'acte. Surtout si la police était là pour m'aider.

— Elle a prononcé le mot « Ben ». Et elle tenait le collier de Petra et sa culotte à la main. Comment voulez-vous que je n'en tire pas de conclusions ?

Il s'immobilise une fraction de seconde, secoue la tête puis repart de plus belle.

— Pour le moment, il s'agit d'arriver au sommet. Une fois là-haut, nous verrons.

Je prends quelques instants pour me servir de mon talkie-walkie. Je donne notre position et m'informe de ce qui se passe en bas. Les ambulances viennent juste d'arriver. L'une pour transporter Toni et Calli à l'hôpital, une autre qui devra rester sur place, en attendant de nouvelles instructions. Deux policiers avec des quads, ainsi que d'autres à pied et à cheval, s'apprêteraient à monter nous rejoindre. Je rappelle à chacun que nous n'avons ni suspect ni description de suspect. Et que la consigne est de rester à l'affût, et de trouver Ben et

Petra. La plupart des hommes connaissent les deux enfants de vue et, pour les autres, des photos circulent.

Nous approchons de l'endroit où le chemin se sépare en deux et je montre d'un geste la direction à prendre.

— Je ne sais pas ce que nous allons trouver au Creux du Clochard, Martin, mais dans tous les cas de figure, il faudra me laisser passer devant. Votre premier réflexe sera de vous précipiter vers Petra, mais il faudra vous en abstenir.

Je me place devant lui, de manière à l'obliger à m'écouter.

— Vous m'entendez, Martin ? Vous ne pouvez pas débouler là-haut comme ça. Il se peut qu'un individu dangereux soit toujours sur place. Que dis-je ? Il se peut même qu'un individu dangereux nous observe en ce moment même. Il faudra donc me laisser décider de la marche à suivre. Professionnellement, c'est d'ailleurs une erreur, que nous soyons venus ici, tous les deux, sans renforts.

Martin soutient mon regard.

— Vous n'auriez pas pu m'empêcher de monter.

— Je sais. C'est d'ailleurs la raison pour laquelle je suis ici avec vous. Je ne veux pas qu'il vous arrive quelque chose. Pas plus que je ne vous laisserai vous en prendre à quelqu'un d'autre, d'ailleurs. Dès que nous arriverons là-haut, vous attendrez. Jusqu'au moment où je vous dirai ce que vous devez faire. Vous resterez toujours derrière moi. C'est clair ?

Martin pince les lèvres et semble sur le point de protester, mais il choisit de s'abstenir.

— C'est clair.

Et il se remet en marche. Je suis étonné par l'énergie qu'il déploie. Il continue de grimper d'un bon pas alors que je commence à sentir les muscles de mes jambes. Je suis persuadé que Martin est essentiellement porté par l'adrénaline.

Et que son corps, demain matin, ne sera que douleur.

Calli

Dès l'instant où sa mère avait vu ses pieds déchirés et en sang, elle l'avait soulevée dans ses bras comme si elle avait encore deux ans. Et elles étaient restées ainsi, poitrine contre poitrine, son menton en appui sur l'épaule d'Antonia. Le père de Petra lui avait fait peur : l'expression sur son visage, les inflexions terrifiantes de sa voix… Calli frissonna malgré la chaleur. M. Gregory ne faisait pas peur de la même façon que son père, mais il avait eu l'air prêt à on ne sait trop quoi. Louis et lui étaient partis tellement vite ! Mais c'était bien comme cela, puisqu'ils montaient chercher Ben et Petra. Ils allaient leur porter secours, exactement comme Ben l'avait demandé. Elle avait donc bien fait ce qu'il fallait : trouver de l'aide. Et peut-être que tout allait s'arranger, maintenant ? Elle était tellement fatiguée, tellement somnolente… L'eau, tout d'abord, lui avait fait du bien. Elle avait bu, encore et encore, chaque fois que sa mère avait pressé le goulot de la bouteille contre ses lèvres. Mais maintenant, elle avait mal au ventre et un peu envie de vomir, avec cette eau qui gargouillait dans son estomac vide.

Calli avait vaguement conscience d'avoir parlé. Un mot. *Ben*. Elle avait prononcé le nom de son frère et, étrangement, il ne s'était rien passé de terrible lorsqu'elle avait ouvert la bouche et produit un son. Sa mère était toujours là et la tenait aussi fermement qu'avant. Elle ne lui avait pas été arrachée, rien d'affreux ne s'était produit. Calli ferma les yeux. Elle avait eu l'intention de dire d'autres choses encore, mais elle était tellement, tellement fatiguée. La sensation était revenue dans ses pieds abîmés et elle avait l'impression qu'ils étaient en feu. Tout ce qu'elle voulait encore, c'était dormir, dormir, avec sa main dans celle de sa maman, le visage enfoui dans le doux sillon de son cou. A distance, on entendait le hurlement d'une sirène d'ambulance qui se rapprochait.

Dans un recoin presque endormi de son cerveau passa, fragile comme une libellule, la pensée qu'elle aurait dû donner plus de précisions au shérif adjoint Louis. Qu'avait-elle dit ? *Ben.* Mais cela ne suffisait pas. *Ben, papa, Petra, cet homme.* Le père de Petra avait eu l'air horrifié, mais elle avait juste dit « Ben ». Et il n'y avait rien d'effrayant là-dedans. Mais le père de Petra s'était mis à courir, tout à coup, et le shérif adjoint Louis était parti après lui. Pour aider. *Ben, papa, Petra, cet homme.* Calli articula les mots sans bruit : *Ben, papa, Petra, cet homme. Ben, papa, Petra, cet homme...* Mais elle était trop fatiguée et ses lèvres cessèrent de remuer.

La sirène de l'ambulance fit brutalement silence et Calli sentit que sa mère l'allongeait. Elle lutta pour rester dans son étreinte, cherchant à se raccrocher à son T-shirt, mais ses doigts étaient fragiles, sans force, et le tissu glissait comme de l'eau, se dérobant à sa prise.

Elle vit le visage de sa mère flotter juste au-dessus d'elle et elle l'entendit murmurer :

— Tout va bien, Calli. Je reste avec toi. Je ne te laisserai pas seule. Tu peux dormir tranquille, maintenant.

Elle sentit la caresse légère des doigts maternels sur sa joue, puis sa mère l'embrassa. Ses lèvres étaient chaudes et sèches. Alors Calli inspira l'odeur de sa mère et s'abandonna au sommeil.

Ben

J'entends un grand bruit dans les bois : quelque chose fonce dans ma direction. « Oh, non, je me dis... Papa revient. Il va me tuer pour de bon, cette fois. » Je bondis sur mes pieds et me tiens prêt. Je penche la tête pour mieux entendre ; c'est à peine si je vois encore clair à travers mes paupières boursouflées, et je me passe les mains sur le visage que je sens enflé et douloureux sous mes doigts. J'attrape la branche la plus proche. Elle n'est ni très épaisse ni très solide, mais elle a des bouts pointus. Peut-être que ça suffira pour le maintenir à distance.

Le martèlement dans les bois se rapproche et, au son, j'estime que c'est trop volumineux pour être papa. Comme si ce qui avance vers moi arrivait sur quatre pieds. Je pense alors à un coyote. Et, je ne sais pas pourquoi, mais cette idée me colle encore plus la trouille que si c'était papa. Peut-être parce que papa, je le connais. Je sais comment il réagit, comment il se déplace, comment il se bat. Un coyote, ce serait une autre histoire et je regarde autour de moi, à la recherche d'un plus gros bâton. Puis le bruit de cavalcade arrive sur moi, sur nous, et mes pensées vont à Petra. Un coyote pourrait se jeter sur elle en la trouvant si petite, si démunie. Elle ne paraît pas en état de se défendre, et un gros coyote serait capable de l'emporter avec lui et de l'avaler en trois bouchées. Je me rue vers elle et j'écarte grand les bras, bâton brandi, prêt à la défendre.

Je ne sais pas ce qui me surprend le plus : le fait que ce ne soit ni mon père ni un coyote qui surgisse d'entre les arbres, ou la vision inattendue du shérif adjoint Louis et du père de Petra. Je garde les yeux rivés sur M. Gregory car il a l'air fou furieux. Son regard se pose sur Petra, toute ratatinée par terre, et moi devant, comme un con, avec mon bâton, et je saisis direct ce qui se passe dans sa tête. Avant que je puisse même ouvrir la bouche pour m'expliquer, il me tombe dessus : un vieux type toujours super-poli, super comme il faut, qui décolle carrément de terre pour me plaquer au sol. Quand je vois ses pieds s'élever, je me dis : « Oh, merde! Il pense que c'est moi qui ai mis Petra dans cet état… » Pour la seconde fois de la journée, je me ramasse un adulte qui s'abat sur moi de tout son poids. Et je peux dire que ça fait vachement plus mal la seconde fois, quand tu vois le choc arriver.

M. Gregory atterrit sur moi en hurlant quelque chose que je ne comprends pas et, comme je ne respire pas, je ne peux pas lui dire ce qui s'est passé vraiment, et qu'il faudrait arrêter papa. Le seul son qui s'échappe de moi, c'est le grand bruit d'air que font mes poumons en se vidant. Brusquement, le shérif adjoint est là et il attrape M. Gregory par les épaules.

— Martin! hurle Louis.

Mais M. Gregory continue de frapper comme un dingue en gueulant que je suis un pervers et qu'il va me tuer de ses mains.

— Martin! crie encore Louis. *Regardez-le*, Martin, enfin!

Enfin, M. Gregory laisse retomber ses poings et me regarde, me regarde vraiment — moi, d'abord, et ensuite Petra. Il se penche alors sur sa fille et je le vois qui vérifie si elle respire encore. Et là, M. Gregory fond en larmes. Je crois que je n'avais encore jamais vu un homme pleurer avant; pleurer pour de bon, je veux dire. Je me relève pour essayer de voir. Et le second truc qui me vient à l'esprit, c'est que Petra a dû mourir, que je l'ai laissée mourir. J'étais chargé de veiller sur elle jusqu'à l'arrivée des secours et elle est morte. Alors je sens ma gorge qui se serre et les larmes me viennent à moi aussi.

— Dieu merci, Dieu merci, crois-je entendre murmurer M. Gregory.

Et je m'efforce d'arrêter de chialer pour écouter.

— Merci, mon Dieu, psalmodie-t-il d'une voix plus forte.

— Elle... elle va bien ?

J'essaie de ne pas parler comme un petit gamin, mais j'ai la voix tout aiguë et tremblante, donc on voit bien que je ne suis qu'un môme à bout de forces.

— Ben, que s'est-il passé ? me demande le shérif adjoint Louis. Ça va ? Qui t'a mis dans cet état ?

Là, je réalise qu'au moins le shérif adjoint ne me voit pas comme l'agresseur de Petra. Et je craque encore un peu plus et je pleurniche :

— Mon père. C'est mon père qui a fait ça.

Là, direct, l'adjoint Louis me passe un bras autour des épaules et me dit que tout va s'arranger. Mais je ne vois pas trop comment les choses pourraient encore aller bien.

— Il nous faut un médecin pour Petra, dit Martin. Tout de suite. Faisons monter l'aide jusqu'ici.

Le shérif adjoint Louis prend son talkie-walkie et prononce une suite de chiffres dont je me dis qu'ils doivent être des codes secrets de la police. Et puis je retombe lourdement assis sur mon derrière, parce que toute mon énergie m'a quitté et que je ne tiens plus debout. Mes jambes sont comme du caoutchouc, mon visage me fait mal, et je pense que M. Gregory a dû me casser quelque chose lorsqu'il m'a plaqué au sol.

— Un hélicoptère décolle d'Iowa City à l'instant même, mais il faut que nous descendions Petra jusqu'à la clairière la plus proche. Autrement dit, celle qui est en bas de la montée que nous avons prise, Martin, explique l'adjoint Louis.

— Je ne pense pas qu'il soit prudent de la transporter, proteste M. Gregory d'un air inquiet. Et comment pensez-vous la porter jusqu'en bas ?

— Une équipe d'urgence médicale arrive ici avec les

renforts. Ils examineront Petra et nous indiqueront la meilleure façon de procéder.

L'adjoint Louis jette un coup d'œil à sa montre.

— La nuit ne va pas tarder à tomber. Il va falloir faire vite.

Je lève les yeux vers le ciel et je vois les roses et les orangés qui apparaissent juste avant que le soleil se couche.

— Je crois qu'elle a besoin d'assistance médicale sans attendre. S'il vous plaît, faites quelque chose, implore M. Gregory, nous ne pouvons pas la laisser comme ça…

M. Gregory ne regarde pas dans ma direction. Je ne sais pas s'il est embêté de m'avoir à moitié aplati sous son poids ou s'il a encore des doutes sur le rôle que j'ai joué dans cette histoire.

De loin, on commence à entendre gronder des moteurs : les quads arrivent sur nous. Un à un, ils surgissent au sommet de l'escarpement. Deux personnes, un homme et une femme qui doivent faire partie de l'équipe d'urgence médicale, sautent à terre, se précipitent en courant vers Petra et l'examinent. Je file me mettre un peu plus loin pour ne pas gêner les secours dans leurs allées et venues. Le shérif adjoint Louis s'adresse en gesticulant aux renforts de police ainsi qu'à Phelps, le ranger du parc, qui vient d'arriver à cheval. Je m'adosse contre un rocher et j'observe la scène un moment, essayant de garder les yeux ouverts, mais je tombe et retombe dans de courtes somnolences hébétées.

A un moment, je me réveille en entendant le bruit saccadé des pales d'un hélicoptère tout proche. Il fait nuit noire, à présent. Je vois les étoiles, de minuscules aiguilles de lumière hérissées au-dessus de ma tête, et je frissonne, même si tout le monde autour de moi a l'air de transpirer à grosses gouttes. Tous s'activent autour de Petra et semblent avoir oublié mon existence. Ce n'est pas moi qui suis gravement blessé, c'est sûr, mais je me sens seul, assis dans mon petit coin de forêt, avec tous ces adultes autour qui s'agitent pour évacuer Petra. Je m'inquiète du sort de Calli. Elle a dû descendre de l'escarpement et envoyer de l'aide. Je me demande où elle est, maintenant, et je regarde autour de moi pour essayer de repérer quelqu'un qui ne serait pas trop occupé, à qui je pourrais poser la question. Mais ils courent tous dans tous les sens, alors je me contente d'attendre et de regarder. Des trucs qui font peur, j'en ai déjà vu, mais regarder Petra sanglée sur une civière et suspendue à l'hélicoptère descendre le long de l'escarpement, là, ça m'a traumatisé carrément. L'hélico me fait penser à un monstrueux oiseau de proie tenant Petra entre ses griffes. Il faut dire que j'ai assisté à beaucoup de scènes terrifiantes aujourd'hui. De là où je suis, je ne peux pas voir M. Gregory, mais j'imagine qu'il doit se faire violence pour ne pas attraper la civière où se balance sa fille et la ramener sur la terre ferme.

Tous, nous regardons l'hélicoptère descendre avec sa charge. Petra ne restera pas longtemps accrochée dans les airs. Dans une minute, ils la feront monter dans l'hélico qui la transportera à Iowa City.

Et je me demande comment nous allons nous y prendre pour dégager d'ici, maintenant qu'il fait nuit noire.

Antonia

J'insiste pour monter dans l'ambulance avec Calli. Après la journée que je viens de passer, il est hors de question que je perde ma fille de vue. Cela ne m'amuse qu'à moitié de partir en laissant Ben derrière moi, mais je sais que Louis me le ramènera sain et sauf. Pauvre Ben... A croire que c'est toujours sur lui que ça tombe, de se retrouver seul à défendre sa peau. J'ai un bref sursaut de colère contre Griff, qui m'accule à la position inconfortable d'être toujours parent unique ; il n'est jamais là quand j'ai besoin de lui.

Calli s'endort dès qu'on la couche dans l'ambulance, malgré les secouristes qui l'auscultent, lui prennent le pouls, vérifient sa tension. L'une des soignantes, une femme d'une soixantaine d'années à l'expression aimable, m'adresse un sourire rassurant.

— Elle va bien récupérer, ne vous inquiétez pas. Ses blessures paraissent très superficielles. Mais on lui fera passer un examen complet à l'hôpital, et il faudra nettoyer et panser ses plaies, bien sûr. En attendant, nous allons devoir la mettre sous perf ; elle a des symptômes de déshydratation.

Je la regarde tamponner le creux du bras de Calli à l'alcool avant d'introduire adroitement l'aiguille de la perfusion. Calli bronche à peine pendant toute la manipulation. Je pousse un soupir de soulagement et la femme me jette un regard interrogateur.

— Que s'est-il passé là-haut ?

— Je ne sais pas exactement. Un truc moche.

Je baisse les yeux sur Calli, sachant que, pour l'instant en tout cas, elle est la seule à pouvoir nous dire avec exactitude ce qui s'est passé au Creux du Clochard. Je me demande si elle parlera de nouveau ou si elle retournera à son silence.

Je m'adresse à la secouriste :

— Vous ne pouvez pas rouler plus vite ?

Mais elle fait non de la tête.

— Nous ne mettons les gyrophares que lorsque le pronostic vital est engagé, explique-t-elle sur un ton d'excuse.

— Mon fils est toujours là-haut. Plus vite j'aurai fait soigner Calli, plus vite je pourrai retourner dans la forêt m'occuper de Ben.

— Le papa est encore dans les parages ? demande la femme.

Je guette des accents critiques dans sa voix, mais je n'en perçois aucun.

— Normalement, oui. Mais il est parti à la pêche pour quelques jours. Et je n'arrive pas à le joindre.

— Oh, ce n'est vraiment pas de chance !

Elle recommence à prodiguer des soins à Calli.

— Quel âge a votre fils ?

— Douze ans, dis-je, tout en me rapprochant encore un peu plus de ma fille.

— Il y a des gens, là-bas, qui sont partis à sa recherche ?

— Toute une équipe, oui. Mon fils est avec une autre petite fille qui avait également disparu.

Je regarde cette femme bienveillante qui s'est prise d'intérêt pour moi et me hasarde à demander :

— Que feriez-vous à ma place ?

— Vous avez de la famille ici ?

— Non. Nous sommes juste nous quatre.

— Des amis que vous pourriez appeler ?

Je secoue la tête et, une fois de plus, je sens la solitude se resserrer autour de moi. Pour la première fois, je prends la mesure de l'isolement que j'ai fini par trouver ici, dans la ville où j'ai grandi.

— Je m'appelle Rose Callahan et je finis mon service à 10 heures. Une fois que Calli aura été examinée et installée dans sa chambre, je veux bien lui tenir compagnie. Je suis quasiment certaine qu'ils la garderont en observation au moins pour la nuit. Elle risque d'être assez sérieusement déshydratée, après une journée entière passée dans la forêt. Vous voyez quand je pince la main de Calli ? Un pli se forme et la peau ne revient pas tout de suite à sa place. C'est ce qu'on appelle la turgescence cutanée. Il est très facile d'y remédier, mais il est préférable que votre fille reste sous surveillance médicale. Je vous promets que je veillerai sur elle avec plaisir, si vous devez retourner vous occuper de votre fils.

J'hésite et ne réagis pas à sa proposition.

— Tout le monde me connaît, à l'hôpital. J'ai trois petits-enfants, mais ils sont partis vivre dans l'Ouest.

— Je ne sais pas si…

— Vous savez quoi ? Passez-moi un petit coup de fil si vous avez besoin de moi. Je vous donne mon numéro de téléphone. N'hésitez pas à faire appel à moi. Moi non plus, je n'ai plus aucune famille sur place. Vous êtes originaire de Willow Creek ?

— Je suis née et j'ai grandi ici, oui.

Nous arrivons à l'aire de déchargement des ambulances ; Rose griffonne son numéro sur un bout de papier et me le tend.

— Appelez-moi, d'accord ? Si vous avez besoin de quoi que ce soit, je serai là.

— Entendu. Je n'y manquerai pas.

Des brancardiers arrivent, sortent Calli de l'ambulance et la font rouler jusque dans le service des urgences, pendant que Rose et son équipier leur communiquent les données médicales dont ils disposent pour ma fille.

— Toni Clark que voici est la maman de Calli, leur explique Rose.

— Suivez-nous, madame Clark, s'il vous plaît, me dit un infirmier.

Avant de lui emboîter le pas, je me retourne pour adresser un signe de la main à Rose, mais elle a déjà disparu.

— Racontez-moi ce qui est arrivé à Calli, me demande l'infirmier.

— Je ne suis pas très sûre de ce qui s'est passé, en fait. Ma fille n'était pas dans son lit ce matin, et elle est restée introuvable toute la journée. Une autre petite fille, Petra Gregory, est toujours là-haut, au sommet d'un escarpement en pleine forêt. La police est en alerte depuis ce matin. Ce soir, Calli est sortie en courant de la forêt, comme… comme ça, conclus-je en montrant ses jambes égratignées, ses pieds en sang, sa chemise de nuit sale.

— Et elle ne vous a rien dit sur ce qui lui est arrivé?

Je secoue la tête.

— Non. Mais elle a prononcé le nom de son frère, Ben. Il est toujours là-haut, lui aussi.

L'infirmier paraît perplexe.

— Vos deux enfants étaient absents de chez vous ce matin, alors?

— Non, juste Calli et sa meilleure amie. Pas Ben. Il est parti tout seul dans les bois pour essayer de les retrouver. Finalement, Calli est ressortie de la forêt mais pas son frère. Pas encore, en tout cas. Mais la police est montée les récupérer.

Je suis si fatiguée… Même à mes propres oreilles, mon récit paraît sans queue ni tête.

— Un officier de police devrait arriver ici sous peu, m'assure l'infirmier. Il ou elle questionnera Calli sur ce dont elle se souvient de cette journée. Un médecin va l'examiner et soigner ses petits bobos avant l'arrivée des enquêteurs.

— Entendu. Je vous remercie.

— Le Dr Higby sera là dans un instant.

L'infirmier me laisse seule avec Calli dans la salle d'examen brillamment éclairée, et je repousse les cheveux emmêlés qui tombent sur le front de ma fille. Calli tente de s'enrouler en position fœtale, de former une petite boule serrée, mais l'étroitesse de la table d'examen ne lui facilite pas la tâche. Elle enfonce un pouce crasseux dans sa bouche et toutes les deux ou trois secondes, ses paupières papillonnent comme si elle essayait de les soulever. Mais ses yeux restent fermés. J'entends la porte s'ouvrir dans mon dos et un homme entre — le médecin, je suppose, puisqu'il porte une blouse blanche. Le Dr Higby est entièrement chauve et son crâne nu brille sous les néons; il a des lunettes à monture rouge et des smileys décorent sa cravate.

— Dr Higby, me dit-il.

Je serre la main qu'il me tend. Il a une poigne solide et je suis frappée par la ressemblance de ses mains avec celles de Griff, puissantes et rugueuses à force de travail manuel.

Il observe un instant Calli, qui tente de se réchauffer en tirant le drap plus étroitement autour d'elle.

— Alors, dites-moi qui nous avons là.

— Ma fille s'appelle Calli Clark. Je suis Toni, sa mère. Elle a passé toute la journée perdue dans les bois. Je ne sais pas ce qui s'est passé.

— On l'a retrouvée comme cela? Endormie?

Je secoue la tête.

— Elle est sortie d'elle-même de la forêt, mais elle était exténuée. Elle s'est assoupie sitôt allongée.

Le Dr Higby vérifie les données médicales dans un dossier qu'il tient à la main et me précise que les signes vitaux de ma fille sont tout à fait normaux.

— Bon, je vais l'examiner pour voir de quoi il retourne. Je suis désolé, mais nous allons devoir la tirer de son sommeil, madame Clark. Ce sera plus facile de la soigner si elle est lucide et si elle peut m'indiquer où elle a mal… Je préfère que vous vous chargiez de la réveiller, en revanche. Elle pourrait prendre peur si elle ouvre les yeux et se trouve nez à nez avec ma sale bouille, conclut-il en m'adressant un sourire.

— Calli, ma chérie?

Je me penche pour lui caresser l'épaule.

— Calli, il faut que tu te réveilles, ma puce.

J'essaie de retirer doucement le drap et elle soulève les paupières, instantanément en éveil, son regard paniqué balayant la pièce.

Je susurre d'une voix berçante :

— Tout va bien, Calli, maman est là. Tu es à l'hôpital, ma chérie, et tu dois te réveiller pour pouvoir nous dire où tu as mal. Voici le Dr Higby qui va t'aider à aller mieux.

Le Dr Higby se place dans le champ de vision de Calli, et elle l'observe avec soin pendant un moment, prenant note des lunettes rouges et de la cravate.

— Bonjour, Calli, je suis le Dr Higby. Comme ta maman vient de te l'expliquer, je vais t'examiner pour m'assurer que tout fonctionne bien chez toi. On m'a dit que tu avais passé une journée un peu difficile ?

Calli ne répond pas mais continue d'observer le médecin.

— Je veux que tu saches, Calli, que tu es en sécurité ici, lui assure le Dr Higby. Il ne va rien t'arriver de mal, je te promets. Nous sommes là pour t'aider, O.K. ?

Calli ne dit rien. Je m'éclaircis la voix.

— Docteur, puis-je vous parler une seconde ? Calli, nous serons juste là, dans le couloir, d'accord ?

Elle hoche la tête et le Dr Higby me suit hors de la salle d'examen.

— Calli ne parle pas. Enfin… elle a parlé aujourd'hui pour la première fois et prononcé le nom de son frère après trois années de silence. Ce n'est pas grand-chose — juste une syllabe, en fait — mais pour nous, c'est un immense pas en avant. Je ne sais pas trop à quoi m'attendre maintenant, par contre. Va-t-elle se remettre à parler normalement ? Ou s'agit-il juste d'une parenthèse dans son mutisme ?

— Calli fait du mutisme électif ? Elle ne parle pas en dehors du contexte familial ?

Je secoue la tête.

— Elle ne parlait avec personne. Ni en classe, ni avec nous, ni même avec ses amies.

— Et il n'y a aucune lésion organique qui serait à l'origine de son silence ?

— On nous a certifié que non. J'avais presque perdu

espoir de l'entendre reparler de nouveau, et ça a été un choc de retrouver le son de sa voix.

En évoquant ce moment devant le médecin, je sens de nouveau une vague de triomphe et d'espoir.

— C'est une excellente nouvelle que Calli ait parlé. Je n'ai qu'une expérience très limitée en matière de mutisme, madame Clark, mais nous avons une psychiatre, dans l'équipe, qui sera sûrement mieux informée. Souhaitez-vous que je fasse appel à elle pour qu'elle voie Calli ?

Ma première impression positive de cet homme s'estompe très vite.

— Calli n'est pas folle.

— Bien sûr que non, elle n'est pas folle. Ce n'est pas ce que je voulais dire. Le Dr Kelsing est avant tout un médecin et elle a de vastes compétences. Son expérience pourrait nous être utile.

Le Dr Higby attend patiemment, me laissant le temps de la réflexion.

— Vous dites qu'elle est compétente, alors ? Qu'elle pourrait aider Calli ?

— J'ai une confiance inconditionnelle en son jugement, madame Clark.

— Alors, d'accord, je veux bien la rencontrer.

Du coin de l'œil, je vois deux policiers en uniforme franchir la porte des urgences.

— Je vais la prévenir, alors, puis nous nous emploierons à remettre Calli sur pied.

Le Dr Higby me tapote le bras puis s'éloigne pour appeler le Dr Kelsing.

Les deux policiers, pendant ce temps, échangent quelques mots avec la réceptionniste des urgences, puis se dirigent vers moi pendant que je jette un coup d'œil dans la salle d'examen pour m'assurer que Calli va bien. Elle m'adresse un faible petit signe de la main. Je lui souris, lui indique par gestes que je reviens tout de suite, et je vais à la rencontre des policiers. Leurs visages me sont familiers et je les identifie comme ayant suivi le lycée, à quelques classes derrière moi.

— Madame Clark ? demande le plus grand des deux.

J'acquiesce d'un signe de tête et l'un d'eux fait les présentations.

— Mike Bies et Russ Thumser, officiers de police. Je crois que vous étiez dans la même classe que ma sœur Cheryl.

Je confirme d'un hochement de tête distrait.

— Vous avez retrouvé mon fils ?

— Oui, madame Clark. Il est en route et devra être examiné ici, à l'hôpital.

— A l'hôpital ? Il est blessé ?

Mon cœur cogne violemment dans ma poitrine.

— Je ne crois pas, non, madame Clark. Rien de grave, en tout cas. Il devrait être ici dans une heure environ. En attendant, nous avons quelques questions à poser à votre fille.

— Et Petra ? Vous l'avez trouvée ? Comment est-elle ?

— Je suis désolé, mais il ne nous est pas possible de divulguer d'informations au sujet de Petra Gregory pour le moment… Madame Clark, il faut vraiment que nous entendions votre fille le plus rapidement possible. Son témoignage pourrait être déterminant pour l'enquête.

Le Dr Higby réapparaît alors et salue les deux officiers.

— Salut, Mike, salut, Russ. Qu'est-ce qui vous amène, ce soir ?

— Nous étions justement en train d'expliquer à Mme Clark que nous souhaitions nous entretenir avec sa fille.

— Avant que vous puissiez lui parler, nous devons d'abord nous assurer que l'état de Calli est stable. Je pense que vous pouvez le comprendre.

— Oui, bien sûr. Dans combien de temps, d'après vous, sera-t-elle en état de répondre à nos questions ?

Nous échangeons un regard, le Dr Higby et moi, et d'un hochement de tête, je l'autorise à expliquer la situation aux deux policiers.

— Calli a un petit problème avec la parole. Elle ne

pourra peut-être pas vous dire ce que vous souhaitez savoir. La psychiatre du service doit passer la voir. Il nous faudra procéder avec lenteur et précaution pour cette petite fille.

La déception des deux policiers est presque palpable. Mais ils sont assez avisés pour ne rien dire.

— Pourrez-vous nous appeler dès que vous la jugerez prête à répondre à quelques questions ? C'est extrêmement important. Et, madame Clark, nous aurons également à entendre votre fils lorsqu'il aura été examiné. Même chose pour vous, d'ailleurs.

J'ai un mouvement de surprise.

— Moi ? Pourquoi moi ?

— Juste afin de préciser quelques petits points. Nous avons réussi à localiser Roger Hogan, le compagnon de pêche de votre mari. M. Hogan n'a pas dit grand-chose, mais votre mari n'était pas avec lui… Bonne chance, madame Clark, lance le plus grand des deux policiers. Je suis heureux que votre petite fille soit de retour saine et sauve.

Je me pétrifie un instant en essayant d'assimiler cette nouvelle information. Si Griff n'est pas parti avec Roger, où a-t-il passé la journée ? Je ne m'autorise pas à envisager ce que cette nouvelle donnée pourrait impliquer. Nous retournons au chevet de ma fille, le Dr Higby et moi. Calli est complètement réveillée, à présent, et se recroqueville sous son drap dans la salle d'examen climatisée.

Le Dr Higby lui sourit.

— Je sais qu'il fait froid dans cette pièce, Calli. Dès que nous aurons fini ici, nous t'installerons bien confortablement et tu pourras te reposer. En attendant, nous t'expliquerons chaque fois *tout* ce qui va se passer *avant* que ça se passe, d'accord ? Comme ça, si tu as des questions, tu pourras les poser.

Une jeune infirmière entre dans la pièce. Elle arbore un sourire joyeux.

— Bonjour, Calli, je m'appelle Molly. Je serai ton infirmière pendant ton séjour ici. Tu pourras compter sur moi à fond. Je suis de ton côté.

Calli se hâte de tourner les yeux vers moi et m'attrape la main.

— Ne t'inquiète pas, ma puce. Ta maman pourra rester avec toi aussi.

Le Dr Higby me tapote amicalement l'épaule et prend congé.

— Parfois, nos jeunes patientes se sentent plus à l'aise quand tout se passe entre filles. Je reviens dans un moment pour voir où vous en serez.

Il m'adresse un sourire plein de gentillesse et nous laisse aux mains de l'infirmière. Je me penche pour embrasser Calli et, pour la première fois ce soir, je remarque l'odeur d'urine sur ses vêtements. Mon estomac se noue à l'idée de ce qui a pu arriver à ma fille pendant cette longue, longue journée dans les bois.

— Bon. Pour commencer, on va te débarrasser de ta chemise de nuit, dit Molly. Puis tu enfileras cette très jolie blouse.

Molly retire avec soin la chemise de nuit rose de Calli et la place dans un sac en plastique. Calli adore cette chemise de nuit ; souvent, je la surprends à la porter au beau milieu de la journée. Je crois qu'elle aime la façon dont le tissu virevolte autour d'elle à chaque mouvement. Quand elle ne sait pas que je la regarde, je la vois danser dans sa chemise de nuit rose au son d'une musique qu'elle est seule à entendre. Calli est gracieuse et délicate, et quand elle danse, elle me fait penser aux akènes des dents-de-lion que nous attrapions au vol avant de les relâcher pour faire un vœu. En la regardant bondir et tournoyer, je prononce toujours le même : « S'il te plaît, parle-moi, Calli. Parle, je t'en supplie. » Aujourd'hui, je fais le vœu silencieux d'acheter à Calli la plus belle chemise de nuit que je pourrai trouver. Une qui glissera sur sa peau comme de la soie et épousera chacun de ses mouvements comme de l'eau.

— Et maintenant, Calli, je vais te faire un examen. Tu sais ce que c'est, un examen ? demande Molly.

Calli hoche timidement la tête.

— Mais bien sûr que tu sais, quelle question ! Quel âge as-tu ? Seize ans ? Dix-sept ans ?

Calli sourit, secoue la tête et montre sept doigts.

— Sept ? se récrie Molly. Alors là, tu m'étonnes. Je pensais que tu étais beaucoup, beaucoup plus grande que cela.

Le sourire de Calli s'élargit. Je l'aime déjà, cette Molly.

— Et maintenant, Calli, je vais descendre de la racine de tes cheveux jusqu'à la pointe de tes orteils et je te demanderai pour chaque petit coin et recoin de toi si tu as mal ou pas. Tu m'indiques juste si c'est oui ou si c'est non, d'ac ?

De nouveau, Calli acquiesce.

— Je vois déjà que tu vas être top, comme patiente. Bon, allez, on commence. Première question : as-tu mal à tes cheveux ?

Calli fronce le nez et considère Molly d'un air sceptique. Celle-ci réitère sa question en riant.

— Alors ? Ils font mal ?

Ma fille fait non de la tête.

— Bien. C'est une bonne nouvelle. Et maintenant, ta tête. As-tu mal quelque part au crâne ? Dans le cou ?

De nouveau, Calli répond par la négative. Je vois à son visage que le jeu l'amuse. Et lorsque Molly arrive au niveau de ses orteils, nous avons appris que les seuls endroits que Calli recense comme douloureux sont le ventre et les pieds.

Molly explique calmement qu'elle va procéder à présent à un examen médico-légal. Lorsqu'elle prononce les mots « kit de viol », mon estomac se soulève. Je demande, hébétée :

— Vous croyez que c'est nécessaire ?

— Nous devons éliminer la possibilité d'une agression éventuelle, et il nous faut effectuer des prélèvements afin de recueillir toute trace qui pourrait subsister. Je vais procéder très en douceur. Et vous pouvez rester ici avec elle, m'assure Molly en enfilant des gants en latex.

Elle prend une sorte de grand Coton-tige qu'elle nomme écouvillon, demande à Calli d'ouvrir la bouche, et lui fait un rapide frottis à l'intérieur de la joue. Pendant que je la regarde faire, les images les plus atroces font le forcing dans mon esprit. J'essaie de les tenir à distance. Méthodiquement et avec précaution, Molly parcourt le corps de ma fille, raclant, brossant, prélevant la crasse et l'épouvante de cette journée. Je me force à regarder, à voir ce que ma négligence a provoqué. Je me force à regarder maintenant car je n'ai pas regardé mon enfant d'assez près ; elle a passé la journée dans la forêt à fuir, à fuir quelque chose de terrible. A-t-il fini par la rattraper ou a-t-elle été assez rapide pour lui échapper ? « Faites, faites que tu aies été assez rapide », telle est la litanie que je décline en silence. Lorsque l'examen médico-légal est enfin terminé, j'ai déchiffré chaque pli d'étonnement sur le visage de ma fille, chaque instant de confusion, chaque question non formulée. Je n'ai pas de mots pour Calli. Il ne me vient pas une seule parole utile ou de réconfort pour mon enfant pendant qu'elle subit cette effraction. Et nous restons l'une et l'autre silencieuses.

— Je ne vois aucun signe patent d'agression sur Calli. Mais je vais quand même envoyer tout ça au labo.

Je ferme les yeux et respire profondément. Peut-être que nous avons échappé au pire, finalement. Molly poursuit à mon intention :

— Nous aurons plus de certitude avec le résultat des analyses. Les coupures aux pieds sont assez profondes. Lorsque Calli aura passé ses radios, je les désinfecterai et je les banderai très serré.

Elle se tourne alors vers Calli.

— Je parie que tu te sentiras beaucoup mieux quand tu auras pris un bain, pas vrai, Calli ? Et nous allons surtout te trouver quelque chose de sympa à manger après tes radios. Ça te dit ?

Calli hoche la tête à plusieurs reprises. J'avais espéré qu'elle répondrait avec des mots, mais elle semble avoir recommencé à communiquer par signes. Il faut que je sois patiente. Au moins, je sais qu'elle a la possibilité de parler en situation d'urgence. A cela, je peux me raccrocher.

Molly installe Calli sur un chariot d'hôpital et nous nous acheminons jusqu'à la salle de radio. En sortant des urgences, je note qu'il fait désormais nuit noire, et je pense de nouveau à Ben et Petra en haut de l'escarpement. Je m'arrête au bureau des admissions pour savoir s'ils ont des nouvelles de Ben, et la femme au guichet me dit qu'ils ne devraient pas tarder à se mettre en route.

— Votre fils va faire le voyage à l'arrière d'une voiture de patrouille. Il n'a pas besoin d'être transporté en ambulance. C'est une bonne nouvelle. Votre fils semble être indemne, madame Clark.

Une vague de soulagement déferle en moi.

— *C'est* une bonne nouvelle, en effet. Quelqu'un pourra-t-il me prévenir lorsqu'il arrivera ? Je vais accompagner ma fille en salle de radio.

— Entendu, c'est promis. Et quand vous aurez un petit moment, j'aurai quelques formulaires administratifs à vous faire remplir. Mais ne vous inquiétez pas, rien ne presse, vous viendrez lorsque vous serez rassurée au sujet de vos enfants.

Je la remercie. Tout le monde est tellement gentil, ici. Brièvement le désir me traverse d'être admise moi aussi à l'hôpital, pour qu'on soit aux petits soins avec moi. Pendant que Molly pousse Calli dans le couloir, je vois le Dr Higby s'avancer vers nous avec une femme à son côté. Elle n'est plus toute jeune, au début de la soixantaine, peut-être, avec des cheveux gris acier, des lunettes et un teint lumineux. Avant sa maladie, la peau de ma mère avait été semblable à la sienne, mais j'étais trop jeune alors pour savoir en apprécier l'aspect.

Le Dr Higby fait les présentations.

— Madame Clark, voici le Dr Kelsing. Nous partageons le Dr Kelsing avec l'hôpital de Winner.

Je la salue d'un bref signe de tête.

— Enchantée.

— Je suis heureuse de faire votre connaissance, madame Clark. J'ai appris que votre Calli avait eu une journée éprouvante ?

— C'est exact.

Je me sens intimidée tout à coup face au Dr Kelsing. Son regard est pénétrant, brillant d'intelligence, et j'ai l'impression qu'il ne doit pas être facile de tricher avec elle.

— Les familles qui passent par des épisodes traumatisants comme celui que vous êtes en train de vivre sont habituellement réticentes à accepter une aide extérieure. Le plus souvent, elles ont tendance à faire bloc pour essayer d'affronter l'expérience, et à resserrer les rangs pour composer avec les conséquences par elles-mêmes.

Nous avons atteint la salle de radiographie et Molly se penche sur Calli.

— Nous allons prendre des photos de toi, maintenant, ma puce. Et nous aimerions que ta maman t'attende ici parce que nous n'avons pas besoin de prendre des photos d'elle aujourd'hui, O.K. ? Juste des photos de toi. De l'intérieur de cette pièce, tu verras ta maman, tout près, par la fenêtre. Ça marche pour toi ?

Calli fait oui de la tête. J'effleure la main de ma fille.

— Je ne bouge pas d'ici, Calli. Et je te verrai à travers la vitre.

Molly pousse Calli dans la salle sur son chariot et, de l'extérieur, je la vois placer ma petite fille sur la table et lui faire plier les bras et les jambes dans différentes positions pour essayer d'obtenir le meilleur angle pour ses clichés. Calli paraît si petite, si enfantine encore. La réalité de ce qui s'est passé aujourd'hui me brûle les yeux et je presse les doigts sur mes paupières. Je ne veux pas pleurer devant tous ces étrangers.

Je me tourne vers le Dr Kelsing.

— Je ne me sens pas capable d'affronter les conséquences

de cette journée toute seule. Pouvez-vous nous aider ? Pouvez-vous aider ma fille pour qu'elle continue de parler ?

— Je ne peux rien vous promettre, madame Clark, mais je propose que nous réfléchissions ensemble pour aboutir à ce qui vous paraîtra être la meilleure décision pour Calli. J'ai déjà eu affaire à des enfants mutiques. J'ai de la documentation sur ce sujet, dont je pense qu'elle pourra peut-être vous être utile, si vous le souhaitez.

Pour une raison étrange, mal définie, je décide de faire confiance à cette femme dont la peau me rappelle celle de ma mère.

— J'ai peur, lui dis-je, en luttant pour garder les yeux secs. J'ai peur de découvrir la raison pour laquelle Calli a arrêté de parler…

Les larmes débordent et je me mords la lèvre, déterminée à les contenir. Le Dr Kelsing ne dit rien mais me laisse le temps de me reprendre, et je l'apprécie d'autant plus pour la qualité de son silence.

— Mais j'ai encore plus peur de découvrir ce qui s'est passé dans la forêt aujourd'hui, et ce qui lui a rendu la parole.

Louis

Je vois Martin lutter pour ne pas craquer lorsque l'hélicoptère emporte sa fille. Une fois qu'il a disparu de notre vue et que l'on n'entend plus au loin que le bourdonnement des pales, il se tourne vers moi.

— Il faut que je descende d'ici. Je dois aller trouver Fielda, lui dire que Petra va s'en sortir.

— Nous allons faire le retour en quad. Ce sera plus rapide. Puis je vous conduirai auprès de Fielda.

Martin enfourche maladroitement un des deux véhicules tout-terrain et agrippe la taille de l'officier de police qui le transportera jusqu'au pied de l'escarpement. Le conducteur tourne la tête par-dessus l'épaule pour recommander à Martin de s'accrocher, puis le quadricycle démarre et ils disparaissent dans l'épaisseur de la forêt. J'espère que tout se passera bien pour Petra. Elle m'a paru être très faible, et je sais que le stress lié au transport en hélicoptère risque d'excéder le peu de forces que contient encore son petit corps malmené. Je me dirige vers l'endroit où Ben se repose contre le tronc d'un arbre. Dans le noir, il m'est impossible de discerner s'il dort ou non. Pour m'en assurer, je m'accroupis devant lui et dirige le faisceau de ma lampe torche à côté de son visage. Il est éveillé. La raclée qu'il a subie, j'en prends l'impact en pleine figure lorsque je vois ses joues blêmes, ses yeux et son nez boursouflés. Des éclaboussures de sang tachent sa chemise déchirée et il se tient douloureusement les côtes.

— Ça va aller, Ben ? Tu es prêt à rentrer, maintenant ? Tu tiendras le coup si on redescend en quad ?

— Je pense que ça va aller, oui.

Je l'aide à se relever et il marque une hésitation.

— Je peux monter avec vous sur le quad ?

Je me tourne vers mes deux collègues policiers et ils acquiescent d'un signe de tête. Ils grimpent ensemble sur un quadricycle pendant que j'aide Ben à se percher sur le véhicule restant.

— Tu me tiens fort, O.K. ? Passe les bras autour de ma taille. Si je vais trop vite et que tu veux que je ralentisse, tu n'as qu'à serrer plus fort. Je sais que tu as très mal, Ben, alors si tu as besoin de te reposer, tu me le dis, d'accord ?

Il hoche la tête.

— Je veux juste rentrer à la maison pour voir maman. Et je voudrais être sûr que Calli va bien.

— Je t'emmène là-bas aussi vite que possible. Prêt ? Accroche-toi.

Je démarre et me fraie lentement un passage entre les arbres. La nuit est sombre, trop sombre sans doute pour se déplacer en quad, mais c'est plus ou moins notre seule option. Il faut que Martin retrouve Fielda et qu'ils partent ensemble au chevet de Petra. Et il faut que nous ramenions Ben à sa mère. Je me demande si Martin ne lui a pas brisé les côtes en le plaquant au sol. J'espère que Toni saura pardonner à Martin d'avoir réagi de façon aussi viscérale. C'était un spectacle effrayant de voir Ben dressé devant Petra, bâton brandi. Si je n'avais pas connu le fils de Toni, j'aurais sans doute tiré les mêmes conclusions que Martin.

Le phare du quad éclaire à peine le chemin, et je crois qu'il serait plus sûr de laisser ce foutu engin sur place et de poursuivre à pied. Mais nous progressons malgré tout à une vitesse raisonnable, et je sais qu'un peu plus loin, le chemin s'élargit et que la pente s'adoucit. Je suis persuadé que Ben perçoit les battements précipités de mon cœur alors qu'il a le visage collé contre mon dos. Je ne vois pas grand-chose devant moi et n'entends que le bruit du moteur et le craquement des branches que nous brisons sur notre passage.

L'impression d'être à la fois aveugle et sourd à ce qui se passe autour me terrifie plus que je ne suis prêt à l'admettre. Si ce que Ben a dit est exact, Griff rôde quelque part près d'ici — se prépare peut-être même à passer à l'attaque. A mes yeux, ce type est capable de tout. Je retire une main du guidon, tapote mon revolver et vérifie à deux reprises qu'il est aisément accessible.

— Et pour mon père, alors ? crie Ben, sa voix couvrant le grondement du moteur.

Je réponds par-dessus l'épaule en espérant que Griff n'est pas tapi derrière un de ces arbres, à guetter notre passage.

— Pour l'instant, tout ce qui nous intéresse, c'est que toi, Petra et Calli, vous soyez en sécurité. Cela ne sert à rien de chercher ton père dans les bois en pleine nuit. Nous retournerons dans la forêt demain matin avec des effectifs renforcés. Mais il ne faut pas avoir peur, Ben. Je veillerai à ce qu'il ne te fasse aucun mal.

— Je n'ai pas peur.

Mais j'entends la chute d'intensité dans sa voix, l'incertitude de son ton. Je l'encourage d'une petite tape sur ses mains qui me tiennent la taille et j'accélère ; nous ne sommes plus qu'à quelques minutes du pied de l'escarpement.

Du coin de l'œil, j'entrevois quelque chose. La faible lumière du phare du quadricycle éclaire brièvement une forme ramassée qui se tient immobile entre les arbres. L'espace d'un instant, je pense à un puma, mais cela n'a pas de sens ; il y a des dizaines d'années maintenant que l'on n'en voit plus par ici. Ils ont disparu avant même qu'enfant, je vienne vivre à Willow Creek. L'aspect et la posture de la forme sont beaucoup trop humains et je songe brièvement à m'arrêter, mais Ben, blessé, est agrippé à moi et mon premier devoir est de le rendre sain et sauf à Toni. Je donne un coup d'accélérateur et je sens Ben resserrer sa prise autour de moi. Je ne crois pas qu'il ait vu la forme tapie mais je n'ai pas l'intention de lui poser la question ; Ben aura déjà à porter plus que sa part de cauchemars dans les mois, voire les années, à venir. Ce n'est pas le moment d'alimenter des peurs supplémentaires. Je fais passer un message radio qui pour Ben ou l'auditeur moyen restera obscur, mais qui signifie, en substance, que j'aurai besoin de renforts lorsque je remonterai dans les bois, après avoir trouvé une solution pour que Ben puisse être transporté à l'hôpital.

Débouchant sur le plat, je confie mon jeune passager à l'adjoint Roper, celui-là même qu'une longue amitié lie toujours à Griff. Logan sait que nous sommes à la recherche de Clark, mais il n'a pas encore été informé de ce que nous venons d'apprendre par Ben : que Griff rôde dans les bois, que c'est lui qui a cassé la figure de son propre fils, lui qui est probablement l'auteur des sévices commis sur Petra.

— Logan, tu peux conduire Ben à l'hôpital de Willow Creek pour qu'il reçoive les soins que nécessite son état ? Sa mère et sa petite sœur sont déjà sur place.

Logan me considère avec suspicion.

— Tu as un suspect, là-haut ?

— Peut-être. Tucci, Dunn et moi, nous allons retourner sur nos pas pour vérifier deux ou trois trucs. Tu es d'accord pour conduire Ben en ville, alors ?

— Ouais, c'est bon, j'y vais.

Je vois bien qu'il est contrarié d'être mis à l'écart, mais il peut difficilement refuser de rendre service au fils d'un de ses grands amis. Logan examine Ben, sourcils froncés.

— Eh ben ! T'es salement amoché, petit. Qui t'a mis dans cet état ?

Ben a la sagesse de garder pour lui que son propre père lui a fracassé la figure. Il se contente de hausser les épaules puis fait la grimace à cause de la douleur occasionnée par le geste.

Je vois Ben prendre place à l'arrière de la voiture de patrouille et je passe la tête par la portière ouverte.

— Ta mère est déjà sur place et t'attend là-bas avec Calli. Tu n'as plus à t'inquiéter de ce qui se passe ici, O.K. ? Nous nous chargeons de tout. Toi, occupe-toi juste de ta mère et de ta sœur. Elles vont avoir vraiment besoin de toi maintenant, Ben.

— O.K., répond-il doucement.

Je lui pose la main sur l'épaule avant de refermer sa portière. « Pauvre môme », me dis-je, mais je me reprends aussitôt. Enfant, j'ai détesté que les gens chuchotent ces mêmes mots apitoyés à mon sujet. A la fin, j'en étais arrivé à un stade où je savais que quelqu'un pensait « pauvre gamin » avant même qu'il ou elle ouvre la bouche. Je le voyais à la lueur apitoyée dans les regards, après la mort de mon père.

J'ouvre de nouveau la portière et me penche à l'intérieur de la voiture.

— Tu es courageux, Ben, et je suis fier de toi. Ta maman et Calli ont de la chance de pouvoir s'appuyer sur quelqu'un de solide comme toi.

Il ne répond pas ; ne lève même pas les yeux vers moi. Mais je le vois redresser insensiblement les épaules. Ben s'en sortira.

Je me tourne vers Tucci et Dunn tandis que Logan démarre.

— Prêts ?

Ils le sont et nous repartons dans la forêt. A pied, cette fois, et avec des lampes torches.

Martin

Trop vite, le son de l'hélicoptère s'est estompé dans la nuit. Petra est partie. Je l'avais retrouvée et il a fallu que je la perde une seconde fois. Je ne sais même plus comment je me suis retrouvé à l'arrière d'un quad, à foncer à travers la forêt, les bras passés autour d'un parfait inconnu.

A présent, je suis à bord d'une voiture de patrouille et nous roulons avec une lenteur exaspérante en direction de chez ma belle-mère. L'officier de police a très gentiment proposé d'aller informer Fielda à ma place, afin que je puisse me rendre sur-le-champ à l'hôpital d'Iowa City. Je l'ai remercié mais lui ai opposé un refus poli. Je veux annoncer moi-même à Fielda que Petra est vivante — blessée, mais acheminée vers une grande structure hospitalière où les médecins sauront lui porter secours. Ma fille est expédiée dans un hôpital que je n'ai jamais vu, dans une ville où je ne suis jamais allé. Le nombre de gens à qui je confie la vie de mon enfant est effarant : pilote, infirmières, médecins. Et je sais que le moment viendra où la police voudra l'interroger sur ce qui s'est passé aujourd'hui. Je me demande si elle a repris connaissance. Elle n'était pas consciente lorsque je l'ai trouvée là-haut, son beau visage tellement déformé et ensanglanté que si je n'avais pas vu ses boucles noires mêlées de ce que je sais maintenant être du sang, j'aurais pu la prendre pour l'enfant infortunée d'un autre. Sa respiration était régulière, et c'était tout ce qui, finalement, comptait encore pour moi : qu'elle soit vivante. Les plaies, les héma-tomes, les déchirures internes, tout le mal qui lui a été fait, je peux vivre avec, même si je repousse les images mentales de ce qui lui est arrivé, même si je mets tout le poids de ma volonté à effacer et à nier ce qui a eu lieu. Petra respirait, oui ; de fragiles bouffées d'air, tièdes et douces, et je vais lui envoyer sa maman. Fielda saura faire en sorte qu'elle se sente mieux ; sa présence l'enveloppera et lui sera un réconfort. Moi, de mon côté, je retournerai dans la forêt. Je reviendrai sur mes pas et je trouverai le monstre qui a mis à mal ma famille. Et il importera peu que cet homme soit le père de Calli et de Ben, le mari d'Antonia. Pour moi, ce sera de peu de conséquence. Je le trouverai et je le tuerai.

Antonia

Le Dr Kelsing s'attarde auprès de moi pendant tout le temps où Calli passe ses radios. Puis elle me promet qu'elle reviendra lorsque ma fille sera soignée, baignée et installée dans sa chambre. Je la remercie et lui demande si je dois essayer de pousser Calli à parler.

— Non, offrez-lui juste votre présence pour le moment; autrement dit, contentez-vous d'être mère. Parlez-lui comme vous l'avez toujours fait. Posez des questions mais n'attendez pas de réponses verbales. Elle a besoin de se sentir protégée. Savoir que vous êtes là contribuera pour une grande part à lui donner ce sentiment de sécurité. Je reviendrai bientôt pour voir où vous en êtes, toutes les deux.

Molly entreprend avec précaution de laver et de désinfecter les pieds de Calli. Ils sont couverts de terre, de poussière et de sang séché, et il est difficile, dans un premier temps, de se faire une idée de la gravité de leur état. Mais lorsque Molly entreprend de retirer leur croûte de crasse, il apparaît très vite qu'il lui faudra des points de suture et que la guérison prendra du temps, beaucoup de temps. J'essaie de contenir mon effarement en voyant les entailles et les plaies pénétrantes sous la plante des pieds de Calli, les marques rouges et enflées qui s'entrecroisent sur le dessus. L'ongle de son gros orteil a été carrément arraché. Calli se raidit et commence à trembler, soit de froid soit de peur — je soupçonne que les deux sont en cause. Des larmes silencieuses commencent à rouler sur ses joues.

— Ne t'inquiète pas, Calli.

Je retrouve ma voix et me place dans son champ de vision, de manière à lui épargner le spectacle de ce que fait Molly. Puis je lui frotte les bras pour essayer de la réchauffer.

— Calli, je nettoie juste tes pieds pour que tu n'attrapes pas une vilaine infection qui t'empêchera de marcher. Je sais que ce n'est pas rigolo. Il va falloir serrer les dents un moment, O.K. ? lui lance Molly.

Calli hoche courageusement la tête, noue les bras autour de mon cou et se cramponne de toutes ses forces. Je lui chuchote à l'oreille :

— C'est bien, Calli. Accroche-toi, je suis là.

Le dos de ma fille se cambre et elle se débat et lance des coups de pied pour échapper à Molly.

— Ouah, Calli, ce serait bien si tu essayais de ne pas bouger… Je sais que ça fait un mal de chien, commente Molly d'une voix qui reste douce malgré le coup de pied que Calli vient de lui envoyer dans le menton.

Malgré toute l'affection que j'ai pour Molly, je ne suis pas mécontente que Calli ait encore de l'énergie en réserve pour la lutte.

Le Dr Higby entre alors, s'approche de Calli, lui sourit et esquisse le geste de lui ébouriffer les cheveux. Calli se recroqueville sur elle-même et enfouit sa tête contre ma poitrine. Le Dr Higby retire sa main et la rassure d'un ton jovial.

— Désolé, Calli. Je pense que moi non plus, je n'aurais pas envie que quelqu'un vienne me caresser les cheveux si je me sentais comme tu te sens maintenant.

Il s'éloigne pour aller se laver les mains à un petit lavabo dans un coin de la pièce et enfile une paire de gants en latex.

— Calli, je vais t'injecter quelque chose pour te soulager, là. Cela aidera tes pieds à faire la sieste.

Calli lui jette un regard sceptique.

— Je ne dis pas que tes pieds vont commencer à ronfler, non.

Une amorce de sourire effleure les lèvres de ma fille.

— Mais ils deviendront insensibles, poursuit le Dr Higby. Dans quelques minutes, tu ne sentiras plus du tout la douleur.

Dans mes bras, Calli se détend un peu et ses muscles durcis se relâchent. Pendant que le Dr Higby et Molly s'emploient à lui remettre les pieds en état, je parle à ma fille ; je lui chuchote ses histoires préférées, qu'elle adore entendre et que j'adore lui raconter. Puis je lui parle de la nuit où elle est née et du gigantesque orage qui a soufflé sur la ville juste au moment où elle a annoncé sa venue au monde.

— C'était tellement bizarre et inattendu, une tempête en octobre. La journée avait commencé par un temps gris mais chaud. Il restait encore trois semaines avant la date prévue pour ta naissance, mais j'ai senti les tiraillements légers, le durcissement du haut de l'abdomen, la douleur au creux de mon dos. Ça s'est passé exactement comme pour Ben, mais avec toi, je savais déjà un peu plus à quoi m'attendre. Ton papa était revenu de l'Alaska, et il était tellement heureux et impatient à l'idée que tu t'apprêtais à montrer le bout de ton nez. Il tournait en rond dans la maison comme un ours en cage, en essayant de trouver des bricoles à faire. Je te jure qu'il n'a pas arrêté : pas un gond qu'il n'ait huilé, pas une fissure qu'il n'ait colmatée. Il a isolé la salle de bains, retiré les feuilles mortes des chéneaux. Toutes les dix minutes, il me demandait si tout allait bien, si le bébé arrivait, et je lui disais : « Mais non, pas encore, pas avant des heures et des heures. »

» Au bout d'un moment, j'ai dû le pousser dehors car sa nervosité finissait par déteindre sur moi. Il a emmené Ben au parc pour jouer au foot et je suis allée m'allonger dans notre chambre. A peine dix minutes se sont écoulées et j'ai vu un éclair immense, aussitôt suivi d'un énooooorme coup de tonnerre et, au moment précis où la pluie a commencé à tomber — et pas seulement une petite pluie, des torrents —, j'ai perdu les eaux et compris que tu avais décidé de venir au monde.

Calli sourit faiblement en écoutant cette histoire qu'elle a déjà entendue cent fois. Elle est détendue dans mes bras, ses membres au repos, mais son regard reste vigilant, comme si elle était prête à bondir de la table à la première alerte.

— J'étais bien embêtée, du coup. Ton papa était parti avec ma voiture pour aller tirer des buts au parc avec Ben. Je lui avais dit qu'il pouvait la prendre, que nous avions tout notre temps avant le départ pour l'hôpital. La pluie tombait à seaux ; je l'entendais tambouriner sur le toit, et le vent soufflait si fort que les fenêtres en tremblaient. Et c'était comme si, à chaque coup de tonnerre, une contraction se déclenchait en écho — ta façon de me dire : « Prépare-toi, j'arrive. » J'ai appelé l'obstétricien et il m'a dit qu'il fallait que je vienne à l'hôpital sans tarder. Alors, j'ai jeté quelques vêtements en vrac dans le sac à dos que Ben prenait pour aller à l'école. Dans ta couverture jaune, j'ai plié avec soin la tenue que j'avais prévue pour toi à la sortie de l'hôpital, puis je l'ai glissée dans le sac avec le reste. Une fois prête, j'ai hésité à appeler Mme Norland, mais j'ai pensé qu'elle ne voudrait jamais sortir par un temps pareil, à son âge, alors j'ai décidé de prendre le volant du camion de papa pour venir ici — dans ce même hôpital où nous sommes maintenant, en fait. Et, évidemment, pas moyen de trouver les clés du pick-up. Ton papa ne les met jamais deux fois à la même place. Alors j'ai passé au moins vingt minutes à retourner toute la maison de fond en comble, et j'ai fini par les dégoter dans la poche avant d'un jean que ton père avait jeté en boule à côté du lave-linge. J'ai attrapé le sac à dos, les clés, et j'ai ouvert la porte. Le vent s'est engouffré dans la moustiquaire avec une telle force qu'il l'a arrachée de ses gonds. Je me souviens d'avoir ressenti de la peine pour ton père, car il avait passé un temps fou, cette semaine-là, à huiler cette porte pour qu'elle cesse de grincer. Et je me disais qu'il ne profiterait même pas du plaisir de l'ouvrir et la fermer en silence.

» Tout en priant pour que papa et Ben soient sur le chemin du retour, je me suis hissée non sans mal sur le siège avant du camion — ce qui relève de l'exploit sportif, quand on est enceinte, et devient carrément spectaculaire quand les contractions ont commencé — et là, j'ai réalisé que je n'avais pas laissé de petit mot pour prévenir papa et Ben. Je m'extirpe donc du camion, je regagne la maison en marchant comme un canard et j'écris un tout petit message. Juste un seul mot, en fait : « BÉBÉ !!! » dessiné en grosses lettres. Puis je repars dehors, sous la tempête, je remonte dans le pick-up et je commence à me bagarrer avec cette fichue boîte à vitesses. J'ai toujours conduit une voiture automatique et les deux seules fois où j'ai pris le camion, ton papa était avec moi pour me dire ce que je devais faire. J'ai vraiment cru un instant que je n'y arriverais pas, mais j'ai miraculeusement fini par démarrer et m'aventurer sur la route. Il pleuvait tellement fort que les essuie-glaces ne suivaient pas. Je devais rouler tout doucement, car je ne voyais même pas les limites de la chaussée. Je priais pour qu'aucune autre voiture n'arrive derrière moi et n'emboutisse le camion, car j'avançais à une allure d'escargot. Mais j'ai eu de la chance : je n'ai pas vu un seul autre véhicule jusqu'à l'arrivée à l'hôpital. A intervalles réguliers, je devais me ranger sur le bas-côté lorsqu'une contraction m'empoignait les reins. Mais même pliée en deux, je continuais à appuyer sur la pédale de frein d'un côté et l'embrayage de l'autre pour ne pas caler. J'étais décidée à atteindre l'hôpital coûte que coûte. Je parlais tout haut, même si tu étais la seule qui pouvait à la rigueur m'entendre : « Il n'est pas question que je mette mon bébé au monde dans cette vieille cochonnerie de camion tout rouillé. » J'ai continué à rouler presque au pas, mais j'ai quand même fini par y arriver, à cet hôpital de malheur. J'ai poursuivi jusque devant la porte des urgences, et j'ai appris plus tard que j'avais abandonné le pick-up de papa en laissant la portière ouverte, les phares allumés et les clés sur le contact. Tu imagines bien que je n'étais plus en état de m'inquiéter de ces détails.

» L'infirmière a juste eu le temps de me conduire en salle

d'accouchement. Au moment précis où le médecin est entré dans la pièce, tu as commencé à sortir. Le temps de pousser trois fois et tu arrivais entre ses mains, en lançant un cri impressionnant! Et soudain, je t'ai eue dans mes bras, un bébé fille parfaitement formé avec une tête pleine de cheveux noirs. La première chose que je t'ai dite, c'est : « Désolée si j'ai cette drôle de tête. Normalement, je ne ressemble pas à un rat noyé! J'espère que je ne t'ai pas trop effrayée. » Toi, tu continuais à pleurer, à pleurer. Tu me faisais penser à un petit agneau qui bêlait.

Quand j'atteins ce point de mon histoire, Calli sourit, comme elle le fait toujours. Lorsqu'elle avait trois ans et qu'elle parlait encore, elle ponctuait le récit d'un joli « Bêêê » haut perché qui, chaque fois, me faisait éclater de rire, car c'était exactement le son qu'elle émettait bébé. Maintenant, elle se contente de sourire et je suis un peu déçue. J'espérais qu'elle jouerait son propre rôle, qu'elle imiterait l'agneau. Molly et le Dr Higby sont toujours occupés à recoudre ses pauvres pieds ; je capte vaguement des mots comme « antibiotiques » et « vaccin antitétanique » mais j'essaie, pour le moment, de ne pas y prêter attention.

— L'infirmière t'a enlevée de mon ventre un moment pour te peser et te mesurer. Trois kilos cent et quarante-neuf centimètres. Tu étais parfaite. Lorsqu'ils sont venus te rapporter, tu avais été baignée et enveloppée dans une couverture. L'infirmière avait placé un petit bonnet rose sur ta tête et tu pleurais toujours autant. Tu avais tant de choses à me dire !

Je scrute le visage de Calli, inquiète à l'idée que ma dernière phrase ait pu la perturber. Mais rien, sur ses traits, n'indique qu'elle en ait pris ombrage.

— Au bout d'un moment, épuisée par tant de larmes, tu as fini par t'endormir. Et moi, je ne faisais que te regarder. Ton visage était si détendu, si paisible… Puis ton papa et Ben sont entrés en trombe dans la chambre. Ils étaient tellement trempés, tous les deux, qu'ils laissaient des traces humides dans leur sillage. Leurs cheveux étaient collés sur leur front et l'eau ruisselait de leur nez. J'entendais le floc-floc de leurs chaussures sur le sol.

» — J'ai manqué la naissance ? s'est écrié ton papa.

» Il était drôle, dans son effarement ! Comme s'il ne voyait pas que je tenais un nouveau-né dans les bras. Ben, lui, a tout de suite remarqué le petit bonnet rose sur ta tête.

» — C'est une fille, a-t-il observé.

» — Une fille, a soupiré papa comme s'il s'agissait d'un miracle.

» Ben et lui se sont avancés vers toi main dans la main et ils ne détachaient pas les yeux de toi, de la si jolie nouvelle de la famille.

» — Tu as une petite sœur, Benny, a dit papa en tournant les yeux vers ton frère. Tu es le grand frère, maintenant, et il faudra que tu gardes un œil sur elle quand je ne serai pas là.

» Ben a hoché la tête. Il avait l'air très, très sérieux. Puis il a approché un doigt — doucement, tout doucement — et il t'a effleuré la joue.

» — C'est doux, a-t-il chuchoté.

» Et toi, tu as soulevé lentement les paupières. Et même si personne ne veut me croire quand je raconte mon histoire, je te *jure* que tu lui as souri.

Ici et maintenant, dans la salle d'examen blanche et froide, Calli sourit d'un vrai sourire.

— Plus tard, une fois ton papa et Ben séchés, ils t'ont prise chacun à leur tour dans leurs bras. Papa faisait les cent pas dans la chambre d'hôpital en chantonnant : « Ma Calli, ma câline, ma Callinette. » Dehors, l'orage se déchaînait avec encore plus de violence. L'électricité a fini par céder et l'hôpital a dû utiliser ses générateurs de secours. Ils ont autorisé ton père et Ben à passer la nuit à l'hôpital avec nous, même si, techniquement, ils n'auraient pas dû. Ce fut une nuit magnifique, Calli, celle où tu es née.

Calli ferme les yeux comme si elle s'en souvenait encore. J'aurais aimé qu'elle puisse garder cette journée à la mémoire.

C'était vraiment une journée parfaite. Du moins, telle que je choisis de la raconter. Je me souviens de l'espoir que j'avais placé dans cette naissance, pensant que l'arrivée de Calli serait le catalyseur qui permettrait à notre petite famille de prendre un nouveau départ. Mais mon bel espoir a été anéanti, bien sûr. Rien n'est jamais idéal, même pas les journées « parfaites » telles que je les ai gravées dans l'esprit de Ben et de Calli. Ce que j'omets de préciser dans mon récit, c'est que les mains de Griff tremblaient lorsqu'il déambulait dans la chambre en chantonnant doucement pour Calli. Tremblaient si violemment, même, que j'étais terrifiée à l'idée que mon bébé puisse leur échapper. Je me souviens d'être restée sur le qui-vive, prête à sauter du lit pour rattraper Calli s'il la lâchait. Je me souviens aussi d'avoir demandé à Griff de me la rendre en invoquant tous les prétextes possibles : je voulais la mettre au sein, elle était fatiguée, lui-même paraissait fatigué. Mais Griff n'a pas été dupe. Je l'ai vu dans ses yeux, l'éclair de souffrance blessée, parce que je n'osais pas lui confier notre bébé nouveau-né.

Griff n'avait pas bu une seule goutte d'alcool pendant toute la semaine qui avait précédé la naissance de Calli. Avant son départ pour l'Alaska, nous avions traversé une crise terrible. Griff avait outrepassé une limite — une des nombreuses limites que j'ai tenté de lui fixer au fil des années. La nuit qui avait suivi son retour, il était venu s'allonger auprès de moi, dans notre lit, la main posée sur mon ventre énorme, et il m'avait promis de changer. La tête nichée au creux de mon épaule, il avait pleuré calmement, sans bruit, et j'avais pleuré avec lui. J'avais cru en lui, cru en ses promesses. De nouveau. Il pouvait le faire, il pouvait cesser de boire avec mon aide, il l'avait juré.

Mais la nuit où Calli est née, lorsque j'ai vu la violence des tremblements qui l'agitaient, j'ai su qu'il ne pourrait pas tenir son engagement. Pas encore, en tout cas. Griff a quitté l'hôpital aux petites heures du matin, alors que nous dormions, Ben et moi, et que Calli se trouvait à la pouponnière. Il est revenu quelques heures plus tard, avec quelque chose de flou et d'éteint dans le regard, et j'ai senti l'alcool dans son haleine lorsqu'il s'est penché pour m'embrasser. Ce matin-là, il a tenu Calli sans fléchir ; ses gestes étaient sûrs, précis, et ses mains avaient cessé de trembler.

— Et voilà, Calli, terminé ! annonce le Dr Higby. Le pire est fait. Maintenant, nous allons juste finir de te nettoyer un peu. Tu es une petite fille très, très chanceuse, Calli.

Je vois le visage paisible de Calli se pétrifier un instant, puis un changement s'opère. Ses yeux sont comme exorbités et sa peau prend une pâleur crayeuse. Le Dr Higby tourne un regard interrogateur vers Molly, qui écarte les bras en signe d'ignorance. Elle ne touchait même pas les pieds de Calli.

La bouche de ma fille se tord en une grimace horrible, comme si elle hurlait ; elle tremble violemment, ni de douleur ni de froid, mais de terreur. Désemparée, je regarde autour de moi, tandis que le cri silencieux de ma fille résonne dans ma tête avec un fracas métallique.

— Qu'est-ce qui se passe, Calli ? Qu'est-ce qui ne va pas ?

Mais elle continue à agiter les bras et les jambes de manière convulsive. Nous la retenons, Molly et moi, afin qu'elle ne tombe pas de la table.

— Mais qu'est-ce qu'il y a, ma chérie ?

J'ai la voix qui tremble et suis au bord des larmes à mon tour. Je m'aperçois que l'attention du Dr Higby et de Molly n'est plus fixée sur Calli mais sur un point juste derrière mon épaule. Tout en continuant à tenir fermement Calli qui se tortille et envoie des coups de pied dans tous les sens, je me retourne pour voir ce qui se passe. Et je découvre mon Benny, debout dans l'encadrement de la porte, méchamment tabassé, ses vêtements déchirés et couverts de sang. Mes jambes se dérobent. Mon fils regarde Calli avec de la peur dans les yeux.

— Qu'est-ce qu'elle a ? me demande-t-il par-dessus la tête de sa sœur.

La voix de Ben paraît si jeune, si enfantine encore. Je ne

lui réponds pas. Je voudrais tellement aller vers lui, le serrer dans mes bras. D'un geste de la main, je lui fais signe de s'approcher, mais il semble cloué sur place.

— Je vais lui administrer un sédatif, madame Clark, annonce le Dr Higby.

Quelques minutes sont nécessaires avant que le tranquillisant agisse. Mais Calli finit par s'apaiser petit à petit, ses tremblements convulsifs s'estompent et disparaissent, ses yeux se ferment. Elle reste agrippée à ma chemise, cependant, et elle attire mon visage vers le sien, comme si elle voulait me faire part de quelque chose, mais ses lèvres sont relâchées et elle ne parvient pas à former ses mots.

Je lui chuchote à l'oreille :

— Oui, Calli ? Qu'y a-t-il ? S'il te plaît, essaie de me le dire.

Mais elle s'est endormie, et les ombres qui l'ont terrifiée et dont je ne sais rien sont retournées en rampant au fond de leur trou et se reposent aussi — en tout cas pour le moment.

Martin

Quand nous nous rangeons le long du trottoir, devant la maison de ma belle-mère, je constate que les journalistes sont repartis. Seule une voiture inconnue se trouve encore dans l'allée. Je me tourne vers l'officier de police pour le remercier et prendre congé, mais il me propose de rester en attendant que nous soyons prêts à partir pour Iowa City. Il nous escortera, dit-il, afin que nous puissions faire le trajet rapidement et en toute sécurité. Je le remercie encore une fois et lui exprime mon refus. « Non, vraiment, ça va aller… Oui, oui, je vous assure. Nous rejoindrons Petra par nos propres moyens. » Mes jambes sont raides et douloureuses alors que je me hâte vers la porte d'entrée ; déjà mon corps paie le prix des efforts physiques accomplis. Mon pantalon est sale et j'ai du sang de Ben sur le col de ma chemise. J'essaie de discipliner mes cheveux en aplatissant leur masse rêche sous mes doigts, mais je sais que le résultat laisse à désirer. Mes lunettes reposent de travers sur mon nez, et je les enlève pour essayer de les retordre afin qu'elles retrouvent leur position normale. Je vois les rideaux bouger ; Fielda a dû entendre la voiture s'arrêter devant la maison. Son visage apparaît brièvement à la fenêtre, puis la porte d'entrée s'ouvre et elle s'élance à ma rencontre. Derrière elle se tiennent sa mère et une femme que je ne connais pas.

— Tu l'as retrouvée, Martin ? Tu as trouvé Petra ?

Elle s'accroche à mon bras, et sa voix a les mêmes inflexions hystériques que lorsqu'elle s'adressait à l'agent Fitzgerald, plus tôt dans la journée. Je me demande ce qu'il est devenu, lui, d'ailleurs. Cela fait des heures que je ne l'ai pas vu et que son nom n'a plus été mentionné.

J'enlace Fielda sans un mot et la serre de toutes mes forces contre moi. Lorsque je la sens s'affaisser en silence dans mon étreinte, je prends conscience de la fausse impression que j'ai créée.

— Non, Fielda ! Non ! Elle est vivante !

Je ne peux pas me résoudre à ajouter qu'elle va bien. Non, je ne peux pas dire cela à ma femme.

Fielda pousse un cri aigu de soulagement et de joie.

— Merci, mon Dieu, merci, s'écrie-t-elle, toujours cramponnée à moi. Et merci à toi, Martin, merci de l'avoir retrouvée. Où est-elle ? Où est-elle ?

Fielda cherche notre fille des yeux, comme si Petra avait pu se matérialiser à deux pas, en train de jouer dans le jardin devant la maison.

Je m'éclaircis la voix. « Doucement. Fais attention à ce que tu dis, Martin. Ne l'affole pas. »

— Petra est à l'hôpital.

— Oui, bien sûr.

Plissant les yeux, elle scrute mes traits.

— Elle va se rétablir, n'est-ce pas ?

— Je crois, oui. Je crois qu'elle va se rétablir. Il faut que tu y ailles, Fielda.

— Comment cela, tu *crois* qu'elle va guérir ? Que s'est-il passé, Martin ? Bon… On y va. Tout de suite. On prend la voiture et on file à l'hôpital.

— Ils l'ont emmenée à Iowa City. Les secouristes qui l'ont examinée ont pensé qu'il était préférable pour Petra qu'elle soit soignée là-bas.

— Iowa City ? Mais pourquoi ? Qu'est-ce qu'elle a ?

Fielda se détache de moi, recule d'un pas, croise les mains sur sa poitrine. La femme que je ne connais pas s'avance et pose une main protectrice sur l'épaule de ma femme.

— Fielda ? Ça va ?

— Je ne sais pas ! crie Fielda — trop fort dans le calme de la nuit.

Même les cigales ont interrompu leurs stridulations.

— Je ne sais pas si ça va, répète Fielda d'une voix suraiguë... Martin ?

Je prends la main de ma femme dans la mienne et l'entraîne à l'écart, laissant l'inconnue derrière nous.

— Dis-moi ce qui se passe, Martin ! Maintenant !

Sous le faible éclairage de la véranda, je vois que les yeux de Fielda sont remplis de larmes. Il faut que je lui parle maintenant et il faut que je lui dise tout.

— Nous avons trouvé Petra au sommet de l'escarpement. Elle n'était pas indemne, Fielda. Elle a été maltraitée, maltraitée de bien des façons, mais elle respirait. J'ai noté des coupures à la tête, des hématomes. Un hélicoptère l'a récupérée là-haut pour l'emmener à Iowa City, et elle doit être arrivée à l'heure qu'il est. Il faut que tu partes maintenant, Fielda. Elle a besoin de toi.

— Elle va mourir ? Ma petite fille va mourir ?

Sa voix est dure, métallique, comme si elle me mettait au défi de lui annoncer que la mort est de l'ordre du possible. Je mets dans ma voix plus de conviction que je n'en ressens.

— Non, Petra ne va pas mourir. Pourras-tu conduire seule jusqu'à Iowa City ?

Fielda paraît désorientée.

— Mais pourquoi ? Pourquoi irais-je là-bas sans toi ?

— Je ne peux pas venir. Pas tout de suite, en tout cas. Pour l'instant, ma présence ici est indispensable pour l'enquête, dis-je en espérant qu'elle ne demandera pas d'éclaircissements supplémentaires.

— Pour l'enquête ? Parce qu'ils ont mis la main sur la personne responsable ? Qui a fait cela à Petra, Martin ? Tu le sais ?

Je hoche la tête.

— Oui, je le sais. Il faut que tu partes, maintenant. Tu pourras conduire seule, Fielda ?

Elle me regarde comme si elle était sur le point de me poser de nouvelles questions. Mais quelque chose chez moi l'en dissuade.

— Je peux emmener Fielda à Iowa City, propose la femme inconnue en s'approchant de nous.

Pour la première fois, je prends le temps de la regarder vraiment.

— Je suis Mary Ellen McIntire.

Je prends la main qu'elle me tend et je la reconnais pour l'avoir vue aux actualités télévisées, alors qu'elle suppliait qu'on lui rende sa fille saine et sauve.

— Madame McIntire… J'ai appris ce qui vous était arrivé, à vous, à votre famille. Je suis profondément désolé.

— Je conduirai Fielda et sa mère à Iowa City.

Elle interroge Fielda des yeux pour s'assurer que sa proposition lui paraît acceptable. Fielda hoche la tête mais scrute mes traits avec attention. Elle montre la tache sur mon col.

— Qu'est-ce qui t'est arrivé, Martin ? C'est du sang ?

— Ne t'inquiète pas pour moi, je n'ai rien. Maintenant, pars, s'il te plaît. Je te rejoindrai dès que je le pourrai. Dis à Petra que je l'aime et que je la verrai bientôt.

J'embrasse Fielda sur le front et me tourne vers Mme McIntire.

— Merci de ce que vous faites pour nous. Vous avez toute ma gratitude.

— Je suis heureuse de pouvoir me rendre utile. Nous sommes devenues de grandes amies, Fielda et moi.

— Je vais prendre mon sac… Ah oui, et Snuffy aussi, annonce Fielda en disparaissant à l'intérieur de la maison de sa mère.

Snuffy est le tamanoir en peluche de Petra, avec lequel elle dort la nuit.

Mary Ellen se rapproche de moi.

— Vous savez qui est le coupable, n'est-ce pas ?

— Je crois le savoir, oui.

Je ne la regarde pas dans les yeux.

— Il a fait des choses effroyables à Petra, dit-elle.

Je remarque que ce n'est pas une question.

— Des choses terribles, oui.

— Vous allez partir à sa poursuite.

— Oui.

Je soutiens à présent son regard en essayant de déterminer si elle parlera à Fielda. Fielda qui ne manquerait pas de me reprocher ma stupidité.

Mary Ellen McIntire et moi restons face à face un instant dans la pénombre de la terrasse couverte ; elle pose brièvement la main sur mon bras mais ne dit rien.

Fielda et sa mère émergent de la maison avec Snuffy. Fielda m'embrasse sur les lèvres, m'assure qu'elle m'aime, puis monte en hâte dans la voiture de Mme McIntire. Je reste figé sur place, à regarder les deux points rouges des feux arrière disparaître dans la nuit. Demeuré seul, je me traîne dans la maison en éteignant la lumière de la terrasse, m'attable dans la cuisine obscure et essaie de rassembler mes pensées.

Finalement, je me lève, très raide, ignorant les protestations de mes muscles, et je monte dans la chambre d'amis de ma belle-mère. J'ouvre la porte de l'armoire et je tâtonne sur l'étagère du haut, derrière les albums de photos et la robe de mariée de Mme Mourning — celle-là même que Fielda a portée à son tour pour notre mariage. La robe est enveloppée dans du papier de soie et rangée dans un carton attaché par un ruban bleu. Je me hisse sur la pointe des pieds et cherche le coffret de bois. Enfin, je le repère sous mes doigts et je réussis à le faire glisser vers moi. Je l'attrape et le pose sur le lit. Le coffret n'est pas fermé. Je soulève le couvercle et entends grincer faiblement ses charnières en laiton. A l'intérieur repose un revolver dont je ne connais ni la marque ni le calibre. Je ne me suis jamais intéressé, ni de près ni de loin, aux armes à feu. L'arme de poing que j'ai devant moi appartenait au père de Fielda, décédé depuis des années, bien avant que je n'entre dans la vie de sa fille. La mère de Fielda ne sait pas pourquoi elle ne s'en est jamais défaite ; les armes l'effraient, mais elle ne peut se résoudre à la donner, et a probablement oublié depuis longtemps qu'elle se trouve au fond de cette armoire. Je sors le revolver de son écrin tendu de velours et je suis surpris de le trouver si lourd pour sa taille pourtant modeste. Une seule balle solitaire roule au fond du coffret. Je la sors et la tiens serrée, la chauffant un instant au creux de ma paume. Je regarde ma montre. Je sais qu'il ne me reste pas beaucoup de temps.

Antonia

Je regarde Calli endormie. Son visage encore maculé de poussière et de sueur n'a pas l'aspect lisse et serein que devrait avoir un enfant de sept ans, dans l'abandon du sommeil. Ses lèvres sont serrées, presque dures, et des plis profonds se sont inscrits dans l'espace au-dessus de l'arête du nez. Sur une autre table d'examen, juste à côté de celle de Calli, est assis mon Benny. Il est passé à son tour entre les mains de Molly et du Dr Higby, qui effectuent de nouveaux prélèvements, rassemblent de nouvelles preuves matérielles. Le visage de mon fils est un désastre. J'ai évité de poser à Ben la question qui m'obsède depuis le premier regard jeté sur lui à son arrivée à l'hôpital.

Je plonge le gant de toilette que Molly m'a confié dans une bassine d'eau chaude et j'entreprends de laver Calli. Je commence par le visage ; la ligne des cheveux, d'abord, en essayant de lisser doucement les sillons qui creusent son front. Je poursuis derrière les oreilles, le long des joues et sous le menton, soulevant et reposant sa tête avec soin, comme si je tenais un tout petit enfant. Je vois son corps fragile sur la table, presque nu à l'exception de la chemise d'hôpital et de la gaze blanche qui lui entoure les pieds. Pour la seconde fois, la quantité de bleus sur ses bras me surprend ; je m'en étais déjà étonnée une première fois lorsque Molly les a photographiés, avant le passage à la radio. Ces ecchymoses sont différentes des bleus ordinaires que l'on collectionne à l'enfance en se cognant ou en tombant. J'encercle doucement son bras avec la main et je frissonne en notant l'alignement régulier des marques de doigts.

Je continue de laver Calli, me concentrant à présent sur ses mains, attentive à rincer la saleté qui s'est accumulée dans les petits plis au niveau des articulations et dans les discrets sillons qui s'entrecroisent au creux de ses paumes. Je suis du bout du doigt les lignes de ses mains, rosies à force d'être frottées, et je m'interroge sur l'avenir de ma petite fille blessée. Au sujet de Griff aussi, je me pose mille questions. Où a-t-il disparu ?

— Bon…, conclut le Dr Higby. Nous avons un nez cassé et ce qui me paraît être trois côtes fracturées, à l'actif de notre ami Ben. Tu survivras, mon grand. Mais il faudra renoncer aux sports de contact pendant un moment.

Ben émet un son entre le rire et le grognement et me regarde tristement.

— Nous allons transférer Calli dans sa chambre pour la nuit. Vous êtes les bienvenus, tous les deux, si vous voulez rester avec elle ce soir, ou libres de rentrer chez vous si vous le souhaitez.

— On reste !

Ben et moi avons parlé d'une seule voix et nous échangeons un sourire. Nous avons conscience l'un et l'autre que notre place est auprès de Calli, cette nuit.

Je me tourne vers le Dr Higby.

— Mais je voudrais d'abord faire un saut rapide à la maison pour récupérer quelques affaires. Des vêtements propres, la couverture de Calli et son singe en peluche.

— C'est une bonne idée. Calli aura besoin de tout le réconfort possible pendant les quelques jours à venir. Quant à toi, Ben, sans vouloir te vexer, une douche et une chemise propre ne seraient pas du luxe.

Ben rit et j'ai du bonheur à l'entendre. Les terrifiants événements de là-haut lui ont au moins laissé sa capacité de rire.

— Vous avez une solution pour retourner chez vous ? demande Molly.

Je fronce les sourcils. Non, je n'ai rien. Ma voiture est restée à la maison et je suis coincée à l'hôpital. Je tiens pourtant à ce que Calli trouve sa couverture jaune et son singe à son réveil. Je pense à Rose, l'aimable secouriste, et à sa proposition de me venir en aide par tous les moyens.

— Je crois que je vais pouvoir me débrouiller, oui, dis-je à Molly.

Louis

Tucci, Dunn et moi reprenons en sens inverse le sentier que Ben et moi avons descendu en quad. Nous faisons une halte près du cadavre de chien devant lequel Martin Gregory s'était déjà arrêté tout à l'heure, à la montée. Je me demande si le chien a un quelconque rapport avec les événements de la journée, et je prends note mentalement d'informer l'équipe médico-légale et de leur demander de venir faire des prélèvements.

— Sait-on si Charles Wilson, le psychologue scolaire, a fini par retrouver son chien ?

— Aucune idée, répond Tucci. Nous avons dû le laisser repartir ; nous n'avions aucun élément à charge contre lui. Sa femme dit qu'elle s'est levée vers 7 heures, ce matin, et qu'il était parti peu avant son réveil pour promener son chien en forêt.

Je me demande si nous n'avons pas laissé repartir le psychologue un peu prématurément.

— Et on sait où se trouve Wilson en ce moment ?

Dans la faible lumière que diffuse ma lampe de poche, je vois Tucci hausser les épaules en signe d'ignorance.

— Appelle le dispatcher, alors, et vérifie. Nous ne pouvons négliger aucun élément.

D'un coup, je me sens ridicule, à vouloir retrouver la trace de quelque créature invisible dans la forêt alors qu'on n'y voit pas à deux pas devant soi. Pourquoi me suis-je imaginé capable de retrouver l'individu que j'ai entrevu, tout à l'heure, accroupi entre les arbres ? Non sans culpabilité, j'admets avoir espéré que moi, le héros sans peur — le héros d'Antonia —, je ramènerais Griff en triomphe. Ben m'a assuré que c'était Griff qu'il avait trouvé là-haut, au sommet de l'escarpement ; que c'était Griff qui lui avait brisé le nez ; Griff qui s'était éclipsé en laissant deux enfants seuls et blessés, livrés à eux-mêmes en pleine forêt.

— Tu vois quelque chose ? demande Tucci alors que nous marchons depuis environ quarante minutes.

— Rien, non.

Je ne suis pas fier de moi. Dunn s'immobilise.

— Il a dû se barrer depuis longtemps. On ferait mieux de rentrer, sérieux. Quitte à organiser des recherches demain au lever du jour. Il peut être n'importe où, à l'heure qu'il est.

La radio crépite à ma hanche et notre dispatcher m'informe qu'on m'attend au pied de l'escarpement. « On » étant l'agent Fitzgerald.

— Allez, on redescend, dis-je à Tucci et à Dunn.

Je suis convaincu que Griff est encore dans les parages, à guetter dans le noir. Quoi, je n'en suis pas certain.

A la lisière de la forêt, je trouve Fitzgerald en grande conversation avec un homme et une femme en vêtements civils. A notre approche, ils interrompent leur discussion et nous regardent. L'expression de Fitzgerald transpire le mécontentement. Il est visiblement furieux contre moi.

— Qu'est-ce qui vous a pris, merde ? profère-t-il avec violence.

Mal à l'aise, Tucci et Dunn passent d'un pied sur l'autre en se maintenant derrière moi. Je choisis de ne pas relever et je réponds par une question :

— A-t-on des nouvelles de l'état de santé de Petra Gregory ?

— Elle n'a pas repris connaissance, mais ils ont réussi à la stabiliser, apparemment. L'enfant présente des traces d'agression sexuelle, explique la femme qui se tient à côté de Fitzgerald.

Mon ventre se noue à la pensée de ce qu'a pu subir Calli.

— Je me présente : Lydia Simon, agent spécial. Et voici

mon équipier, John Temperly. Nous sommes venus vous épauler pour l'enquête portant sur l'enlèvement des deux petites filles. Je crois que vous avez eu une soirée mouvementée.

J'acquiesce tout en gardant un œil sur Fitzgerald, dans l'attente d'une nouvelle explosion de colère.

— C'est le moins qu'on puisse dire, oui.

— Vous êtes partis avec deux civils — pis que cela, même : avec deux parents de victimes — pour vous livrer à des recherches non autorisées ! lance Fitzgerald.

Lydia Simon pose la main sur son bras et il se calme instantanément. J'ai l'impression qu'elle a un certain ascendant sur lui. Peut-être est-elle plus haut placée que lui dans leur hiérarchie.

— Vous avez donc retrouvé les deux petites filles et le jeune garçon ? me demande l'agent spécial Simon.

— Pour être exact, c'est Calli Clark qui nous a trouvés, nous. Nous nous tenions plus ou moins à l'endroit où nous sommes maintenant, et elle a débouché du sentier en courant. Elle avait à la main le collier de Petra ainsi qu'un sous-vêtement lui appartenant. Elle nous a fait comprendre que Ben, son frère, ainsi que Petra se trouvaient en haut de l'escarpement.

Fitzgerald revient à la charge.

— Et vous avez laissé Martin Gregory se précipiter là-haut !

J'ai du mal à ne pas laisser transparaître ma propre irritation.

— S'il y avait eu moyen de l'arrêter, croyez-moi, je l'aurais fait ! J'ai appelé une ambulance et des renforts et j'ai couru à sa suite. Il s'était mis en tête que le jeune Ben Clark avait une part de responsabilité dans les violences commises sur sa fille. Et il s'est rué à l'assaut de la colline, déterminé à tuer celui qui se trouverait sur place et serait susceptible d'avoir fait du mal à Petra.

— Il n'en fallait pas moins respecter la procédure et attendre les renforts, riposte Fitzgerald.

L'agent Simon se porte de nouveau à mon secours.

— Bon, unissons plutôt nos efforts pour poursuivre

l'investigation. Ce qui est fait est fait, et les deux fillettes sont en sécurité, ce qui est quand même l'essentiel. Il s'agit maintenant de mettre la main sur l'auteur de ces sévices.

— Ben — le frère de Calli — affirme que Griff Clark, leur père, serait l'agresseur, dis-je en essayant de reprendre un ton plus professionnel.

— Ben a vu son père là-haut avec les filles ? demande l'agent Temperly.

— Griff Clark y était, oui. Ben prétend qu'il l'a tabassé sans merci. Et le gamin était effectivement très amoché. Ben montait la garde devant Petra lorsque nous sommes arrivés au sommet. Il nous a expliqué qu'il avait essayé d'obliger son père à rester là-haut, mais que ce dernier lui a échappé.

Les trois agents méditent là-dessus quelques instants.

— Et quelle est la version de Calli Clark ? demande Lydia Simon.

— Cela fait trois ans que Calli n'a plus ouvert la bouche. Jusqu'à aujourd'hui, du moins. Elle a prononcé le mot « Ben » lorsqu'elle est sortie de la forêt. Et c'est tout. Pas un mot de plus. Je ne sais pas si elle en a dit plus par la suite. Elle est hospitalisée à Willow Creek, en tout cas. Son frère devrait être arrivé à l'hôpital aussi, à l'heure qu'il est.

Je regarde ma montre et je vois qu'il est 11 heures passées de quelques minutes. Je suis exténué, mais la nuit ne fait que commencer.

L'agent Temperly fronce les sourcils.

— Pourquoi a-t-elle prononcé le nom de son frère, si le coupable est son père ? Elle aurait pu dire « papa », tout simplement. Qu'est-ce qui nous prouve que le frère ne ment pas ? C'est peut-être lui qui a molesté les deux petites ?

— Jamais de la vie, non. Ben Clark est un chouette gamin. Il a passé sa journée à chercher sa sœur et Petra.

— Eh bien… Vous semblez avoir un faible marqué pour la famille Clark, non ? observe Fitzgerald sournoisement. Antonia Clark a-t-elle été informée que son mari est à présent le principal suspect dans cette affaire ?

— Je n'en sais rien.

Prendre conscience que l'homme qui a épousé ma Toni a commis cette série d'actes terribles est un choc. Et je refuse d'être le porteur de mauvaises nouvelles.

— Il faut que nous entendions la version de cette petite fille, tranche l'agent Simon. Elle seule peut nous dire ce qui s'est passé au sommet de cet escarpement. Allons à l'hôpital et voyons s'il y a moyen de parler avec elle.

Ben

Je me sens mieux depuis que je me suis lavé dans la petite salle de bains à côté de ta chambre. Il fallait faire attention de ne pas mouiller le sparadrap dont ils m'ont entouré les côtes et j'ai dû bricoler un peu pour y arriver. Le Dr Higby m'a filé une tenue d'hôpital à mettre. J'ai une sensation un peu bizarre dans la tête à cause des médicaments que l'infirmière m'a donnés pour que j'aie moins mal au nez et au thorax. Maman vient de quitter l'hôpital. Elle veut repasser à la maison pour prendre quelques affaires, et je lui ai demandé de me ramener mon coussin de l'équipe de foot des Packers. Ce n'est pas que j'en aie encore besoin pour dormir. Mais quand on a un visage en purée comme le mien, on a besoin d'un truc un peu doux où poser la tête. Maman a emprunté une voiture à une dame qui s'appelle Rose et lui a demandé de garder un œil sur nous pendant son absence. Rose était d'accord. Là, elle est descendue à la cafétéria pour acheter de la nourriture qu'elle me fera passer en douce. J'ai demandé des chips et un Coca. Mais Rose a dit qu'il valait mieux éviter le trop salé ou le trop sucré à cause des coupures que j'ai aux lèvres. Et je dois reconnaître qu'elle a peut-être raison.

Là, je me suis allongé sur mon lit d'hôpital à côté du tien et je zappe d'une chaîne à l'autre en regardant la télé accrochée au mur. Je garde le volume très bas pour ne pas te réveiller, mais à te voir comme ça, je me dis que tu en as encore pour un bon moment à dormir. Ces hurlements silencieux que tu as poussés quand je suis arrivé sont restés comme accrochés à mes oreilles, et j'ai l'impression de les entendre, encore et encore. Je me demande si c'est à cause de ma tête toute boursouflée que tu as eu peur. Bon, faut dire que j'avais un peu l'air d'un monstre. Maman m'a dit que tu avais reparlé enfin, en descendant le chemin du Lynx, mais que tu avais juste sorti un seul mot : « Ben ». Au début, ça m'a fait drôlement plaisir que tu aies dit mon nom. Mais j'ai commencé à réfléchir et là, je me demande pourquoi tu as parlé de moi, Calli ? Tu aurais pu dire « papa », plutôt. C'est lui qui a fait des trucs moches à Petra. J'espère que tu n'as pas cru que j'étais mêlé à ces cochonneries. C'était un tel cirque, là-haut, que les choses ont pu se mélanger dans ta tête. Je jette un coup d'œil sur le lit voisin où tu dors. A quoi pensais-tu, Calli ? aimerais-je te demander. Pourquoi leur as-tu balancé mon nom ?

Calli, quand tu es née, j'étais si triste et si heureux à la fois. J'avais cinq ans et je l'avais vraiment saumâtre de devoir partager maman avec toi. Quand j'ai vu tes petits orteils, pas plus gros que des dragées, j'ai compris que ma maman n'était plus ma maman pour moi tout seul. Tu avais un cri à réveiller les morts. Et comme tu donnais de la voix ! Maman te berçait dans ses bras pendant des heures et des heures, avec ta tête sur son épaule. Elle te tapotait le dos et chuchotait dans ton oreille toute menue, ronde comme un coquillage : « Tout doux, Calli, tout doux. Il faut dormir, maintenant, mon poussin. »

Mais tu ne te calmais jamais. Et maman continuait à marcher, à marcher comme un automate, à moitié endormie, les yeux tout creusés par la fatigue, les cheveux en pétard dressés tout droits sur sa tête. Et toi, tu avais beau brailler tout le temps et cracher sur elle, elle ne s'énervait jamais pour autant.

« Tu as vu cela, Ben ? Nous avons décroché un sacré numéro. C'est une combative, ta petite sœur, et elle va nous mettre la pression. Grand frère, il faudra garder un œil sur notre petite tornade. »

Et c'est ce que j'ai fait, encore et encore.

Il n'y avait que papa pour arriver à te faire taire. Quand il revenait du pipeline, j'entendais grincer la porte arrière de la maison, puis le choc de son gros sac marin vert sur le carrelage de la cuisine, et je me disais : « Maintenant, Calli va la fermer. » Il t'arrachait des bras de maman et murmurait, genre sympa : « Tsssst… Ne hurle pas comme ça, Calli-Callinette. » Et toi, tu te taisais direct. Ton visage rouge et grimaçant redevenait calme et lisse. Et tu regardais papa avec de grands yeux, comme pour dire : « C'est qui, ce gars-là ? » Puis tu frottais ton petit nez en forme de cacahuète contre la poitrine de papa, tu attrapais son doigt énorme avec ta petite main et tu tombais dans un profond sommeil.

Je me dis parfois que la maison n'était pas assez grande pour contenir deux numéros. Alors, quand papa rentrait, tu savais qu'il était temps pour toi de te faire oublier et de passer en mode silence. Je crois que maman, ça lui sapait le moral que tu arrêtes de hurler avec lui mais pas avec elle. Bon, faut dire que c'était quand même elle qui changeait tes couches pleines de caca gluant, qui passait des heures à te faire manger l'horrible gloubi-boulga verdâtre qu'ils mettent dans les petits pots de nourriture pour bébé. C'était elle aussi qui avait failli devenir folle d'inquiétude lorsque, à deux mois, tu es montée à plus de quarante degrés de fièvre. On était à Noël et il devait faire quelque chose comme moins onze dehors, et les rafales de vent étaient si violentes que les murs en tremblaient. Mais maman a quand même rempli notre vieille baignoire d'eau froide du robinet, et elle t'a dévêtue après s'être déshabillée elle-même de pied en cap. Puis elle s'est installée dans cette glacière avec toi sur les genoux. Vous aviez une méga chair de poule toutes les deux et ça faisait des bosses grosses comme des ballons de football sur vos bras. Mais malgré vos lèvres toutes bleues, maman a tenu bon. Même si vous frissonniez si fort que l'eau faisait des vagues qui débordaient jusque par terre. Elle est restée là-dedans jusqu'à ce que ta fièvre retombe et que tu recommences à beugler comme d'habitude, avec tes hurlements perçants qui se répercutaient le long des murs de la salle de bains.

Et moi, pas moyen de trouver le sommeil, tellement tu chialais fort. Alors, je me suis levé pour faire un chocolat chaud à maman. Et je lui ai trouvé ses chaussettes doigts de pied préférées, celles qui sont rayées comme un arc-en-ciel. J'ai grimpé dans ton lit à barreaux et j'en ai tiré ta couverture jaune et le drôle de singe-chaussette que maman avait fabriqué pour toi. J'ai mis le tout dans le grand lit de maman parce que je savais qu'elle te prendrait avec elle cette nuit-là. Elle est restée des heures assise à te regarder respirer. De temps en temps, elle plaçait un doigt sous ton nez, rien que pour sentir le minuscule flux d'air tiède qui s'échappait de tes narines. Je me demande si ça lui arrive, des fois, de faire ça pour moi : de rentrer dans ma chambre sur la pointe des pieds, par exemple, et de vérifier si je respire encore ; de rester immobile un moment à regarder ma poitrine se soulever et retomber. J'aimerais pouvoir penser qu'elle le fait de temps en temps.

Oui, donc, je crois que ça chagrinait maman que tu te calmes avec papa et pas avec elle. Mais je sais que tu ne le faisais pas pour embêter maman. Que c'était juste parce que la présence de papa remplissait tout l'espace à la maison, un peu comme quand quelqu'un est assis sur ta poitrine. C'est dur de produire un son quand tout l'air que tu aspires est pris par l'acte de respirer. Mais c'est quand même marrant, quand on y pense, que papa, qui était le seul à savoir te faire taire, ait aussi été le seul à réussir à te faire reparler.

Antonia

Je me hâte le long du couloir jusqu'à l'ascenseur. C'est généreux de la part de Rose Callahan de me prêter sa voiture. Je ne sais pas encore comment je la remercierai, mais je suis sûre que je trouverai un moyen lorsque cette histoire sera derrière nous. Je fais cliqueter les clés de voiture de Rose dans ma main en attendant l'ascenseur. Je n'ai toujours pas eu avec Ben la conversation qui s'impose. Je ne lui ai pas demandé qui l'a mis dans cet état. Une fois de plus, mon absence de capacités maternelles me saute aux yeux. La plupart des mères ne se seraient-elles pas exclamées d'emblée : « *Qui* t'a fait cela ? » Je ne suis pas encore prête à poser cette question ; pas prête à entendre que le père de Ben est responsable de son nez et de ses côtes cassées — responsable peut-être de mille fois pire. Mon estomac se soulève quand je pense aux ravages que Griff a peut-être commis aujourd'hui. Cela dit, ce n'est qu'une possibilité, une hypothèse. Personne ne m'a dit ouvertement qu'on l'accusait de quoi que ce soit ; si ça se trouve, il a simplement passé la journée à se soûler dans un de ses bars fétiches. Pour le moment, je veux juste rentrer chez moi et ramener les doudous ainsi que des vêtements propres pour mes enfants. L'ascenseur arrive, j'entre dans la cabine vide et me renverse contre la paroi après avoir appuyé sur le bouton du rez-de-chaussée. Je ferme les yeux et m'efforce de ne penser à rien. Mais déjà, l'ascenseur s'immobilise et je suis tentée de battre en retraite en découvrant la scène qui se déploie devant moi.

Ils sont au moins six officiers de police dans le hall. Je

vois l'agent Fitzgerald parler à deux personnes que je n'ai encore jamais vues. Quelques reporters occupent un coin de la salle d'attente près du guichet d'accueil et Louis discute en gesticulant avec Logan Roper, le vieux copain de lycée de Griff. Je vois alors s'ouvrir la grande porte d'entrée de verre et Christine Louis entre au pas de charge. La femme de Louis, maintenant ! *Génial.* Et elle n'a pas l'air d'humeur à plaisanter. Je cherche des yeux une sortie latérale pour m'éclipser, avant qu'elle ne remarque ma présence, mais il est déjà trop tard : Christine m'a repérée. J'ai droit à un regard noir puis elle fond tout droit sur son mari.

— Loras ?

Je crois que Christine est la seule personne au monde à appeler Louis par son prénom. Louis fouille des yeux l'espace autour d'elle.

— Qu'as-tu fait de Tanner, Christine ?

— Il dort. Je l'ai laissé dans la voiture.

Un mélange d'incrédulité et de colère altère le visage de Louis.

— Tu l'as laissé tout seul dans la voiture ? Nous avons un kidnappeur qui court toujours. Tu ne peux pas laisser un enfant de son âge sans surveillance !

Christine pointe un index vengeur sur sa poitrine.

— Tu as renoncé à tout droit de regard sur la façon dont je m'occupe de *mon* fils depuis l'instant où tu as décidé que *ses* enfants comptaient pour toi plus que Tanner.

— Qu'est-ce que tu racontes, merde ?

Louis la prend par le bras et l'entraîne à l'écart. Je saisis cette opportunité pour m'éclipser et franchir les portes de l'hôpital. Sur le parking, je cherche la Civic rouge de Rose. Mais au moment où je m'apprête à me glisser au volant, l'agent Fitzgerald et les deux inconnus qui parlaient avec lui m'entourent. Fitzgerald prend la parole :

— Madame Clark, j'ai été très heureux d'apprendre que vos deux enfants ont été retrouvés et qu'ils sont sains et saufs.

— Oui, moi aussi.

Je réponds sèchement, car je veux disparaître d'ici avant que Christine se mette en tête de m'enrôler dans sa dispute avec Louis. Fitzgerald me présente ses deux collègues, les agents Temperly et Simon. Je les salue d'un sourire et m'assois au volant.

— Pour les besoins de l'enquête, nous devons questionner vos enfants, madame Clark, m'annonce l'agent féminin.

— Oui, je suis au courant. Voulez-vous que nous fixions une heure, demain dans la journée ?

— Vous ne comprenez pas, intervient le dénommé Temperly. C'est tout de suite que nous devons entendre Calli.

— Non, c'est *vous* qui ne comprenez pas. Calli a eu une journée horrible, et elle dort, en ce moment. Je refuse catégoriquement qu'on la réveille.

— Nous n'avons pas besoin de votre permission pour entendre un témoin, madame Clark, m'informe Fitzgerald.

Je me demande comment j'ai pu un instant faire confiance à ce type.

— C'est bien possible, mais vous avez besoin de la permission de son médecin. Et s'il vous dit que mes enfants ne sont pas prêts à subir vos questions, vous attendrez le temps qu'il faudra !

Je descends de voiture et regagne l'hôpital au pas de charge pour faire savoir au Dr Higby *qu'en aucun cas* il ne doit laisser ces gens parler à mes enfants tant que je ne serai pas de retour.

Louis

Je tire Christine à l'écart, dans un coin de la salle d'attente. C'est donc reparti pour un tour. Deux fois par an environ, Christine me fait une de ses petites crises en public. Après quoi elle se calme et me dit qu'elle regrette. Et tout recommence plus ou moins comme avant, jusqu'à la fois suivante.

Je contiens avec peine mon impatience.

— Qu'y a-t-il, Christine ? Je suis en plein boulot, là.

— C'est la moitié du problème. Tu travailles tout le temps. On ne te voit pour ainsi dire jamais à la maison !

— C'est mon métier, Christine !

Je ne voulais pas hausser le ton, mais voilà que je crie déjà. De nombreux regards sont fixés sur nous. Du coin de l'œil, je vois Toni se diriger subrepticement vers la sortie et je me demande où elle peut bien aller. Sait-elle, au moins, que Griff rôde quelque part dans les parages ?

— Et l'autre moitié du problème, la voilà.

La voix de Christine se brise alors qu'elle désigne Toni du menton.

— Tu m'as raccroché au nez, Loras ! Et je sais que tu étais avec *elle*. Elle n'a qu'un mot à prononcer et tu accours ventre à terre. Même maintenant, alors que je suis en train de te quitter, ce n'est pas moi que tu regardes, mais elle !

Cette annonce a pour effet immédiat de ramener mon attention sur Christine.

— Comment cela, tu me quittes ? Tanner est réellement dehors, tout seul, dans la voiture ?

— Oui, il dort. J'ai fermé la portière à clé. Il ne risque rien! vocifère Christine.

— Et s'il se réveille et qu'il se mette en tête de descendre? Nom de… Christine, réfléchis! Allons tout de suite à la voiture!

— Sortons d'ici, oui. Tu pourras dire au revoir à ton fils. Je retourne dans le Minnesota avec Tanner.

— *Quoi?* Ah, en vacances, tu veux dire?

Elle m'imite avec une grimace sarcastique.

— Non, pas *en vacances*. Pour de bon. Nous emménageons chez mes parents, le temps que je trouve du travail et un logement.

Cette fois, j'explose.

— Tu ne peux pas prendre Tanner et t'en aller comme ça! Tu n'as pas le droit de me tenir éloigné de mon fils!

— Je n'ai pas l'intention de t'éloigner de ton fils. Tu t'en charges déjà très bien tout seul. Nous réglerons les détails pratiques par la suite. Viens lui dire au revoir, si tu le souhaites.

— Mais pourquoi me faire ça maintenant, Christine? dis-je, anéanti.

— Je le fais *enfin*, Loras. Je suis fatiguée, écœurée de vivre en permanence dans son ombre.

J'objecte sans grande conviction :

— Mais tu n'es pas obligée de partir. Nous trouverons des solutions. Nous en avons toujours trouvé jusqu'à maintenant.

— As-tu idée, au moins, de ce que j'endure depuis des années? Tu sais ce que ça représente, pour moi, de vivre dans cette ville, toute bruissante encore de vos amours, à elle et à toi? Tu es incapable de laisser Antonia derrière toi, et moi, je ne peux pas faire un pas sans me cogner à elle ou au souvenir de votre histoire. Je suis à bout, Loras. A bout.

Elle sort sur le parking et part sans se retourner en direction de notre break. Je la suis, conscient qu'il me faut embrasser mon fils et prendre congé.

Martin

Je me gare plus bas dans la rue et reviens discrètement sur mes pas. Au passage, je vois un policier assis dans une voiture de patrouille. C'est un réserviste, un homme qui appartient à la même congrégation religieuse que moi. Le plafonnier allumé jette des ombres sur son visage ; il lit en buvant un café à petites gorgées. Je me faufile à sa hauteur sans me montrer, et me dirige vers l'arrière de la maison des Clark pour attendre.

Là, je prends position derrière un bouquet d'arbres maigres que mon père aurait qualifiés de « cochonneries d'arbrisseaux de décombres ». Ils sont petits, irréguliers avec des troncs pas plus épais que mon poignet. La nuit est encore chaude, mais un petit vent teinté d'air du nord a rafraîchi l'atmosphère. Je suis bien, en fait. En n'importe quelle autre circonstance, je me serais assoupi, mais le poids du revolver sur mes genoux me ramène avec brutalité à la raison de ma présence ici. De jour, ma cachette aurait été dérisoire, mais en pleine nuit, je suis devenu comme une extension du jardin des Clark — du moins, je l'espère. D'ici, j'ai une bonne vue sur les voitures de Griff et d'Antonia, garées l'une et l'autre dans l'allée, tout près de la porte d'entrée arrière de la maison.

Mon poste d'observation me permet également de surveiller la cuisine des Clark. La maison est plongée dans l'obscurité. Si le policier chargé de faire le planton me repère, je peux toujours dire que j'ai cru apercevoir un rôdeur et que je suis venu voir. Pas très convaincant, comme excuse, j'en suis conscient. J'attends aussi que la raison me revienne, mais jusqu'à présent, elle continue de me faire faux bond. Je suis un homme logique. Je sais que cela n'a pas de sens de traquer l'agresseur de mon enfant en planquant derrière chez lui, arme au poing. J'attends de retrouver ma tête, de redécouvrir brusquement comme une évidence que mon comportement n'est pas celui d'un homme de culture et d'un universitaire. Mais en ce moment, il m'est indifférent d'être le doyen de la faculté d'économie de l'université Saint-Gall ; peu m'importe que depuis cinquante-sept ans ou presque je vive dans la conviction inébranlable que la peine capitale est un mal en soi, une aberration. La colère gronde dans mon ventre comme une colonie d'abeilles folles et m'écorche la peau de l'intérieur.

Alors, j'attends, et ma patience n'est pas mise longtemps à l'épreuve. De mon poste de guet, je vois une ombre se détacher des bois ; elle est haute et massive mais elle se meut avec raideur et ses mouvements sont mal coordonnés. Dois-je m'avancer et affronter cette créature de l'ombre ? Ou est-ce le moment de regagner ma voiture sans bruit, de retourner chez ma belle-mère et de replacer le revolver du père de Fielda sur son lit de velours, au fond du coffret ? J'hésite un peu trop longtemps, si bien que mon choix tombe à l'eau. Juste au moment où je m'apprête à prendre une décision, une décision qui aurait changé le cours de ma vie pour toujours, une voiture arrive, se gare derrière les deux autres, et Antonia en descend. La silhouette sortie des bois s'immobilise puis bat en retraite et se fond de nouveau dans la masse sombre des arbres. Antonia contourne la maison et se dirige vers le policier de garde. J'entends un rapide murmure de conversation puis, de nouveau, le silence. Je reste assis là pendant ce qui me paraît être une éternité, à écouter les pulsations sonores de mon cœur pendant que mon regard se porte nerveusement de la maison à la forêt, puis de la forêt à la maison.

Et j'attends.

Je sursaute quand la lanterne s'allume au-dessus de la porte d'entrée arrière. Antonia sort de chez elle avec un sac sur l'épaule et une peluche, ainsi qu'un coussin vert à la main. Je l'observe alors qu'elle plisse les yeux, scrutant l'obscurité, puis se dirige vers l'endroit où l'unité de la police scientifique s'activait si intensément tout à l'heure. Je m'attends à ce que Toni s'arrête là et retourne à sa voiture, mais elle poursuit tout droit, au contraire, et traverse le jardin en direction des bois.

A ce moment, un autre choix se présente à moi, un choix qui, incontestablement, changera plusieurs vies à jamais. Quelle sera ma décision? Prévenir Antonia ou rester assis là et laisser faire?

Antonia

Je roule sur la route familière qui me mène chez moi. Notre voisinage paraît abandonné ; les camionnettes de la télévision ont disparu ainsi que les voitures de patrouille, à l'exception d'une seule. Nous n'avons pas d'éclairage public dans la rue et aucune lumière ne brille chez les Gregory. Chez moi non plus, d'ailleurs. Il me semblait pourtant avoir laissé la cuisine allumée avant de partir dans la forêt avec Louis et Martin. Peut-être que les techniciens de la police scientifique ont tout éteint dans la maison avant de repartir ? J'émets un vœu silencieux de soutien et de réconfort à l'intention de la famille Gregory. J'espère que Fielda et Martin sont assis au chevet de Petra en ce moment même et qu'ils lui tiennent la main. Je suis tellement privilégiée d'avoir retrouvé mes deux enfants sains et saufs. Psychologiquement marqués, c'est vrai, mais épargnés physiquement. Je continue d'espérer qu'un long, long chapelet de phrases viendra tenir compagnie à l'unique syllabe que Calli a émise tout à l'heure. Dans un premier temps, je reste assise au volant de la voiture de Rose et je regarde ma propre maison d'un œil extérieur, comme si j'étais une étrangère. Il fait tellement sombre que je ne vois pas grand-chose ; alors, je ferme les yeux et je la visualise comme en plein jour, la demeure de mon enfance qui est désormais mon refuge, tant de femme que de mère. C'est une construction étroite sur deux niveaux, simple, mais avec une bonne ossature. Je vois même en pensée la peinture blanche qui gonfle et s'écaille, tombant dans la pelouse sous forme d'une pluie d'éclats blancs. Les massifs de fleurs sont splendides et eux, au moins, sont entretenus. J'aime ma maison malgré le défilé de jours sombres que j'ai traversés ici. Elle est et reste mon abri, ma demeure. Je me demande ce qu'en pensent Ben et Calli. La maison n'est-elle liée pour eux qu'à des souvenirs tristes ? J'espère qu'ils en conservent quand même aussi quelques-uns d'heureux. Quand ce cauchemar sera terminé, je leur poserai la question. Eprouveront-ils le besoin de tourner la page et de partir ? Ou considéreront-ils que leur vie est ici, à Willow Creek ?

Je descends de la voiture et je vais voir le policier de garde. Il sort de son véhicule à mon approche et me salue.

— Je suis heureux d'apprendre que vos enfants ont été retrouvés, madame Clark.

— C'est un immense soulagement, oui. Merci pour tout ce que vous avez fait. Je peux rentrer chez moi un instant ? Je voudrais récupérer quelques affaires pour Ben et Calli.

— Allez-y, sans problème. Nous avons fini la collecte des preuves matérielles. Vous voulez que je vous accompagne à l'intérieur ?

— C'est gentil, mais ça va aller. J'en ai pour une minute.

L'officier de police me sourit et se rassoit dans la voiture. Les jambes lourdes, je gravis l'escalier qui mène à la terrasse de bois avec son auvent en surplomb. La fatigue de cette journée pèse sur moi comme de la pierre. J'ouvre la porte et monte directement au premier, où je commence par la chambre de Calli. J'ai du mal à imaginer qu'il y a quelques heures à peine, des inconnus piétinaient un peu partout ici, cherchant des indices, des traces de violence, relevant des empreintes. A ma grande surprise, je trouve la chambre en ordre. Les techniciens de scène de crime ont été très consciencieux, nettoyant tout après leur passage, remettant jouets et poupées à leur place. Seul le lit de Calli me choque, nu et vide, avec ses draps arrachés. J'attrape quelques vêtements que je fourre dans le sac à dos de Calli, et je ramasse sa couverture jaune et son singe. Puis je procède de même dans la chambre de Ben avant de dévaler l'escalier. Arrivée en bas, j'ai déjà la main sur la poignée de la porte d'entrée frontale. Mais je suspends mon geste, reviens sur mes pas. Dans la cuisine, j'allume l'éclairage extérieur avant de sortir. Immobile, face au grand jardin que j'aime tant, je suis assaillie par les images de la journée écoulée, qui se télescopent dans ma tête. Mon regard sur la forêt redeviendra-t-il un jour comme avant ? Pourrai-je de nouveau puiser du réconfort dans le monde silencieux des arbres qui a avalé mes enfants et les a recrachés, brisés et altérés ? Perdue dans mes pensées, je marche en direction de la lisière des grands arbres, quand je sens une main puissante se refermer sur mon bras. Mon cœur effaré s'immobilise. Mais presque aussitôt je reconnais la voix lisse, cultivée, de Martin qui s'élève dans un faible murmure :

— Chut, Antonia… Il y a quelqu'un dans les bois. Venez.

Il me tire en silence sur le côté, près de la cabane à outils où nous nous dissimulons derrière une viorne. Je proteste dans un chuchotement.

— Martin ? Que faites-vous ?

— Chut ! ordonne-t-il de nouveau en me désignant la ligne sombre des arbres.

Je ne vois rien.

— Qu'est-ce que c'est ?

— Griff, je crois.

Je suis frappée par le son mat, presque éteint de sa voix.

— Griff ? Cela tombe bien, j'ai quelques questions à lui poser, justement. J'aimerais savoir où il était passé aujourd'hui.

Je me dégage pour repartir en direction de la forêt, mais Martin me ramène à lui en me rattrapant avec rudesse par le bras.

— Non. Revenez ici et écoutez-moi !

Je m'immobilise et il me lâche le bras. Sa voix s'élève dans un chuchotement rauque.

— Vous avez parlé avec Ben, Antonia ?

— Non, pas encore. Nous n'en avons pas eu l'occasion.

Je suis tellement heureuse qu'ils soient de retour et qu'ils soient vivants… Ben sait quelque chose ?

— Il était là-haut lorsque nous avons retrouvé Petra. Il nous a raconté ce qui s'était passé, qui s'en est pris à Petra et à Calli. Il a admis que c'était son père.

— Ben a accusé Griff ?

— Il nous a expliqué que Griff était sur place lorsqu'il est lui-même arrivé au sommet de l'escarpement. Griff était penché au-dessus de Petra et menaçait Calli.

La voix de Martin se brise lorsqu'il prononce le prénom de sa fille. Maintenant seulement, je remarque qu'il a la main crispée sur un objet invisible dans le noir.

— Qu'est-ce que c'est ?

Mes doigts effleurent le froid du métal.

— Mon Dieu, c'est un pistolet ? Martin, qu'êtes-vous venu faire ici ?

— Je ne sais pas, répond-il d'une voix inerte. Je pensais… je pensais…

— Vous pensiez que vous pouviez venir ici et abattre l'homme que vous soupçonnez d'avoir molesté votre fille ? Sans même lui parler au préalable, sans laisser le temps à la police de le questionner ? Martin, je sais que Griff a des problèmes, mais il n'aurait jamais fait de mal à Petra.

— Ah non ? Et qu'est-ce qui vous permet d'affirmer ça avec une aussi belle certitude ? Vous avez vu le visage de votre fils ? Les bleus dont il est couvert ? Il était sur les lieux, Antonia. Faut-il en conclure que Ben est un menteur ? Qui serait le coupable, alors ? Ben ? Votre mari ? Lequel des deux, Antonia ? *Lequel ?*

— Oui, Antonia, lequel des deux ? lance, sur le ton de la conversation, une voix doucereuse et familière.

Mon cœur se bloque dans ma poitrine. C'est Griff. Il empeste la transpiration et son visage paraît défait, exténué.

— Qui choisis-tu de croire, Toni, moi ou Ben ?

— Griff, je ne sais pas ce qui s'est passé. Je ne sais rien !

Ben et Calli sont à l'hôpital. Petra aussi, et elle est grièvement blessée. J'ignore comment c'est arrivé.

— Mais tu es persuadée que je suis mêlé à cette sale histoire, hein ? Tu es prête à croire ce petit connard de douze ans, mais ton propre mari, tu…

Griff, l'homme qui m'envoyait chaque année un petit mot plein de tendresse à la date anniversaire de la mort de ma mère, s'avance vers moi d'un air de menace.

— Ecartez-vous ! hurle Martin.

— Hé, mais c'est quoi, ce bordel ? Vous avez un revolver ? Une saloperie de putain de revolver ! Vous êtes venus pour me descendre, tous les deux ? Nom de Dieu, Toni !

Griff assène un coup violent sur le bras de Martin et le revolver part dans ma direction. Je hurle lorsqu'il se décharge avec un grand bruit, et porte mes mains à ma tête au moment où la balle explose dans le sol, faisant voler des mottes de terre sèche. Griff et Martin plongent l'un et l'autre pour ramasser l'arme, mais Griff est plus rapide et il saisit la crosse. D'un seul geste, il le soulève et l'abat avec un bruit atroce sur le crâne de Martin, qui s'effondre sans un bruit en se tenant la tête.

Je hurle de panique.

— Griff, non, arrête ! S'il te plaît… Oh, s'il te plaît !

Les larmes aux yeux, je m'agenouille près de Martin.

— Il se préparait à me tirer dessus, déclare Griff d'une voix hébétée. Vous étiez là, tous les deux, prêts à me tirer comme un lapin.

— Ce n'est pas vrai ! Pas vrai ! Je ne savais pas que Martin était là ! J'étais venue chercher un pyjama pour Calli et son singe-chaussette.

Je montre en sanglotant le singe tombé à terre, qui lève vers nous son absurde face souriante. Griff tient le revolver braqué sur moi, d'une main tremblante, mais il jette un coup d'œil sur la peluche puis sur la forme inerte de Martin.

— Je ne te crois pas.

Sa main tremble de plus belle, par nervosité ou par manque

d'alcool, je serais incapable de le dire. Je plaide d'une voix suppliante :

— S'il te plaît, Griff, on en discute… Dis-moi ce qui s'est vraiment passé. Dis-moi.

Et ce policier censé surveiller la maison? Où est-il passé quand on a besoin de lui? Je le cherche désespérément des yeux dans le noir.

— Je n'ai rien fait à Petra!

La voix de Griff vibre d'émotion.

— Je sais que les apparences sont contre moi, mais ce n'est pas moi! Je n'ai pas fait de mal à cette gamine!

— Mais pourquoi étais-tu là-haut? Que faisais-tu dans la forêt avec Calli?

— Je ne sais pas… Je ne sais pas. C'était bête. Je l'ai emmenée dans les bois. Nous nous sommes perdus. Puis Calli a disparu et Petra était là, tout en sang. Et Ben, putain… Il n'arrêtait pas de m'agresser, alors je l'ai frappé. Je l'ai frappé. Et sa petite culotte, bordel, sa petite culotte…

J'ai l'impression qu'on me donne un coup de poing dans l'estomac. Mon mari a entraîné Calli dans la forêt; il a molesté Ben et Petra, la pauvre petite Petra… Je me force à ravaler la bile amère qui remonte dans ma gorge.

— Ma tête… Oh, putain, ma tête…

Griff ferme les yeux et presse les doigts sur ses globes oculaires. Je saisis l'instant pour fuir et plonge derrière la cabane à outils, cours en direction des bois. Si seulement je parvenais à atteindre la ligne des arbres, je trouverais à me cacher. Cette forêt, je la connais. Je m'attends à tout moment à entendre la déflagration d'une arme à feu, mais rien ne vient. Il reste que malgré sa condition physique dégradée, Griff court toujours plus vite que moi. Juste au moment où je crois trouver la sécurité des arbres, il me rattrape et m'enserre dans ses bras, m'écrase dans une étreinte d'acier. J'essaie de me dégager à coups de pied, mais il est massif, solide comme un roc. Au même moment, nous entendons les sirènes. Nous nous pétrifions l'un et l'autre. Puis, avant que je puisse crier ou me libérer, Griff me tire de force dans l'ombre des bois.

Louis

Je suis là, planté comme un idiot, à regarder Christine faire une marche arrière, passer une vitesse, sortir du parking. Un instant, j'hésite à m'élancer, à sauter dans la voiture en marche et à partir avec Tanner et ma femme, jusque dans le Minnesota. Mais la tentation ne dure pas, car dans l'angle de mon champ de vision, je repère Toni, tête baissée, qui sort une seconde fois au pas de course du hall d'entrée. Mon premier réflexe est de courir à sa suite, mais je remarque que Fitzgerald et les deux autres agents m'observent à travers les grandes baies vitrées en façade de l'hôpital. Renonçant à mon dessein premier, je me dirige tout droit vers mes collègues et je reviens à l'enquête en cours.

Fitzgerald m'attend de l'autre côté des portes automatiques qui s'écartent, laissant passer un grand souffle d'air climatisé qui me frappe au visage. Mon uniforme est terreux, suite à mon expédition avec Martin dans les bois, je sens la mauvaise sueur et je transpire de nouveau abondamment après ma discussion houleuse avec Christine.

— Elle refuse de nous laisser parler avec la petite. Et pareil pour le garçon, d'ailleurs, m'informe Fitzgerald tandis que je m'approche du distributeur automatique de boissons.

— Qui refuse ?

Je sors une bouteille d'eau et la vide d'un trait, à grandes goulées avides.

— Antonia Clark. Elle prétend que Calli n'est pas en état de répondre à nos questions. Et elle ne veut pas non plus nous laisser voir Ben. Je crois qu'elle cache quelque chose.

J'introduis une nouvelle pièce de monnaie dans la machine. Pour prendre une boisson riche en sucre et en caféine, cette fois. La nuit promet d'être longue.

— Que voudriez-vous qu'elle nous cache ?

— Je pense qu'elle en sait plus qu'elle ne veut en dire, au sujet de son mari. Elle affirmait ignorer que Griff Clark n'était pas parti à la pêche comme prévu, mais je me demande si elle ne couvre pas son conjoint, intervient Temperly.

Je soutiens froidement son regard.

— Je ne crois pas, non. Avez-vous déjà eu l'occasion de parler avec Toni Clark ? Sur quoi vous basez-vous pour avancer cette accusation ?

— Sur la conversation que nous avons eue avec elle, il y a quelques minutes à peine, et où elle a refusé catégoriquement de coopérer avec nous, répond Temperly d'une voix dégoulinante de sarcasme. Je ne sais pas vous, mais moi, si ma fille avait été kidnappée et mon fils violemment molesté, j'aurais envie que la police identifie le coupable.

— Toni aussi veut connaître le coupable.

Je réponds d'un ton égal, en veillant à gommer toute aspérité de ma voix. La dernière chose dont j'aurais besoin en ce moment serait qu'on me vire de l'enquête.

— Elle veut seulement assurer la sécurité de ses enfants. Dès qu'ils seront en état de parler, elle vous autorisera à les voir.

— Pour assurer leur sécurité, elle a assuré leur sécurité, en effet, ironise Temperly dans sa barbe.

Lydia Simon nous rejoint, ce qui est une bonne chose car ce Temperly commence à me chauffer sérieusement.

— Commençons par aller voir le médecin. Il nous dira dans combien de temps à peu près il estime que Calli sera en état de parler avec nous. On avisera à partir de là.

— Et où allait-elle, Toni, au fait ?

Les trois agents se regardent et haussent les épaules en signe d'ignorance. Incrédule, je secoue la tête.

— Son fou dangereux de mari rôde dans le secteur et vous la laissez partir sans rien lui demander?

Les agents lèvent les sourcils en échangeant un nouveau regard.

— Allons trouver ce médecin, tranche Lydia Simon.

Au moment où nous passons devant l'accueil, l'employée au guichet nous fait signe.

— L'un d'entre vous pourrait-il parler à une Mme Fielda Gregory? Elle est au téléphone et très paniquée au sujet de son mari.

— Je prends, décrète Fitzgerald avant que je puisse m'emparer du combiné.

Je me tiens le plus près possible, avec l'espoir d'entendre ce qui est arrivé à Martin. Fitzgerald écoute quelques instants puis promet à Fielda qu'il la rappellera au plus vite.

— Eh bien…, marmonne Fitzgerald. A quand le suivant?

Groupés autour de lui, nous le regardons, dans l'expectative.

— Apparemment, Martin Gregory est la nouvelle personne disparue dans la série.

— Disparu, Martin? Mais je l'ai fait reconduire chez lui par Jorgens. Martin lui a dit qu'il repartait directement pour Iowa City avec Fielda, rejoindre Petra au plus vite.

— Fielda est partie, oui, mais pas avec Martin. Elle a pris la route avec sa mère et Mary Ellen McIntire, explique Fitzgerald.

Temperly hausse les sourcils.

— La mère de Jenna McIntire?

— En personne, oui. Mais laisse-moi finir, O.K.? proteste Fitzgerald avec impatience. L'état de Petra nécessite une intervention chirurgicale en urgence, et Mme Gregory souhaite consulter son mari avant de signer le consentement éclairé. Mais pas moyen de le joindre. Elle a tout essayé : la maison, le bureau du shérif, ici à l'hôpital, les amis, la famille, mais rien. Mme McIntire a fini par l'ouvrir et a admis qu'elle avait peut-être une petite idée de ce que projetait Martin Gregory.

Dans un premier temps, j'interroge Fitzgerald du regard et j'attends la suite en silence. Puis le déclic se fait.

— Oh, bon sang, non… Il est parti régler ses comptes avec Griff !

— Ça en a tout l'air, oui. D'après Mme McIntire, Martin et elle ont eu une brève conversation au cours de laquelle il a laissé entendre qu'il comptait affronter la personne, quelle qu'elle soit, qui a violenté sa fille, précise gravement l'agent.

Lydia Simon se tourne vers moi.

— Aux dernières nouvelles, Griff Clark errait toujours quelque part dans la forêt. Croyez-vous que Martin Gregory ait pu y retourner en pleine nuit ?

— Si je connais Griff aussi bien que je crois le connaître, il va probablement prendre le large. Dès qu'il aura refait un plein d'alcool, du moins.

Une pensée terrifiante vient jouer alors dans mon esprit, et je me tourne vers la réceptionniste.

— Pouvez-vous m'appeler le médecin de Calli Clark, s'il vous plaît ?

Quelques minutes plus tard, le Dr Higby se présente et nous précise aussitôt que nous ne devons, sous aucun prétexte, essayer de parler aux enfants Clark.

— Non, non, dis-je. C'est au sujet de Toni Clark. Savez-vous où elle est allée lorsqu'elle a quitté l'hôpital, il y a un petit moment ?

— Mme Clark est repartie chez elle. Elle voulait passer prendre des vêtements propres pour les enfants. Pourquoi ? Il y a un problème ?

Les plis qui creusent le front du médecin reflètent une préoccupation sincère.

— Je ne sais pas encore, dis-je au moment où mon talkie-walkie crépite.

Tous, nous faisons silence alors que le dispatcher transmet une information : un incident a été signalé au 12853, Timber

Ridge Road. Le réserviste affecté à la surveillance rapporte qu'il a entendu des éclats de voix derrière la maison des Clark, suivis aussitôt par une déflagration évoquant un coup de feu.

Ben

Rose est revenue avec un plateau-repas. Du flan au chocolat, de la gelée de fruits, de la soupe et un verre de sirop. Rien que des trucs mous, liquides ou moulinés, m'a-t-elle dit, pour que je ne me fasse pas mal en mâchant. Quand je pense à Rose, j'ai envie de sourire. Elle est trop sympa, cette vieille dame. Elle m'a dit qu'en cas de besoin, je la trouverais dans la salle d'attente, mais qu'elle me laissait seul pour que je puisse prendre mon repas tranquille. Car à ma place, ça ne l'amuserait pas d'avoir une inconnue assise dans sa chambre à la regarder manger. Voilà ce qu'elle m'a dit. Et elle a raison. J'ai juste envie de rester allongé sur mon lit, d'avaler la gelée de fruits et mes machins moulinés, et de regarder la télé.

Et toi, Calli, tu dors, tu dors, tu dors. Je n'arrête pas de jeter des coups d'œil en coin sur ton visage endormi, dans l'espoir de te voir te réveiller. Parce que même si je préfère que Rose ne reste pas ici, près de moi, je me sens quand même assez seul, et j'ai l'impression que maman met une éternité à revenir. Ton infirmière est passée te voir deux ou trois fois déjà pour prendre ta température et ton pouls, et pour vérifier que ta perfusion est toujours en place.

J'essaie de ne pas penser à papa. Je me mets à culpabiliser un peu par rapport à ce qui s'est passé au sommet de l'escarpement, mais ça m'a fait un trop sale effet de voir Petra dans cet état, et toi, toute terrifiée, et papa au milieu, avec cet air bizarre. Je crois que je ne pourrai plus jamais le regarder dans les yeux, après la façon dont on s'est battus. J'espère que maman comprendra. Je n'ai même pas pu lui dire que c'était papa qui m'avait cassé le nez, mais je crois que, quelque part, elle le sait déjà.

Je me souviens, Calli, avant que tu arrêtes de parler, tu t'installais toujours sur mon lit pour attendre mon retour de l'école. Chaque jour, en arrivant, je savais que je te trouverais là-haut, dans ma chambre. Ça ne m'embêtait pas trop, cette petite manie que tu avais. Tu ne touchais jamais à mes affaires — sauf à ma collection de cailloux avec laquelle tu adorais jouer. Mais les cailloux, je ne vois pas trop quel mal tu aurais pu leur faire. Quand j'ouvrais la porte de ma chambre, tu étais généralement occupée à les trier. Tu en avais une pile de noirs, une autre de brillants, avec un éclat métallique ; un petit tas de feldspath rose et un autre de calcite jaunâtre. Tu ne les appelais pas par leur nom scientifique, tu avais un vocabulaire bien à toi.

« Ça, c'est l'œil du Chat Magique », disais-tu au sujet de mon obsidienne noire.

Ou tu soulevais mon quartz étincelant.

« Celui-là, c'est la Pierre Glaciale. Si tu l'enterres dans le jardin, tout se transformera en glace. »

Tu parlais, tu parlais tellement que j'avais parfois l'impression que le flot de tes paroles ne s'arrêterait plus jamais. Et maintenant que tu as gardé le silence si longtemps, j'ai du mal à imaginer que tu puisses parler de nouveau. Cela me manque de ne pas t'entendre. Je ne le dirai jamais à personne, mais je continue de te parler et, dans ma tête, tu me réponds. Moi, bien sûr, je reste l'aîné et le plus débrouillard des deux, et toi, tu es ma petite sœur qui en sait forcément moins que moi. Dans ma tête, tu me sors des trucs du style : « Ben, tu crois que papa, il arrêtera un jour de boire ? » Et moi, je réponds doctement : « C'est dur à dire, Calli, mais je suppose que rien n'est impossible. » Ou alors, dans ma tête, on discutait de trucs tout bêtes de tous les jours ; de ce qu'il y aurait pour le dîner, par exemple. Ou alors on décidait de ce qu'on allait regarder à la télé. Là, maintenant, ce qui me plairait bien, ce serait que tu te réveilles et que tu me dises :

« Hé, Ben, je veux regarder Channel Seven. Tu me passes la télécommande ? »

Mais tu continues de dormir. Jamais je ne t'ai demandé pourquoi tu as cessé de parler. Je sais que ça a commencé le jour où maman a perdu le bébé. Je revenais tranquille de chez Ray et, là, vlan, je trouve maman toute blanche sur le canapé, à gémir doucement. Quelqu'un avait étendu une couverture sur elle. C'était toi, Calli ? Mais même si elle était recouverte, on voyait le sang suinter à travers. Je n'arrêtais pas de te demander ce qui s'était passé, mais tu ne me répondais pas. Tu étais assise par terre à côté de maman, et tu te balançais d'avant en arrière en tenant ton singe-chaussette serré contre toi. J'ai vite appelé Louis et il a fait venir une ambulance. Pendant un instant, j'ai cru que tu allais parler, quand le bébé est sorti de maman. Rien à faire, je ne comprends pas pourquoi ils nous ont laissés là, à assister à ça, nous, les enfants. Quand la petite fille toute bleue est arrivée et qu'ils l'ont essuyée, tu as tendu la main pour toucher ses cheveux roux et là, j'aurais juré que tu étais sur le point de dire quelque chose. Mais finalement, non, rien. Tu t'es juste cramponnée à ton singe un peu plus fort et tu t'es balancée un peu plus vite, jusqu'au moment où ils se sont aperçus qu'on était là, nous, les enfants, et ils ont appelé Mme Norland pour qu'elle vienne s'occuper de nous. Au début, je pensais que ça t'avait traumatisée grave de voir maman tomber de l'escalier, mais je t'ai observée ; je t'ai vraiment observée de très près depuis ce jour-là. Je voyais comment tu étais avec maman ou avec moi. Et je voyais comment tu te comportais lorsque papa revenait dans le secteur, et là, c'était clair, vraiment clair : ton visage devenait lisse, tendu et immobile, comme si tu portais un masque, et tu repliais les doigts à l'intérieur de tes mains. Ça ne sautait pas toujours aux yeux, mais on sentait qu'il y avait quelque chose. Je crois que maman savait aussi, mais elle n'en a jamais parlé. Parfois, je me dis que c'est ça qui ne va pas, chez maman, c'est qu'elle ne dit pas ce qu'elle devrait quand elle le devrait.

Je crois que tu es peut-être en train de te réveiller. Tu te tortilles un peu en essayant d'ouvrir les yeux, mais tes paupières sont trop lourdes, comme écrasées par la fatigue. J'appréhende un peu ton réveil. Vas-tu de nouveau te tordre et hurler en silence dans ta tête, comme lorsque tu m'as vu arriver ? J'hésite à appuyer sur le bouton pour appeler l'infirmière, au cas où tu aurais mal quelque part, mais ton agitation cesse et tu te rendors. Alors je finis de manger mon flan, tranquille, et je continue de zapper d'une chaîne à l'autre. Et cette fois, quand je tourne la tête de ton côté, tu as les yeux grands ouverts et tu me regardes, incrédule, comme si tu avais du mal à croire que c'était bien moi. Puis tu souris — un tout petit sourire, mais un sourire quand même. Je descends de mon lit, malgré la douleur dans mes côtes, et je m'approche de toi.

— Ça va ?

Tu fais « oui » avec la tête.

— Super.

Comme tu me regardes d'un air inquiet, je m'empresse d'ajouter que moi aussi, ça va bien. Et là, tu fais quelque chose qui me surprend. Tu soulèves ton drap et tu tapotes l'espace libre à côté de toi. Je me glisse dans le lit en faisant attention de ne pas déplacer le tuyau que tu as dans le bras. Le matelas n'est pas très large, mais je me fais une petite place.

A la maison, la nuit, tu venais parfois te pelotonner dans mon lit quand tu ne pouvais pas dormir et je te racontais des histoires. Très souvent, c'étaient les contes habituels : *Le Petit Chaperon rouge* ou *Les Trois Petits Cochons*. Mais parfois, je m'amusais à inventer et ça donnait des trucs du genre : « Il était une fois deux princesses, la princesse Calli et la princesse Petra. » Et il vous arrivait, comme ça, plein d'aventures. C'était plutôt nul, mais toi, tu adorais ça. Je crois que tu as envie que je te raconte une de mes histoires, maintenant, mais je ne sais pas par où commencer. Après ce qui s'est passé, je n'aurais pas l'air fin si je te parlais du petit bonhomme Pain d'Epice et du renard qui finit par l'avaler tout rond. Mais il me vient une idée. Une idée un peu bête, probablement, et si maman l'apprend, elle risque de me priver de sortie jusqu'à la fin de mes jours. Mais les mots s'enchaînent presque d'eux-mêmes :

— Il était une fois deux princesses, l'une s'appelait Calli et l'autre Petra. Ces princesses étaient l'une et l'autre très belles et très intelligentes. Mais grande et belle, surtout, était l'amitié qui les liait. Leur beauté, elles s'en moquaient un peu, les princesses. Elles trouvaient que c'était plus important d'être courageuses et malignes. Ensemble, elles ont vécu de très belles aventures en combattant des sorcières, des trolls et des dragons. La princesse Calli avait une caractéristique particulière : elle ne parlait jamais. Personne ne savait pourquoi elle avait cessé de parler, mais c'était ainsi. Ce qui ne l'empêchait pas d'être brillante et téméraire. Et, heureusement, la princesse Petra était là pour lui prêter sa voix. Elles formaient une super-équipe, toutes les deux. Petra prononçait les formules magiques et Calli agitait ses doigts de fée et le dragon cracheur de feu tombait comme une mouche à leurs pieds, et la méchante vieille sorcière se transformait en grosse, vilaine limace gluante.

Quand j'arrive à ce stade de mon histoire, tu lèves les yeux vers moi et tu souris. Tu as toujours adoré cet épisode de la sorcière qui se mue en vilaine limace.

— Un jour, hélas, les deux jeunes princesses restèrent prisonnières de la grande forêt...

Je m'interromps pour observer ta réaction. Tu me regardes, l'air incertain, comme si tu te demandais où je voulais en venir. Mais je ne vois rien dans tes yeux qui me demande d'arrêter, alors je poursuis le récit de vos aventures. La porte s'ouvre et le médecin entre, celui avec la cravate de dingo. Je me dis qu'il faut peut-être que j'interrompe mon histoire, mais il me fait signe de continuer et explique qu'il est juste venu s'assurer rapidement que tout allait bien.

— … Alors la princesse Calli et la princesse Petra ne savaient plus du tout où aller, dans ce coin inconnu de la grande forêt. En fait, elles n'étaient pas parties toutes seules dans les bois. Le papa de Calli les avait emmenées.

Je te jette un regard en coin et je te vois froncer les sourcils, comme pour me dire que je me trompe. Alors je fais un nouvel essai :

— La princesse Petra et la princesse Calli se sont sauvées de chez elles pour explorer la forêt toutes seules ?

De nouveau, tu secoues la tête pour m'indiquer que ce n'est pas comme ça que ta journée a commencé. Je tente une autre explication :

— Un homme inconnu est venu et il a raconté des histoires aux deux princesses pour les emmener avec lui dans les bois ?

Mais là encore, c'est non. Mon idée ne donne pas trop de résultats et je cherche le regard du Dr Higby, qui s'est assis sans bruit dans un coin où tu ne peux pas le voir. Il m'adresse un petit signe de tête, comme pour m'encourager à essayer encore.

— Seule la princesse Calli a été conduite dans la forêt par son père qui était frappé d'un affreux sortilège parce qu'il avait avalé de la mauvaise potion magique ?

Calli acquiesce vigoureusement et je soupire. Enfin, j'arrive à quelque chose.

Martin

Je touche la zone sensible, sur mon crâne, où Griff a frappé avec le revolver. A mon grand soulagement, le hurlement des sirènes de police se rapproche. Quelle aberration d'avoir agi comme je l'ai fait, d'être venu ici, convaincu que je pouvais rendre ma propre justice ! Jamais je ne pourrais ôter la vie à un autre être humain, fût-il le plus vil, le plus cruel parmi les hommes. Je ne suis qu'un père faible, blessé et en colère qui, une fois de plus, s'est laissé dépasser par les événements. Tâtonnant autour de moi, je cherche l'arme que Griff m'a fait lâcher. Elle a disparu, de même qu'Antonia. Antonia que j'ai échoué à protéger, elle aussi. Nausées et vertiges m'assaillent, sans doute à cause du coup que j'ai reçu, et je dois prendre appui contre la cabane à outils pour ne pas tomber.

Quand je vois les voitures de patrouille s'immobiliser et déverser leurs occupants, j'appelle pour signaler ma présence, ne voulant pas être confondu avec un criminel. Même si je me suis comporté comme tel, au fond : un piètre justicier au rêve avorté de vengeance. En l'espace de quelques secondes à peine, je suis entouré par les forces de police, dont le shérif adjoint Louis, que je reconnais avec soulagement.

— Où est Toni ? me demande-t-il, le souffle court. Où l'a-t-il emmenée ?

Je pointe du doigt la direction approximative où je les ai vus disparaître.

— Dans les bois. Elle a essayé de lui échapper, mais il était trop rapide. Ils se sont enfoncés dans la forêt.

Sans un mot de plus, Louis s'élance dans la direction que

je viens de lui indiquer. Ils sont plusieurs à partir sur ses talons, avec Fitzgerald dans le lot.

Une femme vêtue d'un tailleur marine à l'allure un peu trop officielle, compte tenu des circonstances, me soutient par le bras. Son compagnon m'attrape de l'autre côté et ils m'aident gentiment à m'asseoir par terre.

— Une ambulance arrive, me dit la femme. Vous êtes Martin Gregory?

J'acquiesce faiblement en soutenant ma tête douloureuse.

— Vous êtes blessé? Laissez-moi jeter un coup d'œil.

Elle dirige le rayon de sa lampe stylo sur mon crâne et fait la moue en découvrant ce qui doit être une horrible entaille. Son compagnon pêche un mouchoir dans une poche de son costume et me le place dans la main.

— Agent spécial Simon, dit la femme. Et mon collègue, l'agent Temperly. Nous avons été affectés à l'enquête concernant le rapt de votre fille. Pouvez-vous nous dire ce qui s'est passé?

— J'ai commis une erreur. Une grave erreur.

Je lutte tant bien que mal contre une puissante envie de dormir. Et je me dis que Petra a dû ressentir la même chose, avec la blessure que j'ai vue à sa tête. J'ai mal, moi aussi, cela au moins est certain. Et la somnolence qui m'envahit est presque irrépressible, mais ce que Petra a enduré est tellement pire.

— Que s'est-il passé? insiste la femme.

Je reste un long moment assis sans rien dire, cherchant les mots pour leur raconter, pour partager l'absurde récit de mon égocentrisme. L'agent Simon finit par changer d'angle d'attaque :

— Qu'est-il arrivé à Antonia Clark?

A cela, je peux répondre.

— Son mari l'a entraînée de force dans les bois.

De nouveau, je montre la direction approximative prise par Antonia. Le dénommé Temperly me questionne à son tour :

— Griff Clark était-il armé? On a signalé un tir d'arme à feu.

Je sais à présent que je ne peux plus différer l'inévitable.

— Il a un revolver, oui. Je crois qu'il l'a récupéré par terre et qu'il a suivi Antonia.

Le sang a détrempé le mouchoir que m'a passé Temperly. Je le replie et essaie de trouver un coin encore sec pour le presser sur ma tête.

— Quel revolver Clark a-t-il pris par terre ?

Je crois que l'agent Simon connaît déjà la réponse à sa question. J'admets d'une voix lasse :

— Le mien. Je suis venu me poster ici avec une arme. Puis Antonia est arrivée et je n'ai pas pu me résoudre à la laisser partir dans la forêt alors que je savais qu'elle risquait de tomber entre les mains de Griff. Pas après ce qu'il a fait à ma fille. Alors j'ai prévenu Antonia. Nous nous sommes cachés et il nous a trouvés.

— L'avez-vous menacé avec votre arme ? demande Temperly.

— Non. Mais je l'avais à la main, ce qui, je suppose, peut apparaître comme une menace en soi. Clark m'a donné un coup sur le bras et l'arme m'a échappé. Elle s'est déchargée et la balle s'est enfoncée dans la terre.

Je leur montre l'endroit sur le sol où le coup de feu a laissé son impact.

— Il m'a asséné la crosse sur le crâne et Antonia a tenté de s'enfuir. Mais il l'a rattrapée et l'a emmenée avec lui de force. Je pense qu'ils n'ont pas pu aller bien loin, cela dit. Et le revolver n'est pas chargé. Je n'avais qu'une seule balle et elle est partie tout à l'heure, dans la mêlée.

— L'arme n'est pas chargée, répète l'agent féminin d'une voix étonnamment sombre.

Sa réaction me laisse perplexe.

— C'est plutôt une bonne chose, non ?

— C'est une bonne chose si vous êtes Antonia Clark. Mais pas si vous êtes Griff Clark, ou l'officier qui peut être amené à l'abattre s'il le croit en possession d'une arme chargée.

L'agent Simon échange un regard avec son équipier.

Temperly hoche la tête et s'éloigne. J'imagine qu'il va tenter de prévenir ses collègues partis ventre à terre dans les bois.

— Vous savez que ce n'était pas très malin de venir ici armé, n'est-ce pas, monsieur Gregory ?

Je hoche lamentablement la tête et ce simple petit geste me fait grimacer de douleur. Mes paupières s'alourdissent encore. Dormir est ce à quoi j'aspire de tout mon être.

— Votre femme cherche à vous joindre en urgence.

Il n'en faut pas plus pour m'arracher à mon apathie.

— Petra ! Comment va Petra ?

J'essaie de me lever mais le mouvement trop rapide provoque un élancement de douleur suraiguë. Submergé par une vague de vertige, je retombe lourdement assis à terre.

— Hé, restez tranquille, vous avez besoin de soins. Je n'ai pas tous les détails, pour votre fille, mais votre femme a besoin de vous. Nous allons vous trouver un téléphone dès que possible, monsieur Gregory, je vous le promets.

De nouveau, le chant aigu d'une sirène me remplit les oreilles. Une ambulance. Pour moi, je suppose. Avec un peu de chance : seulement pour moi et pas pour Antonia. Etonnamment, je me surprends à penser également : avec un peu de chance, pas pour Griff Clark non plus.

Antonia

Griff me tire par le bras à travers bois et je lui hurle d'arrêter, par pitié, d'arrêter... Enfin, il semble m'entendre et s'immobilise.

— Je ne te veux pas de mal, Toni, putain, merde! Tu crois vraiment que c'est moi, pour Petra? Tu le crois?

Il a l'air tellement triste et pathétique qu'il me fait presque de la peine. Je connais Griff depuis tant d'années; je sais comment le prendre, le calmer. Je tends ma main libre vers lui, lentement, sans à-coups et je cueille avec douceur une feuille accrochée dans ses cheveux.

— Non, Griff, je ne crois pas que tu aies pu violenter Petra. J'essaie simplement de comprendre ce qui s'est passé.

Je laisse reposer mes doigts sur son épaule. D'une main, il tient toujours le revolver; de l'autre, il m'agrippe le haut du bras. Et je crois savoir d'où viennent les bleus que j'ai repérés chez Calli. Griff laisse tomber la tête sur mon épaule et émet un petit sanglot sec.

— Calli s'est levée tôt ce matin. On est partis se balader dans la forêt et on s'est égarés. A un moment, on s'est perdus de vue, elle et moi...

Je ravale les mille questions qui se pressent dans ma tête face aux énormes omissions de Griff. Comme la raison pour laquelle Calli serait partie dans les bois en chemise de nuit et sans chaussures, par exemple. Et pourquoi il n'a pas laissé un petit mot sur la table pour me prévenir.

— Je te jure que je n'ai pas vu Petra de la journée; je l'ai découverte en sang lorsque j'ai retrouvé Calli au sommet de l'escarpement. Juste au moment où je suis arrivé, Ben a déboulé et il a vu... il a vu Petra. Et elle faisait peur à voir. Mais je ne lui ai rien fait, moi, j'essayais juste de l'aider. Je te le jure sur la tête de ton fils, Toni ! Jamais je ne toucherais une gamine de cette façon.

Je sens l'humidité des larmes de Griff dans mon cou, et je me demande si elles sont sincères tandis que je lui tapote l'épaule.

— C'est ce que nous dirons à tout le monde, Griff. Nous leur expliquerons que tu es innocent.

Je lui prends le visage entre les mains et le force à me regarder dans les yeux.

— Griff, ils ont des moyens sophistiqués pour savoir si quelqu'un a commis un crime ou non. Dès qu'ils auront les résultats des analyses d'ADN, ils auront la preuve que ce n'est pas toi.

— Je sais, putain, Toni, je ne suis pas complètement crétin non plus, rétorque-t-il hargneusement. Mais je lui ai pris le pouls, j'ai écouté sa respiration, j'ai essayé de l'aider ! Je lui ai quasiment vomi dessus. Et ce ne sera pas la première fois que la justice commet une erreur. Ça arrive tout le temps, même. Il faut que tu parles en ma faveur. Que tu leur dises que j'étais avec toi ou un truc comme ça. Que c'est matériellement impossible que je puisse avoir fait ça.

Il broie mon bras encore plus fort et le revolver dans sa main pèse sur mon épaule.

— Je le ferai, Griff, je leur dirai. Ne t'inquiète pas, je te crois.

Je mets toute la conviction du monde dans ma voix.

— Je leur expliquerai que tu étais avec moi aujourd'hui, que tu es monté là-haut pour chercher les enfants et que Ben s'est trompé. Tout va s'arranger, tu verras.

Griff paraît soulagé et il me lâche le bras.

— Merci. Merci, Toni. Tu ne le regretteras pas. Je vais arrêter de boire pour de bon et on sera drôlement bien, tous les deux, tu verras. Je sais que j'ai merdé, toutes ces années, mais ça va changer, je te le jure.

Il me sourit avec gratitude.

— Tu te souviens comme on était heureux, avant ? Eh bien, ça va être pareil maintenant. Comme quand Ben était petit. Nous, tous les trois, c'était du solide, non ? Je vais démissionner du pipeline et prendre un boulot dans le coin, à Willow Creek. On peut même se tirer d'ici, si tu préfères, recommencer une nouvelle vie ailleurs, avec les enfants. Ce serait cool, hein ? Tiens, si tu veux, on s'installe au bord de la mer. Tu as toujours rêvé de connaître l'océan. On ira habiter là-bas, on se prendra carrément une maison sur la plage.

— Oui, ce serait bien, dis-je, étonnée qu'il se souvienne de ce détail à mon sujet. Allez viens, Griff, on y retourne, maintenant. Nous parlerons à la police, ils comprendront.

— Tu crois ?

Griff hésite.

— Je ne suis pas sûr, tu sais… Imagine que Martin garde des séquelles du coup que je lui ai mis sur la tête. J'ai frappé un peu fort, non ? Oh merde, je n'aurais pas dû l'assommer… Je me suis conduit comme un con.

— Qu'est-ce que tu pouvais faire d'autre ? Il était armé, souviens-toi. Tu as eu peur, tu as agi en légitime défense. Allez, viens, rentrons à la maison. Ils doivent être partis à notre recherche, cela fera meilleure impression si nous allons spontanément à leur rencontre. Griff… S'il te plaît, les enfants ont besoin de nous.

Mais les yeux de Griff roulent nerveusement dans leurs orbites.

— Non, ça craint. Continuons plutôt par là. Tu connais la forêt par cœur, tu pourras nous guider. Et quand les choses se seront un peu calmées, on retournera chercher les enfants.

— Tu veux fuir ? Mais pourquoi ? Je t'ai dit que je te couvrirais. Tout se passera bien, je te le promets. Calli et Ben nous attendent à l'hôpital. S'il te plaît, Griff…

— Les enfants, les enfants, il n'y en a jamais que pour eux, merde ! Toni, fais-le pour moi, sois gentille. On récupérera les gamins après. On peut être à Maxwell demain matin si on arrive à atteindre la Highway 18 dans les deux ou trois heures qui viennent. Après ça, on vérifiera que la voie est libre, puis on ira les chercher.

— Griff, Calli a les pieds bandés et elle ne pourra pas marcher avant un bon moment. Et Ben n'ira pas loin non plus, il a plusieurs côtes fracturées. On ne peut pas vagabonder avec eux en pleine nature, dans l'état où ils sont.

Griff manifeste une impatience croissante.

— Bon ben, on ira les récupérer dans une semaine ou deux, quand ils iront mieux. Allez, remue-toi, Toni. Ils vont nous rattraper, sinon.

— Continue sans moi, alors. J'expliquerai tout à la police : que tu étais avec moi, que tu n'as rien fait, à part emmener Calli faire une balade ce matin. Je leur dirai qu'avant de rentrer à la maison, tu voulais que la vérité se sache. Ils comprendront ta démarche, j'en suis sûre. Ils doivent faire des arrangements comme ceux-là tout le temps. Poursuis jusqu'à Maxwell, d'accord ? Pendant ce temps, je vais juste m'assurer que tout va bien pour les enfants. Et je te rejoins ensuite.

— Tu mens, me dit Griff d'une voix douloureuse en m'attrapant de nouveau le bras.

— Non ! Non… pas du tout !

— Tu me mens, nom de Dieu. Je le vois bien que tu me mens.

Son visage se tord de chagrin et il commence à me tirer vers les profondeurs de la forêt.

— Griff, tu me fais mal, s'il te plaît, arrête !

J'essaie de me dégager mais il agite le revolver dans ma direction.

— Tu viens avec moi. On va aller à Maxwell, puis on ira chercher les enfants.

Je commence à pleurer bruyamment et je résiste en plantant les talons dans la terre sèche. Mais il me traîne derrière lui sans difficulté, comme un enfant tirant un jouet attaché à une ficelle.

— Chut! ordonne-t-il. Ne pleure plus, ils vont t'entendre.

Mais je suis incapable de faire taire mes sanglots, et mes pleurs désespérés font de bruyantes entailles dans le silence.

— Tais-toi, merde! tonne Griff. Putain, Toni, ils vont nous repérer, je te dis!

Je suis en pleine crise de panique et je ne peux pas reprendre mon souffle. Ma respiration est de plus en plus rapide et superficielle; je frise l'hyperventilation. J'ai des picotements dans les doigts et le contour de la bouche qui se tétanise. Je lève un regard de détresse vers Griff. Je voudrais lui dire que je ne peux plus respirer, mais pas un mot ne sort. Juste un sifflement tandis que j'essaie d'avaler un peu d'air.

— Ta gueule! Ta gueule, Toni, merde! Tu as envie qu'on se fasse prendre?

Il m'attrape par les épaules et me plaque contre un arbre avec tant de force que ma tête va heurter le tronc rêche.

— *Tais-toi, bon sang, mais tais-toi!* Si tu ne te tiens pas tranquille, tu ne reverras jamais Calli et Ben, tu m'entends? Ils nous trouveront! Et je refuse d'aller en prison pour un acte que je n'ai pas commis. *Ta gueule, bordel!*

Je parviens à prendre assez d'air pour chuchoter :

— S'il te plaît... S'il te plaît, lâche-moi.

Il se penche alors plus près, place ses lèvres près de mon oreille et murmure :

— Si tu prononces encore un mot, je te ferai taire pour de bon. Alors tu la fermes, c'est clair?

Je me pétrifie. Pas à cause de la menace, mais parce que j'ai déjà été confrontée à cette même scène, en un autre temps, un autre lieu. Cette première scène, je l'ai vécue de l'extérieur, mais elle n'en était pas moins semblable — en tout point semblable — à celle-ci. Pauvre Calli, me dis-je. Pauvre petite Calli de quatre ans qui voit sa mère chuter dans l'escalier. Et ces hurlements qui pleuvent sur elle, ces « La ferme » et ces « Tais-toi » qui font qu'un enfant perd pied et que ses pleurs s'emballent. Je me revois allongée sans force sur le canapé, recouverte d'un plaid, à regarder Griff hurler après sa petite fille de quatre ans. J'ai l'image de Griff se penchant pour lui parler à l'oreille, lui dire quelque chose.

Un quelque chose qui a fait qu'en trois ans, elle n'a prononcé qu'un mot. Un seul mot solitaire dans un océan de silence terrifié.

— Oh, mon Dieu… C'était toi ! C'était toi !

Ben

— Et c'est ainsi que la pauvre princesse Calli est capturée par le roi. Le roi ne sait pas ce qu'il fait car il est sous l'empire de la mauvaise potion qu'il a avalée. La princesse essaie d'utiliser ses pouvoirs magiques, mais le roi est très grand et très fort et elle ne peut rien contre lui.

Je tourne les yeux vers le Dr Higby, qui est toujours assis sans rien dire sur sa chaise. Debout, à côté de lui, se tient la gentille infirmière, Molly. Elle place un index sur ses lèvres et te regarde, toi, Calli. Et toi, tu as ton attention rivée sur moi, rien que sur moi, et tu attends la suite.

— La princesse Calli et le roi se perdent dans la grande forêt, sombre et profonde, et les pieds de la petite princesse sont déchirés et en sang car elle n'a même pas eu le temps d'enfiler ses chaussures. Mais le roi ne voit même pas qu'elle a mal et ils continuent de marcher, de marcher, tout le jour durant. Le soleil est écrasant et la princesse a tellement soif que ses lèvres se sèchent et se craquellent. Elle voudrait sa maman, la reine, et son frère, le prince, mais elle ne les voit pas arriver à son secours et elle se demande s'ils l'ont peut-être oubliée. Elle ne sait pas qu'ils sont très inquiets, au contraire, et qu'ils ont passé la journée entière à la chercher partout. Son frère a couru dans tous les endroits que la princesse Calli connaît dans la forêt, et même les soldats du royaume ont commencé à battre les bois. C'est son frère qui finit par retrouver la princesse égarée, tout en haut de la montagne. Elle est avec le roi et avec sa fidèle amie, la princesse Petra. Mais Petra est allongée sur le sol, elle a les yeux fermés et elle ne bouge plus. Le roi a commis une très vilaine action et Petra est si gravement blessée qu'elle ne peut rien dire. C'est elle, maintenant, qui aurait besoin que quelqu'un lui prête sa voix. Elle…

Je sens Calli se figer à mon côté et je l'interroge du regard.

— Ça ne s'est pas passé comme ça, Calli ? Je me trompe ?

Elle est assise toute droite dans son lit, avec un air grave, concentré, comme si elle réfléchissait de toutes ses forces. Lentement, elle secoue la tête de gauche à droite. Je vois le Dr Higby se pencher en avant, sur sa chaise. Il semble retenir son souffle pour mieux écouter.

— Qu'est-il arrivé, alors, Calli ? C'est toi qui termines l'histoire, moi, je ne peux pas. Je n'étais pas là, je n'ai pas tout vu. Tu es la seule à pouvoir nous raconter ce qui s'est passé.

Martin

Ils ne veulent pas me laisser monter seul dans l'ambulance, mais insistent pour que je m'allonge sur un brancard qu'ils soulèvent pour le faire glisser à l'arrière du véhicule. Je m'escrime à leur répéter que ma tête va bien, mais personne ne semble prêter la moindre attention à mes propos. Un secouriste se penche sur moi et entreprend de me tamponner le front. Son expression est lisse, insondable. Très professionnel, me dis-je. Je sais que des points de suture s'imposent, mais avant qu'ils s'attaquent à leurs travaux de couture, je veux qu'on me trouve un téléphone, toutes affaires cessantes.

— Ecoutez-moi, s'il vous plaît, j'ai un appel à passer en urgence. Il faut absolument que je parle à ma femme.

— Ne vous inquiétez pas pour cela, monsieur. L'hôpital se charge de prévenir la famille.

— Non, non… Ce n'est pas cela. C'est ma fille qui a été héliportée à Iowa City, plus tôt dans la soirée. Mon épouse a essayé de me joindre. Il faut absolument que je lui parle, que je sache comment se porte mon enfant.

J'essaie de m'asseoir et, d'une pression ferme sur le thorax, il m'oblige à reprendre une position allongée. Mais je dois manifester tous les signes extérieurs d'une extrême détresse, car je me retrouve soudain avec un téléphone mobile à la main. Quelques secondes plus tard, j'ai Fielda en ligne, qui s'effondre en entendant ma voix.

— Martin, Martin, où étais-tu passé? Il ne t'est rien arrivé, au moins? sanglote-t-elle.

— Non, non. Rien du tout. Tout va bien.

Je lui parlerai plus tard de mon miteux sursaut d'héroïsme.

— Comment va Petra ? Son état est toujours stationnaire ?
On m'a dit qu'il lui fallait une intervention chirurgicale en
urgence ?

— Elle est au bloc en ce moment même. Je suis désolée,
Martin. Je ne pouvais pas t'attendre plus longtemps. Il
fallait que je prenne une décision. Le neurochirurgien m'a
expliqué qu'il était urgent de soulager la pression sur son
cerveau. J'ai dit oui.

— Naturellement que tu as accepté, Fielda. Tu as pris la
bonne décision. Je serai bientôt auprès d'elle, à Iowa City,
avec toi. J'ai deux ou trois petites choses à régler ici avant
de partir, mais je te rejoins dès que possible. Je n'aurais
jamais dû te laisser aller là-bas sans moi. Je suis tellement,
tellement désolé, Fielda…

Un silence tombe sur la ligne. Ma femme s'éclaircit la voix.

— Martin ? Tu n'as rien commis d'irréparable, n'est-ce pas ?

Je pense à Antonia, là-bas dans la forêt, entre les mains
de cet homme sombre et désespéré, et je murmure :

— J'espère que non.

Elle soupire, me dit qu'elle m'aime quand même, quoi
que j'aie pu faire, et me conjure de me dépêcher. Lorsque
nous arrivons à l'hôpital de la Piété, alors qu'on me roule
jusqu'aux urgences, un officier de police marche à côté de
moi en ajustant son pas pour se maintenir à ma hauteur.

— Nous aurons quelques questions à vous poser dès que
vous aurez été examiné pour d'éventuelles lésions crâniennes.

J'acquiesce et je ferme les yeux en pensant à Calli et à
Ben, installés quelque part au-dessus de moi, attendant le
retour d'Antonia. Comment leur expliquerai-je mon acte,
si par malheur leur mère ne revenait pas ?

Louis

Fitzgerald et moi courons à travers les broussailles en essayant de ne pas faire de bruit. Mais nos tentatives pour avancer en silence échouent lamentablement. Il fait noir comme dans un four. Le petit quart de lune et les étoiles sont avalés par la nuit opaque et ne font pas grand-chose pour éclairer notre chemin.

— Oh, bordel, jure Fitzgerald, nous ne les retrouverons jamais là-dedans...

— Oh, si, on les retrouvera. Griff n'est pas un habitué de la forêt, mais Toni, si. Elle s'arrangera pour ne pas quitter le sentier.

— Espérons, marmonne-t-il.

Je passe devant Fitzgerald et nous progressons lentement et avec précaution. Je ne veux surtout pas buter par inadvertance sur Griff et Toni, et susciter un mouvement de panique chez Griff. Bientôt, nous atteignons un endroit où la forêt se fait moins dense à l'approche d'un chemin. Les yeux plissés dans le noir, nous scrutons l'un et l'autre les quelques mètres de sentier visibles dans la nuit. Rien. Nous nous élevons aussi silencieusement que possible le long du chemin. De temps en temps, l'un de nous deux pose le pied sur une brindille et le craquement du bois qui se brise nous fait nous immobiliser et regarder nerveusement autour de nous. A ma grande honte, je constate que Fitzgerald est en meilleure forme physique que moi et que j'ai du mal à soutenir son rythme. Après quelques minutes de marche rapide, je n'entends plus que le bruit laborieux de mon souffle, et c'est

Fitzgerald qui m'arrête en me tirant d'un geste brusque par la manche.

— Vous entendez ?

Graduellement, les deux voix deviennent audibles, la masculine et la féminine — l'une coléreuse et l'autre exprimant une profonde détresse. Ce sont eux. D'un signe de la tête, je fais comprendre à Fitzgerald que j'ai entendu, moi aussi. Puis nous procédons lentement et en silence. Avant d'intervenir, il nous faut observer Toni et Griff à leur insu, repérer de près leurs positions respectives, et vérifier si Griff est armé ou non.

Je me déplace sur le chemin, palier par palier, en m'assurant chaque fois que Fitzgerald est toujours dans mon champ de vision. Tous les trois ou quatre pas, je m'immobilise pour écouter. Très vite, j'entends les « Ta gueule, ta gueule » hurlés par Griff, et les courts sanglots paniqués de Toni. J'avance centimètre par centimètre, maintenant, déterminé à ne pas révéler prématurément notre présence. Le mince quartier de lune illumine Griff alors qu'il plaque Toni contre un arbre, sa bouche collée à son oreille. Si je n'avais pas vu le revolver dans sa main, j'aurais pensé à une banale scène amoureuse — un homme et une femme enlacés contre un arbre. A part que les pleurs désolés de Toni assaillent durement mes oreilles. Plus loin sur le chemin, j'aperçois Fitzgerald qui manœuvre pour les contourner, son arme dégainée au poing. Je tire également la mienne de mon holster et je me poste derrière un arbre.

Fitzgerald crie :.

— Police ! Jetez votre arme !

Mais ni l'un ni l'autre ne paraissent l'entendre.

— Oh, mon Dieu… C'était toi. C'était toi ! hurle Toni.

— Non, je te jure que ce n'est pas moi ! Je ne l'ai pas touchée, cette gamine !

Il appuie d'une main sur la gorge de Toni et je m'accroupis pour viser. Mais il se tient trop près, trop serré.

— Non, pas Petra, gémit Toni d'une voix à peine articulée, Calli! C'est à cause de toi qu'elle ne parle plus.

— Lâche ce revolver, Griff! je hurle.

Il marque une pause, comme s'il avait perçu notre présence. Mais son regard reste rivé sur Toni.

— Tu dis n'importe quoi, proteste-t-il d'un air désorienté. Arrête ton délire, Toni!

— Je croyais que c'était de m'avoir vue perdre le bébé, je croyais que c'était ma faute. Mais c'était *toi*! Tu lui as murmuré quelque chose à l'oreille. Qu'est-ce que tu lui as dit? Qu'est-ce que tu lui as dit pour la condamner au silence?

Les mots de Toni s'emmêlent et leur férocité amène Griff à faire un pas en arrière. De nouveau, je vise.

— Arrête avec tes conneries, Toni. Arrête, je te dis!

Griff essaie de ne pas élever la voix. Je vois son corps entier trembler de rage — à moins que les symptômes de sevrage alcoolique ne soient en cause. Il se penche pour appuyer son front contre celui de Toni et presse le canon de son revolver contre sa tempe.

— Lâchez immédiatement cette arme! tonne Fitzgerald.

Je note qu'il s'est déplacé pour s'écarter de moi. Si Griff choisit de tirer, il ne pourra atteindre qu'un seul d'entre nous. Je cherche à placer Griff dans ma ligne de mire, mais il est trop près de Toni et je ne peux pas tirer sans risque. Pendant un court instant, Griff s'écarte légèrement de Toni en tenant son arme dirigée sur son visage. C'est maintenant ou jamais. Je modifie la position de mes doigts sur mon revolver et j'entends un cri suivi d'une décharge — une déflagration qui ne provient pas de mon arme. Trop tard. J'ai réagi trop tard. Je vois Griff et Toni s'effondrer au sol où ils ne forment plus qu'une masse sombre et parfaitement inerte.

Fitzgerald se rue en avant et se penche sur eux alors que je reste pétrifié sur place, en proie à un mélange de honte, d'angoisse, de répulsion.

— Louis! Venez m'aider, grouillez-vous! hurle Fitzgerald en s'efforçant de faire rouler Griff de manière à dégager Toni.

C'est alors que je vois ses bras à elle repousser le corps sans vie du père de ses enfants. Elle se dégage en rampant et se couvre le visage de ses mains. Je suis là, debout, les bras ballants au-dessus d'elle, incapable de prodiguer un mot, un geste de réconfort. Je sors mon talkie-walkie et demande des renforts et une ambulance, même s'il est évident que Griff n'aura plus jamais besoin de secours médicaux d'aucune sorte. C'est Fitzgerald qui s'agenouille à côté d'elle, qui lui parle, qui la rassure. Je doute qu'elle ait même conscience de ma présence. Elle se cramponne à Fitzgerald et refuse de le lâcher. Même lorsqu'il la relève et la guide le long du sentier, elle prend lourdement appui sur lui pendant que je reste sur place à attendre le médecin légiste.

Plusieurs heures s'écoulent avant que l'information ne parvienne jusqu'à moi : l'arme que possédait Griff n'était pas chargée. Je me console en me disant que je ne suis pas celui des deux qui a tiré. Si l'opportunité m'en avait été donnée, je l'aurais fait, cependant.

Avec joie.

Calli

Les mots de son frère coulent en elle ; l'histoire qu'il lui raconte. Elle essaie d'oublier les regards brillants d'attente braqués sur elle, et laisse se dérouler en pensée la scène survenue au sommet de l'escarpement, au moment où elle l'a vu, lui, puis où elle a reconnu Petra.

Elle était sur le point de se relever après avoir ramassé le collier en argent de Petra lorsqu'elle avait perçu sa présence — avant même de le voir, comme si elle avait senti physiquement le poids de son regard sur elle. La peur, noire et froide, vint se loger au creux de sa poitrine. Toujours en position accroupie, elle leva lentement les yeux, découvrant d'abord une grosse paire de chaussures de marche aux semelles épaisses, puis un pantalon kaki couvert de taches de boue ; ce fut à ce niveau-là que Calli immobilisa son regard. Lui se tenait dressé au-dessus d'elle sur une grande pierre plate couleur de sable. A la hauteur de ses genoux, effleurant la crasse du pantalon couleur olive, pendait une main, petite et pâle, apparemment sans vie.

Calli se redressa, le collier toujours serré dans sa main crispée, et elle vit qu'il tenait Petra comme un petit paquet de chiffons dans ses bras. Son amie avait les yeux fermés et paraissait plongée dans un profond sommeil. Au-dessus de son sourcil gauche, son front était creusé d'une méchante entaille sanglante. Une mosaïque d'ecchymoses aux teintes variées courait le long de sa joue jusqu'à ses lèvres craquelées et en sang, puis se poursuivait jusqu'à son cou, qui dodelina sans force lorsqu'il réajusta sa position dans ses bras. Le beau pyjama bleu de Petra était sale, recouvert par endroits d'une couche de substance marron foncé ; ses tennis étaient ouvertes, ses lacets pendaient, flasques et crasseux, autour de ses chevilles, et on ne voyait même plus que ses chaussures avaient été blanches.

— Tu peux m'aider ? demanda-t-il d'une voix pressante. Elle est blessée et la pente est trop raide. Je ne peux pas la redescendre tout seul.

L'homme soutenait calmement son regard. Le ton douloureux de sa voix jurait avec la détermination qu'elle voyait briller dans ses yeux durs. Elle le connaissait.

Il était perché sur le point le plus haut de l'escarpement, là où les arbres jetaient de longues ombres maussades. Une brise intermittente glissait sur son front hâlé et soulevait brièvement ses cheveux. Derrière lui s'étalait le patchwork d'une vallée profonde, une cuvette remplie de verts luxuriants et de jaunes moelleux, des étendues couleur de miel et de lait. Calli jeta un regard anxieux sur les doigts de Petra qui tressaillirent brièvement.

— Elle est trop lourde. Il faut que je la pose un moment.

Il se pencha pour allonger Petra sur la pierre plate, soutenant sa tête de sa main lorsqu'il la déposa sur ce qui ressemblait à un autel en plein air. Puis il se redressa en libérant ses bras du poids résiduel de Petra.

— Je suis content que tu sois là, tu sais. Jamais je n'aurais pu y arriver seul.

Il la regardait, comme s'il cherchait à sonder ses pensées.

— Si on se dépêche, on peut arriver en bas de l'escarpement et la conduire à l'hôpital. Elle est gravement blessée… Elle est tombée, précisa-t-il, comme après coup.

A l'endroit où il se tenait, le promontoire atteignait son point culminant, au-dessus d'une paroi descendante abrupte tapissée de mousses humides et glissantes, qui se prolongeait par un ravin sec et étroit.

— S'il te plaît, supplia-t-il. Je crois qu'elle va mourir si elle ne reçoit pas des secours rapidement.

Le menton de l'homme tremblait et il paraissait au bord des larmes. Timidement, elle fit un pas en avant sans quitter un seul instant son visage des yeux. Il se pencha pour lui tendre la main et l'aider à grimper sur la roche calcaire, qui s'effritait en fragments poudreux sous ses pieds, partout où ses orteils cherchaient un appui. Sa main, douce et fraîche, se referma sur la sienne et Calli se sentit décoller. La sensation déconcertante d'être suspendue entre ciel et terre lui procura une impression de papillons dans l'estomac. Elle le sentit resserrer sa prise et la peur la prit brutalement à la gorge. *Erreur. Je me suis trompée. Il aurait fallu s'enfuir.* Impuissante, elle s'arc-bouta pour se libérer, comme s'ils se livraient à un futile jeu de tir à la corde.

Elle l'entendit arriver avant lui : le battement d'ailes caractéristique, lent, délibéré, suivi par un long croassement qui sonnait presque comme un rire. Elle sentit le puissant souffle d'air sur sa nuque lorsque l'oiseau passa au-dessus d'elle. Il était énorme, avec une envergure impressionnante ; d'un noir si intense qu'il en devenait presque bleu, ses ailes immenses déployées en plein vol. L'homme chancela lorsque le monstrueux corbeau noir lui effleura l'épaule, posant son ombre ténébreuse sur l'expression de peur et de répulsion qui tordit son visage au moment où il lui lâcha la main. Calli tomba en arrière, sa tête heurta le sol. Le ciel se mit à tourner lentement au-dessus de sa tête, et elle contempla l'immensité bleu pâle striée de rose, qui lui rappela le ventre de certaines fleurs fragiles qui surgissaient aux premiers printemps. Lorsqu'elle finit par s'asseoir avec précaution et regarder autour d'elle, il n'était plus nulle part en vue.

Elle courut jusqu'à la pierre plate où reposait Petra et jeta un coup d'œil dans la trouée en dessous. Puis elle rampa jusqu'à son amie et Petra remua faiblement. Ses paupières papillonnèrent et elle ouvrit les yeux.

— Maman, gémit-elle faiblement.

Calli plaça une main sale sur le front de Petra, hocha la tête et lui tapota le bras, sans cesser de jeter des regards nerveux autour d'elle. Mais pour l'instant, il n'était nulle part en vue. Ce n'était pas la première fois qu'elle le voyait. Elle le connaissait, il avait un nom rigolo et un chien. Et il était quelque part par là. Peut-être même tout près, à l'observer. Elle fila se cacher dans les buissons juste derrière elle.

Calli cligna des yeux et revint au présent. Il était temps pour elle de sortir sa voix, de parler pour Petra, qui avait toujours parlé pour elle.

— Lucky, dit-elle simplement à son frère. C'était Lucky.

Ben

Et voilà, Calli, tu l'as fait. Le mot de la fin, c'est toi qui l'as prononcé. Tu as conclu l'histoire et je sais que ça n'a pas dû être facile pour toi. Ça me fait drôle d'apprendre que ce n'était pas papa, mais l'étudiant de M. Gregory qui a emmené Petra dans les bois et lui a fait tous ces trucs horribles. Je me demande si papa me pardonnera un jour de l'avoir accusé à tort, mais je n'y peux rien s'il avait cet air coupable. Et il reste que c'est quand même lui qui t'a tirée de force dans la forêt. Je ne sais pas comment je vais pouvoir regarder papa dans les yeux, après ça. Faut dire que pour un garçon de douze ans, je lui ai mis une belle raclée. Maman n'est toujours pas revenue avec nos affaires, et je suis carrément mort de fatigue. Mais on dirait qu'ils n'ont pas l'intention de nous laisser dormir, ce soir, avec la police qui a débarqué dans la chambre et qui n'arrête pas de te demander de raconter toute l'histoire. Encore et encore et encore. Et toi, tu n'es plus muette du tout. Tu réponds à leurs questions, bien tranquille, sans même bafouiller. Et chaque fois, ils veulent savoir si ce mec, Lucky, t'a fait des trucs à toi aussi, mais tu dis : « Non, à Petra, il a seulement fait du mal à Petra. »

Finalement, Rose entre dans la chambre et dit à ceux de la police de dégager de là vite fait, qu'il est trop tard et que nous, les enfants, avons besoin de dormir. Mais nous ne dormons pas, toi et moi, n'est-ce pas ? Nous avons décidé d'attendre le retour de maman. Sauf qu'il est tard et qu'elle n'arrive pas. Pas encore, en tout cas. Et toi, tu es tellement excitée à l'idée de lui montrer que tu sais de nouveau parler que tu n'arrêtes pas. Je crois que c'est juste pour entendre le son de ta propre voix, pour écouter à quoi elle ressemble après toutes ces années. Moi aussi, ça me surprend, de la découvrir, ta voix. Elle paraît plus âgée, bien sûr, mais comment dire ? Plus intelligente, aussi. Non, ce n'est pas exactement ça… Plus sage. Tu parais mûre, posée. Je te demande si tu penses que papa me pardonnera de l'avoir frappé et accusé. Tu me réponds « non », à voix si basse que j'ai failli ne pas t'entendre. Mais j'entends quand même.

— Non, il ne te le pardonnera pas. Mais il ne faut pas t'en vouloir. Il n'était pas vraiment lui-même, là-haut.

Tu fais silence un instant, puis tu reviens sur ce que tu as dit :

— Si, il était lui-même, là-haut, mais faut pas que tu culpabilises, Ben. C'est toi qui nous as sauvées.

Cela me fait sourire que tu penses que je vous ai sauvées, Petra et toi. Peut-être que c'est vrai, au fond. Ou peut-être pas du tout. Je pense que je ne le saurai jamais vraiment. C'est chouette d'être assis là, à côté de toi. On ne sait pas trop ce qui va se passer après, pour papa, mais je pense que les choses vont s'arranger.

— Tu veux regarder quoi, à la télé, Calli ?

Et toi, tu me réponds, comme il se doit.

Louis

Je ne rentre pas chez moi, une fois que Griff a été évacué. Seul le vide m'attend à la maison, maintenant que Christine et Tanner l'ont quittée. En une seule journée délirante, j'ai perdu ma femme et mon fils, et cru voir Toni mourir sous mes yeux. De guerre lasse, j'échoue à ma table de travail, dans les bureaux du shérif, à rédiger mon rapport en essayant de n'omettre aucun détail crucial. J'ai vu beaucoup de choses depuis que je travaille dans la police : des explosions de laboratoires de drogue clandestins, de dramatiques retombées de suicides, des femmes tabassées par leur mari qui décidaient chaque fois de retourner s'en reprendre une louche. Ce qui, une fois de plus, me ramène à Toni, qui n'a jamais voulu quitter Griff alors que ce type était un désastre et qu'il ne prenait pas soin d'elle — pas comme je l'aurais fait, en tout cas.

J'ai vu beaucoup de choses, donc. Mais assister en direct à ce qui auraient pu être les derniers instants d'un être que je connais mieux que moi-même, cela, non, je ne l'avais jamais expérimenté. Rien ne m'y avait préparé, aucun degré d'expérience, aucun niveau d'entraînement n'aurait pu m'aider à affronter cette scène : le canon d'un revolver braqué sur la tempe de la fille que j'avais vue foncer en luge sur une pente enneigée à l'âge de sept ans. Et si c'était un cadeau du destin, que je n'aie pas été celui des deux qui a tiré sur Griff ? Le moment est peut-être venu pour moi de faire un retour en arrière et d'aider Toni à recoller les morceaux de son ancienne existence. De reprendre le fil interrompu et de repartir de là où nous nous étions arrêtés il y a tant d'années. La vie m'a peut-être accordé une seconde chance : je ne suis pas l'homme qui a tué son mari. Mais Toni partagera-t-elle cette vision des choses ? Et qu'en penseront Ben et Calli ?

Peut-être que je vaux à peine mieux que Griff, au fond. S'il a sacrifié sa famille à l'alcool, je n'ai pas réussi tellement mieux que lui à préserver mon foyer. Mais l'addiction, dans mon cas, porte sur une femme avec laquelle j'ai grandi, une femme que mon cœur n'a jamais su lâcher. Alors qui est le pire des deux, si on met tous les éléments dans la balance ? Griff ou moi ? Je crois que c'est une question que je n'ai pas envie d'examiner de trop près, et que je pourrai survivre sans connaître la réponse.

Une fois, il y a longtemps, alors que Toni et moi étions encore en primaire, nous sommes partis marcher dans la forêt de Willow Creek, juste elle et moi. Nous baignions dans l'innocence, en ces temps où un garçon et une fille pouvaient encore être amis sans faire l'objet de taquineries sans merci de la part de leurs condisciples. C'était une journée fraîche de printemps, avec un ciel lumineux mais froid. Toni portait un vieux sweat-shirt d'un de ses frères et des bottes de neige. Nous traversions la rivière sur le pont de l'Arbre Seul. En équilibre précaire sur le tronc mince, nous nous donnions la main pour nous aider mutuellement à ne pas tomber. Ce jour-là, alors que je me cramponnais aux doigts de Toni, je ne parvenais pas à imaginer une vie d'où elle serait absente. Et aujourd'hui, finalement, j'en suis encore au même point.

Ce matin, il me reste à passer un coup de fil à Charles Wilson et à présenter mes excuses au nom du shérif pour les désagréments dont nous avons été la cause.

— C'est déjà oublié, me répond-il. Tout ce qui compte, c'est que les deux petites filles soient vivantes.

J'hésite avant de raccrocher.

— Et avez-vous fini par retrouver votre chien, monsieur Wilson ?

— C'est lui qui nous a retrouvés, oui. Il est rentré hier soir tard, fatigué et affamé. Et bien embarrassé, je crois, d'avoir été la cause de tant de tracas.

Je réitère mes excuses et lui souhaite une bonne journée. C'est vraiment quelqu'un de bien, ce Wilson. Cela étant réglé, je pars pour l'hôpital dans l'espoir d'y trouver Toni, avec Ben et Calli. Je l'aperçois tout de suite en entrant, dans la salle d'attente, près du guichet de l'accueil. Elle est assise, tête basse, et se regarde les mains. Je suis frappé de lui trouver la même attitude, la même expression que le jour où elle a appris que sa mère était morte.

— Qu'est-ce que je vais leur dire ? me demande-t-elle sans même me regarder, lorsque je m'immobilise devant elle.

Je réponds en toute honnêteté :

— Je ne sais pas.

La tâche qui l'attend, je ne la lui envie pas. Elle se lève et vacille un instant. Je la soutiens en lui tenant le coude et la suis jusqu'à l'ascenseur.

— Veux-tu que je vienne avec toi, Toni ?

— Oui, acquiesce-t-elle sans hésiter.

Et elle m'offre sa main tendue.

Antonia

Louis m'aide à annoncer aux enfants que leur père n'est plus. Ce sont les mots les plus difficiles que j'aie jamais eu à prononcer : « Ben, Calli, votre père est mort. » Etrangement, Ben et Calli se contentent de prendre acte de cette nouvelle réalité. Ils ne manifestent ni larmes ni cris, pas même de l'étonnement ; rien qu'une calme acceptation. Je me demande — et ce n'est pas la première fois — ce que j'ai fait à ces pauvres enfants pour qu'ils réagissent comme ils le font. Mais peut-être que leur sensibilité est juste engourdie temporairement ? Ces deux journées ont été déroutantes et douloureuses pour eux, sur à peu près tous les plans. Leur univers étant sens dessus dessous, ce nouveau malheur ne leur fait peut-être pas plus d'effet que la suite de drames qui l'a précédé.

Est-ce que je pleure la disparition de Griff ? Une bonne épouse répondrait par l'affirmative. Mais je ne suis pas ce type d'épouse-là. Combien de fois ai-je rêvé de recevoir un appel m'annonçant que Griff avait été blessé sur le pipeline, si gravement qu'on ne lui donnait plus aucun espoir de guérison ? Ou qu'il était mort sur le coup dans un terrible accident de voiture ? C'est arrivé si souvent que j'en ai perdu le compte. Remarquez que tous ces scénarios mettent en scène une mort accidentelle. J'étais trop civilisée pour souhaiter que quelqu'un descende Griff d'une balle dans la tête. Mais suis-je soulagée ? Oui, j'ai éprouvé quelque chose qui se rapprochait de la délivrance, lorsque j'ai senti son grand corps fauché s'affaisser contre le mien. Oui, je suis soulagée que la balle ait été pour lui et non pour moi ; oui, je respire d'être pour toujours à l'abri des caprices éthyliques de mon mari, de savoir que plus jamais mes enfants n'auront à endurer ses coups, ses sautes d'humeur, sa violence. Je ne suis pas une bonne mère ; une vraie mère aurait pris ses enfants sous le bras dès le premier jour où son mari s'est permis de lui jeter des bouteilles de bière à la figure ; le jour même où, pour un simple jus d'orange renversé, il a giflé son fils ou sa fille un peu trop fort ; le jour même où il a obligé Calli à rester assise devant son assiette vide trois heures durant, sous prétexte qu'elle ne disait pas, ne pouvait pas dire : « Je peux sortir de table ? »

Une bonne mère n'aurait pas toléré le dixième de ce que j'ai laissé passer.

Mais la vie me donne une seconde chance. Je peux recommencer, repartir de zéro. Et devenir le genre de mère qui protège ses enfants, une mère qui laissera sa propre vie de côté pour celle de son fils et de sa fille. Louis dit que je suis déjà ce genre de mère, que je l'ai toujours été. Je ne le crois pas ; pas réellement. Mais j'ai encore ma chance. J'aspire à ce qui ne m'a pas été donné avec ma propre mère : assez de temps.

Tout ce que je veux, c'est qu'on me laisse assez de temps.

Martin

Pas moins de onze points de suture sont nécessaires pour recoudre les dégâts que Griff Clark a infligés à mon crâne. Le coup a provoqué une commotion cérébrale et j'ai dû passer la nuit à l'hôpital, loin de Fielda et de Petra. Ce matin, ma tête me fait un mal de chien, mais je sais que ma souffrance est sans comparaison avec celle que traverse ma fille ; aussi je m'habille en hâte pour partir rejoindre les deux femmes de ma vie à Iowa City. Juste au moment où je finis de nouer mes lacets, Antonia Clark se présente dans ma chambre d'hôpital. Elle s'assoit sur le bord d'une chaise et me tient compagnie en attendant que le médecin vienne me faire signer ma décharge.

— Cela aurait été à moi de venir vous voir, lui dis-je d'un ton d'excuse. Comment se portent Ben et Calli ?

— Bien. Ça va aller pour eux, Martin… Et Petra ?

— Elle est sortie du bloc opératoire. Elle ne s'est pas encore réveillée, mais il semble que le chirurgien ait réussi à soulager au moins en partie la pression sur son cerveau.

Nous restons assis en silence un moment avant que je murmure d'une voix étranglée les mots qui ont besoin d'être prononcés :

— Je regrette, Antonia. Je regrette d'être venu chez vous avec une arme. J'avais la conviction profonde que Griff était responsable des violences commises sur Petra. Mais je sais que cela ne justifie en rien mon acte. Sans moi, Griff vivrait encore.

— Martin, regardez ce que Griff vous a fait à la tête.

Regardez ce qu'il a infligé à Calli. Ivre, il l'a entraînée de force hors de la maison à 4 heures du matin et l'a obligée à marcher pieds nus dans les bois sous prétexte de l'emmener voir l'homme qu'il croyait être son véritable père. Il a frappé Calli, qui s'est sauvée et perdue ; puis il a cassé le nez de Ben et m'a menacée en me braquant un revolver sur le front. Griff n'était pas un type si formidable, Martin.

J'acquiesce prudemment.

— C'est possible. Mais votre mari a payé ses erreurs très cher. Et je suis désolé de ce qui arrive à votre famille.

— Les enfants et moi, nous nous en sortirons. Nous sommes soudés et c'est ce qui compte, n'est-ce pas ?

À cela, je ne peux qu'acquiescer.

— Avez-vous trouvé quelqu'un pour vous conduire à Iowa City ? Vous ne pouvez pas prendre le volant après une commotion cérébrale, si ?

— Louis m'a proposé de m'emmener.

— Il m'a dit qu'ils avaient retrouvé l'homme qui a agressé votre fille ? murmure Antonia.

— Oui, ça y est. Je crois d'ailleurs que Lucky est quelque part ici, dans ce même hôpital.

Une ombre d'inquiétude passe sur les traits d'Antonia.

— Vous n'avez pas l'intention de vous en prendre à lui ?

— Non. J'ai compris la leçon. Il semble d'ailleurs que Lucky ait réussi à se blesser grièvement par lui-même en chutant le long de la paroi.

— Je me souviens de lui, Martin. Nous avions passé une fin d'après-midi d'été chez vous. Il était là, avec son chien.

— Je pensais bien le connaître.

Elle s'avance pour m'effleurer le bras.

— Ce n'est pas votre faute, me dit-elle gentiment.

— C'est une question qui va sûrement me hanter très longtemps. Si un père n'est pas capable d'assurer la sécurité de son enfant, qui peut le faire ?

— Vous êtes un père merveilleux, Martin. Je vous ai vu

avec Petra. Fielda a fait le bon choix, avec vous. Je regrette de ne pas avoir été aussi avisée de mon côté.

— Sans Griff, vous n'auriez pas les enfants que vous avez.

Elle sourit.

— C'est vrai que j'ai des enfants formidables. Nous avons l'un et l'autre des enfants formidables. Maintenant, allez retrouver Petra. Lorsqu'elle se réveillera, elle voudra voir son papa à son chevet. Vous pourrez comparer vos points de suture, tous les deux.

Je ris. Cela me fait du bien — comme si la vie pouvait de nouveau revenir à la normale. Je me lève, les jambes encore mal assurées, la tête douloureuse, et je me mets en quête de mon médecin. Je pars. C'est auprès de ma femme et de ma fille que je veux être.

Épilogue

Calli

Six ans plus tard

Je pense encore souvent à cette terrible journée d'août, quand j'avais sept ans, et je me demande comment nous l'avons tous surmontée. Pour chacun d'entre nous, ce fut un passage de tristesse, de violence, de rupture. Tout particulièrement pour ma mère, je crois, même si elle dit toujours : « Il n'y a pas eu que du négatif. Ce jour-là, tu as retrouvé ta voix, Calli. Pour moi, cela suffit à en faire un moment de joie. »

Moi, je ne le vois pas tout à fait comme ça. Je n'ai pas l'impression d'avoir « retrouvé » ma voix car je ne l'avais jamais vraiment perdue. J'ai la vision d'un beau flacon avec un bouchon en liège enfoncé profondément dans l'ouverture. Souvent, je me la représente ainsi, ma voix, comme un parfum aux notes douces reposant dans une bouteille d'aspect précieux avec une anse courbe — une bouteille haute et mince, de verre bleu comme le corps des libellules dans les bois de Willow Creek. Ma voix attendait juste le bon moment pour s'échapper du flacon. Non, elle n'a jamais été perdue ; j'attendais juste une permission pour m'en servir de nouveau. Il m'a fallu si longtemps pour comprendre que j'étais la seule à pouvoir me l'accorder, cette permission — moi et personne d'autre. Ça, je voudrais bien que ma mère le comprenne. Elle continue de se reprocher tout ce qui s'est passé. Et je pense que c'est un poids trop lourd à porter.

Je le sais de première main. Pendant des années, j'ai cru dur comme fer que ma petite sœur, Caro, était morte par ma faute quand j'avais quatre ans. C'est idiot, allez-vous penser. Comment une petite fille de quatre ans peut-elle prendre la responsabilité du décès d'un bébé sur ses épaules ? Représentez-vous la scène, cependant : la fillette de quatre ans assiste à une dispute entre ses parents en haut d'un escalier, puis elle voit sa mère enceinte basculer en arrière et glisser jusqu'en bas des marches. L'enfant a le bras tendu vers sa mère mais elle est impuissante à la rattraper. Imaginez maintenant cette enfant de quatre ans en larmes, sanglotant si fort qu'elle est incapable de s'arrêter. Normal, direz-vous. Voyez maintenant le père de la petite fille s'escrimant à la faire taire, pas avec des câlins et des bisous tendres, mais par des paroles murmurées : « Tu vas la fermer, Calli ? Si tu ne te tiens pas tranquille, le bébé ne survivra pas. C'est ça que tu veux ? Que le bébé meure ? Tais-toi ou ta maman va mourir aussi. » Encore et encore et encore, ces menaces chuchotées dans l'oreille d'une toute petite fille. Et voilà que le bébé meurt, ma toute petite sœur avec ses fins cheveux couleur de coquelicot et sa peau douce comme les pétales de fleurs. Ce jour-là, j'ai mangé mes mots. Ou je les ai mordus, plutôt. Mordus, mâchés, avalés, mes mots ont glissé comme du verre au fond de ma gorge jusqu'au moment où ils ont été trop brisés et abîmés pour être réparés, se remettre en ordre et redevenir prononçables.

Se sentir responsable de quelque chose auquel on ne peut rien, je sais ce que c'est, quoi. Et c'est comme ça maintenant pour ma mère.

Petra n'est pas retournée à l'école pendant l'année scolaire qui a suivi. Elle est restée très, très longtemps à l'hôpital. Il a fallu l'opérer plusieurs fois et elle a passé presque deux mois à Iowa City, puis encore un mois dans une maison de repos ici. Dès qu'elle a été en état de recevoir des visites, maman m'a emmenée la voir une fois par semaine. C'est drôle, nous n'avons pas beaucoup parlé pendant ces rencontres, même si ma voix était revenue. Mais nous n'en avions pas vraiment besoin — de parler, je veux dire. Etre ensemble nous suffisait.

Petra et sa famille ont quitté Willow Creek environ un an

et demi après cette journée d'août. Petra n'a plus jamais été la même après l'agression. Elle ne marchait plus de la même manière, et suivre en classe était devenu plus difficile pour elle à cause de sa blessure à la tête. Je ne crois pas que les autres se moquaient d'elle ; ils ne le faisaient jamais devant moi, en tout cas. Le truc qui clochait, en fait, c'est que les enfants comme les adultes avaient tellement de peine pour elle qu'ils ne lui laissaient pas la possibilité de redevenir celle qu'elle était avant. Les autres élèves ne savaient pas quoi lui dire, et les adultes étaient incapables de la regarder autrement qu'avec un air de chagrin et de pitié. Et tout ce que voulait Petra, c'était être une enfant comme les autres.

Je crois que c'est le procès et toute l'agitation autour qui ont décidé la famille Gregory à déménager. Le père de Petra, surtout, s'en voulait de ce qui s'était passé. C'était lui qui avait accueilli Lucky dans leurs vies, lui avait confié des petits travaux et lui avait décroché un job au Mourning Glory. Le matin où Petra avait disparu, c'était Lucky et son chien Sergent qu'elle avait vus en attente devant la fenêtre de sa chambre. Elle les avait suivis pour leur dire un petit bonjour, et Lucky l'avait agressée alors qu'ils s'étaient enfoncés déjà loin dans les bois. J'ai appris plus tard que Lucky avait préparé le terrain en multipliant les attentions pour se faire apprécier de Petra et la mettre en confiance. Il lui offrait de petits cadeaux lorsqu'il allait chez les Gregory ou lorsque Petra passait au Mourning Glory. Il lui avait même dit qu'il se promenait tout le temps avec Sergent dans les bois, juste derrière chez eux, et que ça lui ferait plaisir qu'elle vienne se balader avec eux à l'occasion. Ce jour d'août, c'était Lucky lui-même qui avait tué son propre chien. Car Sergent s'était retourné contre son maître pour essayer de protéger Petra de sa brutalité. Lorsque son chien l'avait mordu, Lucky avait fini par l'étrangler avec sa laisse.

Toute la famille Gregory a témoigné au procès. Et nous, les Clark, avons dû nous présenter aussi à la barre. Toute cette période a été longue, épuisante et compliquée, entre les questions des avocats, les questions des journalistes, les questions des voisins et des amis. Je crois que l'avocat général avait une peur bleue que je retombe dans mon mutisme. Pendant le procès, il m'appelait tous les soirs à la maison, juste pour s'assurer que je parlais encore. Lucky a été jugé coupable de toutes les charges retenues contre lui : enlèvement, viol et tentative de meurtre. La seule chose un peu joyeuse dans l'histoire a été l'intervention du grand corbeau noir qui a survolé Lucky juste au moment où il voulait s'attaquer aussi à moi. D'un coup d'aile, il l'a fait tomber du haut de l'escarpement, et sa chute lui a valu une jambe cassée et une fracture de la clavicule. Ils ne l'ont retrouvé que tard le lendemain après-midi. Pour autant que je sache, il est toujours en prison et y restera sans doute toute sa vie. Il n'a jamais été prouvé, en revanche, que Lucky ait été impliqué dans l'assassinat de Jenna McIntire.

Petra et moi, nous nous écrivons toujours. Elle vit dans l'Ohio, maintenant, et son père a renoncé à l'enseignement. Les Gregory habitent dans une vraie ferme. Ils ne l'exploitent pas eux-mêmes, bien sûr, mais ils ont quand même quelques animaux : des agneaux, des poules, un cochon et deux ou trois chiens. Petra m'a invitée à venir leur rendre visite, mais d'une façon ou d'une autre, ça n'a jamais pu se faire. De son côté, elle ne veut plus jamais revenir à Willow Creek, et je la comprends.

Mon frère a eu dix-huit ans cette année, et il travaille car il veut mettre de l'argent de côté pour faire des études. Il part cet automne, et ma mère et moi, nous pleurons déjà son absence. Ben est grand et costaud et ressemble comme deux gouttes d'eau à mon père, mais en version douce, si vous voyez ce que je veux dire. Il veut entrer dans la police et je pense que ce métier lui ira bien. Mais je ne sais pas ce que je vais faire sans lui, quand il aura quitté la maison. J'ai plein d'amis qui n'attendent qu'une chose : que leur grand frère ou leur grande sœur parte de chez eux. Mais pour Ben et moi, c'est différent. Cela me rend tellement triste d'imaginer la vie quand il sera parti que je suis incapable d'y penser.

Louis est toujours shérif adjoint, mais maman et Ben pensent qu'il devrait se présenter pour se faire élire au poste de shérif l'année prochaine, lorsque le vieux Harold Motts prendra enfin sa retraite. Louis vient souvent dîner à la maison et n'a jamais manqué un seul match de foot de Ben pendant toutes ces années. Louis et Ben sont très proches, et je suis sûre que c'est à cause de Louis que Ben veut devenir policier. Parfois, je me demande si maman et Louis vont finir par se mettre ensemble. Je sais qu'il est divorcé depuis quelques années, et je pense qu'il serait temps que maman se décide à s'accorder un peu de bonheur et de bon temps. Je lui ai demandé, l'autre fois, pourquoi Louis et elle ne se mariaient pas, tout simplement, puisque cela saute aux yeux qu'ils s'aiment. Mais son visage est devenu tout triste et elle a répondu que c'était « un peu plus compliqué que ça », alors j'ai laissé tomber. Pour le moment, en tout cas. Elle continue de faire les plus horribles cauchemars, ma maman. Je l'entends hurler dans sa chambre, et plus d'une fois je l'ai vue entrebâiller nos portes, la nuit, pour s'assurer que nous sommes bien là, Ben et moi.

Tanner, le fils de Louis, a dix ans maintenant et vient à Willow Creek presque tous les week-ends et pendant une partie des vacances. L'ex-femme de Louis a fini par s'installer à Cedar Rapids, à une heure d'ici environ. Tanner est un petit gamin rigolo avec de grands yeux calmes et graves. Louis adore son fils et déprime tous les dimanches soir lorsqu'il doit le raccompagner chez sa mère.

Pour le reste, je continue à ne pas beaucoup parler et cela terrifie maman. Je peux facilement passer deux ou trois jours d'affilée sans rien dire. Si on me pose une question, je réponds, et je ne refuse pas la communication, mais je suis plutôt réservée, dans l'ensemble. Parfois, je vois à l'expression angoissée de ma mère qu'elle pense que je suis redevenue muette. Dès que je m'en rends compte, je me force toujours à lui dire quelque chose. Et après, je la vois très nettement soulagée. Maman a trouvé un emploi d'aide-soignante à l'hôpital, dans un service qui accueille surtout des personnes âgées. Elle change leurs draps, les aide à manger, les lave et seconde les infirmières. « Ce n'est pas le plus glorieux des métiers », dit-elle souvent. Mais quand elle revient à la maison, elle a toujours plein d'histoires sympas à raconter sur qui a fait ci et qui a dit ça. Elle se plaint des grincheux et des pointilleux, mais je crois qu'au fond, ce sont ceux qu'elle préfère.

J'ai une photo de mon père que je garde dans ma boîte à trésors. Elle est un peu jaunie et les bords sont racornis mais je l'aime trop, cette photo. Elle a été prise il y a longtemps, avant que je sois née — avant la naissance de Ben, même. On voit mon père assis dans son fauteuil préféré et il sourit comme un dieu. Son visage paraît très jeune, avec une peau blanche comme du lait à l'exception des taches de rousseur qu'il a sur le nez. Il a l'air en bonne santé et ses yeux verts sont pleins d'éclat, sans cet aspect jaunâtre qu'ils ont pris par la suite. Il porte un vieux jean tout délavé et un maillot de foot des Wolverines de Willow Creek. Mais ce que j'aime le plus, ce que *j'adore* vraiment dans cette photo, c'est ce qu'il tient à la main. Ce n'est pas une bouteille de bière, juste une canette de soda et il la lève comme s'il trinquait avec le bonheur lui-même. « A nos amours », semble-t-il dire joyeusement.

Je ne hais pas mon père. Pendant quelque temps, si, mais plus maintenant. Mais si j'ai cessé de lui en vouloir, il ne me manque pas pour autant. Après l'enterrement, ma mère nous a conduits directement dans une grande surface de bricolage et nous avons rempli le coffre de grands seaux de peinture jaune. Tous les trois, nous avons repeint la maison de fond en comble et maintenant nous avons une façade toute joyeuse, comme si le soleil était dans nos murs. Toute cette semaine d'août, il y a six ans, a été incroyablement dure pour nous trois. Il nous fallait quelque chose à quoi nous raccrocher et la maison jaune, c'était déjà un début. C'est ce qu'a dit maman. Je lui ai répondu que si mon père n'avait pas été ivre et qu'il ne m'avait pas tirée de force dans les bois, je ne serais pas tombée par hasard sur Petra, et elle serait sans doute morte. Donc, on pouvait dire que papa l'avait sauvée à sa manière. Maman m'a regardée pendant un bon moment, comme si elle se demandait quoi dire. Puis elle a secoué la tête.

« Ne cherche pas à faire un héros de ton père, Calli. Ce n'était pas un héros. Juste un homme très seul atteint d'une sale maladie. »

Une fois par an, rituellement, nous allons sur sa tombe, le jour de son anniversaire. Ben râle et regimbe, mais maman reste ferme. Elle dit que nous ne sommes pas obligés d'apprécier ses façons d'agir, mais qu'il n'en faisait pas moins partie de notre famille. « Et vous ne croyez pas qu'il serait triste, papa, s'il savait qu'aucun de ses enfants ne vient jamais le voir ? » L'année dernière, Ben a ricané quand maman a dit cela et lui a répondu, genre rebelle : « Si tu veux que papa soit content de notre visite, je ne vois qu'un moyen : il faut lui apporter un pack de bières. »

Et il l'a fait, en plus. Ben est allé au cimetière avec ses canettes et les a disposées sur la tombe. Maman l'a obligé à les enlever, mais par la suite on en a bien ri, Ben et moi. C'était assez drôle, dans le genre humour noir.

Quant à moi, je suis une ado à peu près comme les autres. En classe, j'ai des bonnes notes et je fais même partie de l'équipe de course à pied du collège. La course, c'est mon truc ; ça l'a toujours été, d'ailleurs. Il y a même des jours où je voudrais ne plus jamais avoir à m'arrêter. Ce que j'aime, c'est qu'on n'a pas besoin de parler. Personne ne s'attend à ce qu'on fasse la conversation, quand on court un quart de marathon.

Je ne vais plus très souvent dans les bois, par contre, et plus jamais je ne m'y aventure seule. Ça me rend triste de ne plus être une enfant sauvage de la forêt. J'aimais tellement y aller, avant; c'était mon abri, mon refuge. Mais quand je m'enfonce au cœur des arbres, je passe mon temps à me retourner pour voir s'il n'y a pas quelque chose d'affreux sur le point de se jeter sur moi. C'est idiot, je suppose.

Maman nous a demandé, à Ben et à moi, si nous voulions déménager pour vivre en ville, loin de la forêt. Mais nous avons répondu non l'un et l'autre. Notre maison, c'est notre maison, et les bons souvenirs l'emportent sur les mauvais. Maman a souri quand nous lui avons dit ça et je suis contente que nous ayons réussi à la rassurer sur ce point. Les bois restent le lieu de prédilection de maman, et Louis et elle s'y promènent dès qu'ils ont un moment de libre. Je lui ai demandé s'il lui arrivait d'avoir peur, des fois, en marchant. Elle m'a dit que non, qu'elle a la forêt dans le sang, qu'elle ne pourrait pas avoir peur de ce qui a toujours été un endroit bienveillant pour elle.

« La forêt t'a relâchée pour te rendre à moi, non ? »

Lorsqu'elle dit ça, je hoche simplement la tête. Peut-être qu'un jour, je retrouverai ma confiance dans la forêt, comme elle. Mais pas maintenant ; pas avant des années et des années, même.

Je poursuis toujours mes séances avec le Dr Kelsing, la psychiatre qui s'est occupée de moi quand je suis arrivée à l'hôpital ; ça fait du bien de parler à quelqu'un qui n'a pas été mêlé de près à tout ce bazar. Elle m'aide à me dire que je ne suis pas folle. Pour elle, j'ai été forte et courageuse ce jour-là. Je ne sais pas si elle le dit pour me faire plaisir, mais j'aime penser qu'elle a raison.

J'ai même continué à voir le psychologue scolaire, M. Wilson, tout au long de ma scolarité en primaire. Il y a un an, j'ai appris que M. Wilson avait été convoqué chez le shérif en tant que suspect le jour où nous avions disparu, Petra et moi. Je pense que ça a dû être affreusement gênant pour lui, mais pas une seule fois, jamais, il n'a fait allusion devant moi à cet incident. J'allais le voir dans son bureau, une fois par semaine, et il me confiait toujours ses beaux cahiers dans lesquels j'avais le droit d'écrire et de dessiner. Pour le dernier entretien que nous avons eu ensemble, en fin de CM2, nous nous sommes assis à la table ronde et il m'a demandé quel sujet j'avais envie d'aborder. J'ai haussé les épaules et il s'est levé. Il me paraissait toujours incroyablement grand, même si j'avais pris pas mal de centimètres depuis le CP. M. Wilson a cherché dans son meuble de rangement en métal gris et en a sorti cinq cahiers, tous avec une couverture noire et décorés par mes soins. Je lui ai parlé du rêve que j'ai fait lorsque je me suis endormie toute seule dans les bois, le jour où papa m'a enlevée. Celui où je vole dans les airs et où tout le monde essaie de m'attraper pour me faire redescendre sur terre. Je lui ai dit que je l'avais vu dans mon rêve, avec mon cahier ouvert dans les mains, et qu'il me désignait quelque chose. Et que je me suis toujours demandé ce qu'il me montrait. M. Wilson a pris le premier de mes cahiers, tout en bas de la pile, et il me l'a tendu.

— Jetons un coup d'œil là-dedans pour voir si nous trouvons la réponse à ta question, Calli.

Pendant la demi-heure qui a suivi, j'ai redécouvert le cahier décoré avec un dessin de libellule qui était intitulé « Le Journal de Parole de Calli ». Je l'ai feuilleté en riant de mes fautes d'orthographe et de mes dessins maladroits avec des ronds et des bâtons. Et puis, tout à coup je l'ai trouvée, l'entrée du journal que M. Wilson me montrait dans mon rêve. Il n'y avait pas de mots sur cette page, juste un dessin que j'avais fait de ma famille. Ma maman était dessinée en très grand, pile au centre de la feuille. Je l'avais représentée avec une robe et des talons hauts, ce qui est marrant, quand on y pense, car elle ne porte jamais ni l'un ni l'autre. Ses cheveux sont volumineux, avec une coiffure bouffante, et son visage est souriant. Mon frère se tient debout juste à côté de ma mère, dessiné aussi grand qu'elle. Ses cheveux sont coloriés d'un rouge intense, type camion de pompiers, et le cercle que je lui ai tracé en guise de nez est rempli d'un nuage de points rouges pour figurer ses taches de rousseur.

Il tient un ballon de foot entre les mains. Au premier coup d'œil, on aurait pu penser que c'était mon père, mais en regardant bien, on voit que Griff est là, mais dessiné plus petit et un peu à l'écart du reste de la famille. Il sourit, comme les autres personnages du dessin, mais dans sa main il y a une canette et on voit clairement que c'est de la bière. Le nom de la marque est écrit en jolies lettres bleues, comme sur la vraie bouteille. Mais ce n'est pas le portrait de ma famille qui a attiré mon attention, ce jour-là, dans le bureau de M. Wilson. Je ne me suis même pas intéressée à la façon dont je m'étais dessinée, vêtue de rose, mes cheveux attachés en queue-de-cheval. Non, j'ai vu surtout l'objet que j'avais représenté, posé sur une table, devant moi. Un très beau flacon à parfum bleu avec le bouchon posé par terre, juste à côté de moi. Et, montant du goulot, une envolée de petites notes de musique, des blanches et des noires, des croches et des rondes qui entourent le rond qui me tient lieu de visage.

— C'est ce dessin-là, ai-je dit à M. Wilson en pointant mon doigt sur la page. C'est le flacon que vous m'avez montré dans mon rêve. Ma voix.

— Bien sûr que c'était ta voix, Calli. Elle ne t'a jamais quittée. Elle était là, avec toi, tout le temps.

REMERCIEMENTS

Je suis profondément reconnaissante à ma famille : Milton et Patricia Schmida, Greg Schmida et Kimbra Valenti, Jan et Kip Augspurger, Milt et Jackie Schmida, Molly et Steve Lugar et Patrick Schmida. Leur confiance inébranlable en moi et leurs encouragements constants m'ont été infiniment précieux. Merci aussi à Lloyd, Lois, Cheryl, Mark, Carie, Steve, Tami, Dan et Robin.

Mes remerciements sincères à Marianne Merola, mon agent de volée internationale qui a vu dans *The Weight of Silence* le germe d'une potentialité. J'ai apprécié au-delà de ce que les mots peuvent exprimer ses compétences, ses conseils ainsi que le temps et l'attention qu'elle m'a consacrés.

Merci à ma patiente et talentueuse relectrice, Miranda Indrigo, dont j'ai grandement apprécié les suggestions et la perspicacité. Et toute ma gratitude à Mike Rehder pour la très belle première de couverture. Merci également à Mary-Margaret Scrimger, Margaret O'Neill Marbury, Valerie Gray et tant d'autres encore qui ont eu la générosité de soutenir ce livre et de m'offrir un accueil chaleureux dans la famille MIRA.

Toute ma reconnaissance va à Ann Schober et Mary Fink, deux amies très chères qui m'ont encouragée, étape après étape.

Dans ces remerciements, je voudrais citer tout spécialement Don Harstad, un écrivain merveilleux qui a été une source d'inspiration pour moi.

Et pour finir, merci à Scott, Alex, Anna et Grace d'avoir cru en moi. Sans vous, ce livre n'aurait pas pu voir le jour.

DANS LA MÊME COLLECTION
Par ordre alphabétique d'auteur

.../...

DANS LA MÊME COLLECTION
Par ordre alphabétique d'auteur

.../...

.../...

MIRa

Composé et édité par les
éditions Harlequin

Achevé d'imprimer en Allemagne
par GGP Media GmbH, Pößneck
en août 2011

Dépôt légal en septembre 2011